北京古籍叢書

[清]于敏中 主編

瞿宣穎 左笑鴻 于杰 點校

日下舊聞考

第二册

圖書在版編目（CIP）數據

日下舊聞考．第二册 /（清）于敏中主編；瞿宣穎，左笑鴻，于杰點校．— 北京：北京出版社，2018．2

（北京古籍叢書）

ISBN 978-7-200-13584-8

Ⅰ．①日… Ⅱ．①于… ②瞿… ③左… ④于… Ⅲ．①北京—地方史—史料 Ⅳ．① K291

中國版本圖書館 CIP 數據核字（2017）第 282821 號

項目策劃：安　東　　項目統籌：許　可

責任編輯：喬天一　張　帥　　責任印製：宋　超

裝幀設計：郭　宇

北京古籍叢書

日下舊聞考

第二册

［清］于敏中　主編

瞿宣穎　左笑鴻　于杰　點校

出　版　北京出版集團公司
　　　　北京出版社

地　址　北京北三環中路六號

郵　編　一〇〇一二〇

網　址　www.bph.com.cn

總發行　北京出版集團公司

經　銷　新華書店

印　刷　北京虎彩文化傳播有限公司

開　本　八八〇毫米×一二三〇毫米　三十二

印　張　十一點五

字　數　二一〇千字

版　次　二〇一八年二月第一版

印　次　二〇二三年五月第二次印刷

書號　ISBN 978-7-200-13584-8

定價　78.00 圓

欽定日下舊聞考卷二十一

國朝宮室 西苑一

西華門之西，爲西苑。榜曰西苑門，入門爲太液池。國朝宮史

〔臣等謹按〕西苑太液池，源出玉泉山，從德勝門水關流入，滙爲巨池，周廣數里。自金盛時，即有西苑太液池之稱。名蹟如瓊華島廣寒殿諸勝，歷元迄明，苑池之利相沿弗改，然以供游憩而已。我朝列聖相承，勵精圖治，於此引對臣工總理機務，或宴賚王公卿士，或接見朝正外蕃，以及征帥勞旋、武科較技，例於苑内之惇叙殿、涵元殿、瀛臺、紫光閣親莅舉行。龍光燕譽，賡拜揚休。冬月則陳冰嬉，習勞行賞，以簡武事而修國俗云。

乾隆二十三年御製仲春西苑即景詩 鑾輅西華祭後移，趯臺更服便疇咨。還餘清暇千官退，揭對韶光一賞宜。積素已消簷際雪，輕黃欲上柳梢絲。聽鴻樓上看迴雁，春色人間許共知。

乾隆四十一年御製幸西苑接見朝正外藩年班回部哈薩克來使及四川土司土舍頭人等之初次覲謁者即事得句 步輦西華西苑巡，匪游圖覲遠徠臣。夾衢左右紛迎接，露冕笑言普拊循。回部更番久依例，庫車三品阿奇木伯克阿克伯克等十三人朝覲如年例。內旗扎薩舊稱賓。內扎薩克四十九旗之蒙古王公台吉等輪歲朝正，舊稱蒙古賓客以示優異。土爾讀作平聲。扈入朝如鴈，土爾扈特及杜爾伯特新附之王公台吉等亦每年輪番入覲。哈薩克流仰集鱗。哈薩克汗阿布賚遣使鄂托爾齊等朝貢適至。來享來王來賀節，土司土舍土頭人。兩金川平定以後，其餘各土司羣籲瞻仰，因許其照回部例輪班朝賀。今初次來京之土司明正宣慰司甲爾參德沁等八人，及綽斯甲布土舍綽爾甲爾參等三人、土守備加頭等侍衛水塔爾等十一人、德爾格特頭目索特納木拉布坦等七人，即命成都將軍明亮統率以行，茲於西苑門外隨衆夾道叩謁。隨傳旨詢慰，並加賞品級頂帶及冠服有差。撫茲武偃文修世，益切盈持泰保寅。

〔臣等謹按〕西苑御製詩，謹繹有關紀述事實者恭載卷內，餘不備録。

御製冰嬉賦有序 陸行之疾者，吾知其爲馬；水行之疾者，吾知其爲舟、爲魚；雲行之疾者，吾知其爲鶻、鵬、鵰、鶚。至於冰，則向之族莫不躄躠膠滯滑擦而莫能施其技。國俗有冰嬉者，護膝以芾，牢鞵以韋。或底合雙齒，使齧淩而人不踣焉，或薦鐵如刀，使踐冰而步逾疾焉。較東坡志林所稱更爲輕利便捷，惜自古無賦者，故爲賦之。其辭云：歲暮星窮，和叔告冬。陰凝北陸，律中黃鍾。景長而土圭可測，瑞兆而雲物皆同。撫序兮羣辟殷聘，考時兮三農蔵功。有厲疾之征鳥，鮮求信之蟄蟲。叫嚴飆兮栗烈，凛肅氣兮穹窿。於斯時也，火井無燠，温泉不熱。何水不凝？何波不結？阻平川之會海，徒望衡瀠；勒奔峽之傾流，惟聞幽咽。澌盈九曲，謝神禹之剔鬟；湅合三山，駐王喬之旌節。躍魚之表孝曾傳，覆鳥之昭祥見説。則有鏡呈太液，璧寫龍池。占昏危之應宿，值顓頊之司時。沍而不流兮，礙矜鱗之鯉；凝而原澈兮，疏倒影之梅。叶皓皓皚皚兮，映白塔之孤矗；溓溓泠泠兮，隔玉蝀之橫欹。載取載藏兮，順彼月令；以訓以賚兮，陳我冰嬉。爰答歲華，率循舊典。陳旅集衆，既雷動而風行；結部整行，埒春蒐而秋獮。元冥受律，戢水族與波臣；蚩尤秉旗，乃暴禦而祟遺。於是戎士憑怒，武卒振拳。渴思一試，遑慮誰先！齊搏搏其轇轕兮，盱陸離以屬聯。駭營營其俶路兮，紛傑僎以羅駢。祖劉呂之左右兮，各殊事以布班。倏陰陽之閉闔兮，期奏績以勤宣。衣短後，膝蔽前。韡齒雙利，鞵刀兩儇。編伍森列，齊隊便旋。於斯少息，以待號令之傳焉。爾其屯萬人於中堅兮，屬堪輿以壁壘。奔八神以周衛兮，招丁甲而發指。亘長絙以節止兮，羣總總而切儗。驛綵旌以傳符兮，看縱縱之立俟。心無別營，目不他視。遂乃朱旗颭，捷步騰。緹衣揚，輕武蹵。聳擢布濩，卼逐趯趟。踧沑波流，蠭軼猋驚。閃如曳電，疾若奔星。蹂蹈雲衢，揚揮玉京。故其爲聲也，軯磕隱訇，礌硠激越。砊砰殷轔，雜沓震疊。訾振天根，響匉地臬。慴波底之蝦隅，墮林間之巢鶻。元武縮殼而屏氣，燭龍守珠而閉闕。起涌泉，會奔物。雖天籟之號竅，比千鈞於一髮。其爲狀也，似東皇整駕於若木之墟，義帝弭節於扶桑之津。應真挂錫以凌虛，茅君驂龍以矼天。叶過驥羣而駿足搶捍，上扶摇而鵬翼圖南。叶蠖畧迴翔，演沲糾紛。鏡大圓而晶晶晶晶，珠萬琲而爛爛璘璘。交差曼衍，歷落皴皺。突都盧兮輕趫，迅龍驤兮麟振。奕六虯兮沛艾，御八風兮穆旼。首進者却視而小憩，繼至者錯履而蹩跟。虞後來之比肩，更前往而擢身。傑者得幟，疇與比倫？遺者失志，第如逡巡。復有革戲，其名圓鞠。漢家有執機之譬，黄帝作練戎之俗。武由是習兮，其争也君子；好謀而成兮，如祭則受福。申明誓兮衆聽無譁，陳廣场兮各司其局。乃其冰牀駐於琉璃之界，豹尾扈於鸑鷟之隈。千官儼立於懸圃，萬隊佇待乎瑶階。歷天之旗，影捎朶殿；照雲之蓋，光熻趯臺。殆而容與，惄若儃佪。執事者中立而不倚，争捷者有前而無回。珠毬一擲，虎旅紛來。思摘月兮廣寒之窟，齊趁星兮白榆之街。未拂地兮上起，忽從空兮下迴。突神龍之變化，蕤翔鳳之髼鬆。鶌鶋燕居，姌嫋鴻猜。怡情悦目，有如是哉！夫其伯仲分，甲乙第。併前行賞，縱後亦逮。叶勇者特旌，任者均賜。普被曰仁，有差曰義。則豈啻西苑飾紅板之柁，温泉設錦鞍之戲而已乎！重曰：仲尼有言，射觀德兮。安不忘危，舊是式兮。惟歲之晏，以休以息兮，一日之樂，匪賚曷得兮。敬告後人，無或逾則兮。

御製蜡日坐冰牀渡太液池誌興　破臘風光日日新，曲池凝玉淨無塵。不知待渡霜花冷，暖坐冰牀過玉津。太液人行步玉花，金鼇遥望鎖烟霞。勝游不數瓊華島，愛聽寒林噪暮鴉。

〔臣等謹按〕御製蜡日坐冰牀渡太液池誌興詩載於樂善堂集，今恭録卷内。

乾隆七年御製太液池泛舟詩 新水一篙深，載舟猶力弱。偶來弄澄碧，滄浪意可樂。天空鳬雁閒，波静魴鯉躍。是時春始半，夾岸夭桃灼。旋惹東風吹，紅英貼波落。韶華固不牢，長歌興所託。

乾隆十一年御製太液冰嬉十二韻 順時陳國俗，擇地試雄觀。號令傳河若，威儀紀水官。光凝元玉浦，聲咽碎珠灘。散處雲馳宇，紛來雪噴湍。端因智獨勝，奚必力俱殫？疾以徐斯疾，安其危乃安。御風列應讓，逐日夸無難。迅似巖飛電，温知犀辟寒。超羣殊閃爍，作勢更蹩跚。擬議弦催箭，形容鏡無鸞。一時誇奪幟，獨步早登壇。妙義韜鈐外，憑人著眼看。

乾隆十二年御製太液池泛舟詩 玉蝀橋頭駐六驄，溶溶太液一舟通。苑花堤柳添烟景，弱葦新蒲茁露叢。烟中樓閣座中移，雨後風光慰後思。憂慮勾消詩數首，清和恰似昨年時。漭沆澄波疊翠涵，天光雲影適來參。獨春依葦毿毿白，遠嶂疎眉淡淡嵐。樹沃濃青花發紅，疇人占節報南風。是日立夏，欽天監奏南風，占云五穀熟。一般西苑經行處，却與前朝迴不同。

二十日幸圓明園，停蹕西苑傳膳，正望雨際也。

乾隆二十八年御製液池泛舟三首　飛龍蓬島御風輕，蓬島飛龍，液池舟名，尚前明物，時加修飾供御用。暢好液池新水生。却是西濛人不識，直云天上坐而行。時愛烏罕等部陪臣請瞻仰御舟，允之，並喜詑以爲得所未覩。盆梅堤柳争春色，岸芷汀蘭勒水芳。何必其來盼袞袞，會看一到去堂堂。玉蝀金鼇亘卧虹，承光樓閣倒涵空。勝朝遺蹟春明夢，殷監兼存水監中。

乾隆三十三年御製太液池泛舟卽景雜詠　液池春水恰勝篙，淺漾韡文静息濤。素艇居然利轉動，層樓傍岸繫龍艘。液池中有瀛海飛龍船，層樓飛甍，勢甚閎麗，蓋明時舊製。歷年修葺，壯觀而已。以艱於舉動，每繫岸不用。第一名泉遠溯津，新波暗長拍船唇。書雲迴雁卽去雁，字柳今人非昔人。水面樓臺鏡裏圖，當年佔畢記曾吾。庭前菶菶萋萋者，幾換新梧伴舊梧。春菜青隨冬菜生，園欣豐澤重農情。卽看土脈含香潤，指日行將此試耕。烟光澹澹接波光，松色青青柳色黄。鳧雁翱翔真得所，笑他也自託君王。過牐還須小步堤，犁然水便有高低。又看桂棹蘭槳盪，聊爲乘閒快覓題。三海何曾五里遥？液池舊有三海之名，蓋明時内監所稱，相沿未改。其實兩橋隔之耳，經行不過五里，若輩虛誕，可見一班。椓人張大笑前朝。心無俗便神仙境，韓衆安期底用招？承光臺殿鬱嵯峨，金蹪元顛明復磨。祇有東廂古松樹，春來依舊發新柯。

乾隆三十六年御製太液池泛舟詩　初生春水緑波清，六棹蘭舟送以輕。不廿日前竭爾憶，挖牀曾是碾冰行。永安寺名。白塔矗岧嶤，掬手波中若可招。冰水設還相較量，究欣漾影此爲遥。黄薰岸柳緑生莎，春意舒遲覺漸多。漫惜新花猶未發，雪英纈樹匪梅何。蒼雲縹緲望瀛臺，分付吟情俟再來。登岸合教還紫禁，封章應有待批裁。凡駕行之日，雖無輪班引見之員，而各省督撫奏摺仍即以時批發。

乾隆四十年御製太液池泛舟詩　液沼冰融可泛舟，致齋前偶試清游。還宫況此爲路便，監水因他作楫求。魚躍雁迴化工暢，天光雲影静機投。鳴榔聲裏忙登岸，爲接軍書報置郵。連日盼望軍郵甚切，適於舟上接阿桂、富德奏函，隨命登岸，輿中啓閲。將回宫批答，不暇游覽。

〔臣等謹按〕太液池御製詩，謹繹有關紀述事實者，恭載卷内，餘不備録。

西苑門循池東岸西折，臨池面北正門曰德昌門，門内爲勤政殿，殿後爲仁曜門。國朝宫史

〔臣等謹按〕德昌門内正殿五楹北向，恭懸聖祖仁皇帝御書額曰勤政。皇上御書聯曰：常切單心歸宥密；每懷勑命凛幾康。

乾隆七年御製勤政殿對雨詩　梅雨頻霑欲作霖，坐來九夏豁煩襟。風花帶濕飛殘瓣，驚鳥銜烟覔遠林。階齒暗琴紛作響，簷牙細溜亂如斟。封章覽罷饒清課，芸簡閒披獲我心。

〔臣等謹按〕勤政殿御製詩，恭載首見之篇，餘不備録。

仁曜門南爲翔鸞閣，閣後東樓曰祥輝，西曰瑞曜。由閣而南爲涵元門，門内東向爲慶雲殿，西向爲景星殿，正中南向爲涵元殿。國朝宫史

御書。

〔臣等謹按〕翔鸞閣廣七間，左右延樓迴抱各十九間，涵元殿正中恭懸皇上御書額曰天心月脅，東室額曰含經味道。聯曰：四面波光動襟袖；三山烟靄護壺洲。又曰：風篁叶韶濩；雲樹藹蓬壺。西室聯曰：於此間得少佳趣；亦足以暢敍幽情。皆

乾隆七年御製冬日涵元殿詩　插架三千玉帙陳，明窗領畧小陽春。庭虚時聽松風古，香静還思梅萼新。階草向暄猶織毯，液波知暖尚拖銀。底緣未釋中心悶，多少茅檐失所人。

乾隆三十八年御製題涵元殿　趯臺貽勝國，庭樹百年枝。古殿臨中正，新題易楰楣。舊名香扆殿，乾隆辛酉易此額。瓦陰餘積雪，簾額煦春曦。物物涵元化，欽哉茂對時。

〔臣等謹按〕涵元殿御製詩，謹繹有關紀述事實者恭載卷内，餘不備録。

涵元殿之東爲藻韻樓，西爲綺思樓，正北相對爲香扆殿。國朝宫史

〔臣等謹按〕藻韻樓綺思樓上下各六楹，香扆殿三楹，殿之東有室三楹北向，額曰溪光樹色。聯曰：圖畫參生動；詩書閲古芳。北接三楹西向，額曰虚舟。聯曰：閒雲入

窗牖；清露滴梧桐。又曰：心澹水木秀；興幽魚鳥閒。又曰：鑪香晝静雲編展；花海春深竹檻清。殿之西有室三楹北向，額曰水一方。北接三楹，額曰蘭室。聯曰：亭臺涵月鏡；花木暢天機。又曰：過眼寸陰求日益；關心萬姓祝年豐。

乾隆二十三年御製賦得虛舟　芸齋臨太液，芝榜署虛舟。趣味南華永，蹟惟勝國留。灑然閱今古，曠若忘（去聲。）沉浮。秋月當窗印，春波拍岸柔。幾曾慮風浪？無礙侶鳧鷗。我有濟川意，還叚作楫求。

又御製賦得水一方　趯臺三面水，書室敞南榮。亭接迎薰近，池臨太液清。畫如展李思訓。趙，（伯駒。瀛臺猶勝朝故蹟，多金碧樓臺也。）境卽是蓬瀛。三復蒹葭什，懷賢獨泥情。

乾隆二十四年御製香扆殿詩　環瀛南面據崇基，建置猶傳勝國貽。金界樓臺思訓畫，碧城鸞鶴義山詩。茁庭祇合三珠樹，漾牖宛同百子池。未及燈懷淳樸也，每因閱古率評時。

乾隆二十九年御製綺思樓詩　口過非惟宜戒之，（佛經口過四，一綺語也。）有爲終不若無爲。請看萬紫千紅者，大塊何曾費綺思？

乾隆三十二年御製蘭室口號　一窗嫩日正和暄，與善人居味古言。却笑奉宸太著相，國香真箇植盈盆。

乾隆四十年御製藻韻樓口號 不迴書樓纔十笏，所饒架有縹緗羅。退之木强去聲。何妨窄，見六一詩話。却是因難見巧多。

〔臣等謹按〕虚舟諸處御製詩，皆恭載首見之篇，餘不備録。

香扆殿後南向曰瀛臺。東爲春明樓，西爲湛虚樓。國朝宫史

〔臣等謹按〕瀛臺爲明時南臺舊址，本朝順治年間稍加修葺，皇上御書額曰瀛臺。有木變石在春明、湛虚兩樓之中，恭刊御製庚辰題句於上。

聖祖仁皇帝御製瀛臺偶作 蟬鳴槐葉緑，魚躍芰荷風。太液臨斜景，參差更不同。

聖祖御製瀛臺詩 紅闌橋轉白蘋灣，叠石參差積翠間。畫舸分流簾下水，秋花倒影鏡中山。風微瑶島歸雲近，日落青霄舞鶴還。乘興欲成蘭沼詠，偶從機務得餘閒。

聖祖御製夏日瀛臺許奏事諸臣網魚攜歸詩 西苑頗幽邃，崇臺俯畿甸。鮮雲蔭修廊，南薰披廣殿。水木既周遭，卉物亦葱蒨。嵐光翠欲流，林暉清可薦。於兹滌煩暑，敢曰恣游衍？眺遠暢陽和，居高協靈撰。朝來覽封事，灑灑意忘倦。高閣晝漏移，彤墀集羣彦。靖共往汝諧，勤劬答予眷。姑爲池籞游，從容任所便。投綸錦鬣飛，舉手纖鱗見。委蛇退食心，庶幾娱式燕。

世宗憲皇帝御製瀛臺泛舟詩 春深游上苑，鼓栧盪中流。波湧方壺島，林開翡翠樓。落

花飄兩岸，垂柳拂扁舟。此日歡無極，君恩被獨優。暮轉西池棹，風微錦浪平。蜻蜓閒自得，鸂鶒遞和鳴。舉網雙鱗獲，停盃四韻成。仙山何處訪，卽此是蓬瀛。

皇上御製瀛臺記　入西苑門有巨池，相傳曰太液。循東岸南行，折而西，過木橋，邃宇五間爲勤政殿。自勤政殿南行，石堤可數十步，階而升，有樓門向北，扁曰瀛臺。門内有殿五間，爲香扆殿。殿南飛閣環拱，自殿至閣如履平地，忽緣梯而降，方知爲上下樓。樓前有亭臨水曰迎薰亭。東西奇石古木，森列如屏。自亭東行過石洞，奇峯峭壁，轇轕蓊蔚，有天然山林之致。蓋瀛臺惟北通一堤，其三面皆臨太液。故自下視之，宫室殿宇雜於山林之間，如圖畫所謂海中蓬萊者。名曰瀛臺，豈其意乎！

御製瀛臺觀木變石詩　異質傳何代？天然挺一峯。誰知三徑石，本是六朝松。苔點猶疑葉，雲生欲化龍。當年吟賞處，借爾撫遐蹤。

〔臣等謹按〕御製瀛臺觀木變石詩載於樂善堂集，今恭録卷内。

乾隆四年御製二月十三日恭侍皇太后遊瀛臺紀事詩　永康曉闕問安迴，鳳輦晨游重侍陪。摇曳晴光看御柳，分明春色遍宫梅。西山翠映屏風列，太液冰融鏡面開。仰識慈顔多悦豫，熙熙萬物樂春臺。

乾隆六年御製瀛臺木變石歌效李長吉體　大山穹谷崇且盤，山頭鶴駐曾棲仙。岑巒嶇㠊扶孱顔，金堂玉室相鈎連。雲興霞蔚吐紫烟，含囊靈瑞如陶甄。靈林冥冥冠其巔，其幽叢雜多桂蘭。是爲天宇宅天男，乃有異木鎮厚坤。蚖蕃杜松非其倫，蔽虧天日無朝昏。爲舟十數皆其孫，匠石却顧持斧奔。水龍噴泉沃厥根，啼蛄弔月星漏痕。干雲負霜枝曲卷，靈鶬振翅毛羽鮮。老桂漫誇吴質眠，白榆空足沈郎錢。櫛櫛銀雲車蓋翩，挂以雙丸繞魄淵。壽比散木已有年，女夷不敢司厥權。付之圓蓋全其天，支離幻作秦女焉。會觀木石兹同壇，爲髮爲身一體全。亭亭傑豎無比肩，暖春生玉疑藍田。磷磷爛爛出五源，女媧煉石兹尚存。傍林插巖絶攀援，奇礓詎妨山溜穿！五丁不可奪其堅，端州石工安足論！移來曾受海神鞭，五車能上東馬牽。都下傾城咸厭觀，方壺蓬島資盤桓。辭山不戀山木繁，瓊臺瑶室何丸丸。罘罳風叫露掌寒，漢唐池館今依然，爲薪非火悟火傳。

乾隆七年御製瀛臺竹木牀歌　静憩軒中横短牀，不雕不斲伊誰造？竹皮木骨恰相稱，詎誇華飾誇質老。我聞玩物能喪志，漆器進諫明至道。涓涓之水成江河，其流滌器裝七寶。何如兹牀樸且完，安置妥貼不攲倒。松齋夜静夢周時，梧階晝永攤書好。異物不貴凛前訓，用銘座右期相保。

乾隆十一年御製正月十六日奉皇太后瀛臺看烟火卽景燈詞八首　夜珠東望正圓規，是月望在十六日。南極祥光映座垂。王母瑶樽斟北斗，由來西苑是西池。鄒陽律裏氣初旋，萬歲山前春欲燃。簇簇魚龍紛陸海，離離瓊玖積銀田。誰遣微雲點太清，是夕微雲。銀蜍爲讓火蛾明。上元此日有餘樂，宣德當年奚比衡？賢王列坐賜酥茶，中外熙和久一家。百道如虹朝貝闕，萬條似箭走金蛇。雲霞錦繡燦瀛臺，花發何須殷七來？百子池邊麟卓犖，萬年枝上鳳毰毸。玉蝀金鼇亘夜光，非烟馥郁裊風香。殿前底事金蓮徹？歸第羣看相是張。大學士張廷玉自雍正年間至今與上元燈火之觀凡二十餘年，故以張説故事比之。火裏開花幻豈真？輪中轉法佛兮人。乍從上苑觀梅柳，葉葉枝枝有脚春。瑞葉瓊花鏤上林，東風又復作輕陰。詩人漫道妬佳景，農父多應比好霖。

又御製歲在丙寅序行金昊有秋叶慶景物咸和敬稽皇祖時曾舉瀛臺錫宴之典宗親咸與爰循舊制集王公宗室等於八月二十七日瀛臺宴賞用展周親因成三律　露色烟光靄禁垣，昌辰嘉宴會親藩。穀登萬寶真成瑞，菊先重陽已泛樽。拂檻蘢葱木有本，拍堤汪濊水宗源。何須禮數拘酬酢？同是神堯膝上孫。是日并召朕同行弟兄無爵者亦逮。雁齒紅橋玉影明，壺天縱目儼蓬瀛。拂招林牖風光美，負帶烟霞景物清。笑語從容伯兮叔，獻酬交錯弟於兄。一堂敦睦家人吉，却陋山河帶礪盟。綺疏晴旭麗曈曨，樂事天倫和氣融。徐進雕槃瓜有瓞，繁滋釦砌樹連叢。情抒共許飛吟管，興洽偏思駐漏箭。行葦歌成欣既醉，高秋樓閣靄春風。

又御製是日宴間復成六韻　秋烟靄顥空，晴旭上宸楓。情洽十年久，朕御極十年矣，因循未得與近支昆弟羣從歡會。今秋西成萬寶，適以在宮，始開宴於瀛臺云。歡殷一日中。螽斯歌揖揖，是日與宴者凡百人，其有事未至者尚復五十餘，皆皇祖親孫並曾、元也。燕喜樂融融。乍可方觀梓，何須侍剪桐？銀潢兼玉葉，祖德與宗功。聖日高懸處，承恩膝下同。

又御製我皇祖時曾集大小臣工於瀛臺宴賞甚盛典也茲因西成豐稔百物蕃昌於八月二十八日賜宴公卿庶僚於瀛臺以昭繼繩宣豫之意得詩四首并示諸臣其欲賡韻者聽　趯陂鵷侶接鳴珂，霽宇空澄氣色和。共喜向筵開早菊，多緣紀歲得嘉禾。柏梁臺畔騰牋集，仙蕚亭邊載筆過。緬想虞廷傳盛事，颺言何以繼賡歌？鏡中樓閣五雲稠，皎日揚輝素景浮。湛露詩成天酒下，蓼蕭樂作徵招流。曲江早獻千秋鑑，梁國還登太液舟。三世方明陪御賞，大學士張廷玉之父曾侍皇祖西苑宴賞，今與其子若靄共陪此會，亦盛事也。從教佳話冠螭頭。璇霄猶覩曉蟾娟，濟濟冠裳擁慶烟。丹粟香中陳桂醑，玉山頹處酌瓊筵。崇牙徐聽鈞天奏，高閣遥聞晝漏傳。此日含毫多沈宋，昆明漫數景龍年。蘢葱雞樹翠華留，相悅君臣共唱酬。鎬上宴開惟卜晝，樓前酺賜正登秋。在陰鳴鶴方縻爵，樂藻游魚不避鈎。試問彬彬玉堂客，瀛臺然否即瀛洲？

又御製秋日瀛臺集臣工宴賞既仿柏梁體聯句復召大臣及内廷翰林等三十八人用唐臣李嶠侍宴甘露殿詩爲韻依前歲翰苑故事朕成首什及末章羣臣以次分賦　蘭舟玉蝀風，珂馬金鼇月。今日秩威儀，文筵盍簪笏。皇祖垂芳型，元臣會華髮。旨酒於以柔，晚香猶未歇。拈詩得李嶠，成序懷王勃。申咨山甫儔，其何補袞闕？白藏昌百嘉，西苑駐重牙。翔鳳閣名。䬃香穗，游龍舟名。捲浪花。喜因歌黍稌，政可問桑麻。水影含橋直，山容入座斜。杯浮漿是瀣，盤進棗如瓜。侍宴詩成處，還看飛暖霞。

乾隆十二年御製晚秋瀛臺即景詩　仗馬排芳岸，游龍達玉津。趯臺宛蓬閬，香扆重逡巡。樹態疏添紫，波光皎疊銀。誰云秋色老？蘭阯鎮涵春。綺砌黄花秀，蝦簾朱鳥晶。篆烟徐遞馥，芸帙静含清。巖峽猶飛瀑，池亭可泛觥。蓼蕭游豫處，著壁畫圖成。去歲賜宴賦詩，已命畫院繪圖壁間。

又御製瀛臺大理石屏歌　直方大幅出巖巒，製爲屏風陳座端。不忘本來具神解，林嶺猶肖點蒼山。琉璃罘罳嫌巧脆，錦繡纂組徒繁麗。豈如山骨堅且樸，更不鏤劖致刓敝。白質青文潤以腴，高低溪壑天然圖。倪黄董巨稱妙手，疏皴澹染終不無。廉而弗劌柔豈屈，巍然猶是前朝物。幾經海水復桑田，依舊春風更秋月。

乾隆十三年御製雨後瀛臺詩　朝暾散曙光，徂雲在空宇。趯陂花木叢，太液鳶魚聚。潤含草味馨，漲益瀑聲怒。山亭水榭間，并輦同舟所。孑然成暫來，愴爾獨延佇。景光迅與否，瞥眼半年許。自幸魯迴鑾值事，故今始至瀛臺云。

又御製孟冬上旬於瀛臺賜經畧大學士傅恒及命往蜀西諸將士食並成是什　大清聲教暨遐陬，豈有來王稽蜀酋？黷武開邊非我志，安良禁暴藉卿謀。行軍吉值初陽復，賜食恩同湛露流。轉瞬明年擒娑虜，還教開宴侑封侯。

乾隆十五年御製瀛臺小宴外藩詩　行慶宜春嘉客來，趯臺曲宴例教陪。晴開苑樹媚韶景，雪糝天街淨薄埃。樂奏雅寅初入律，恩頒湛露滿浮杯。一家中外熙和際，保泰孜孜日念哉。

又御製夏初瀛臺即目詩　敬舉常雩蕆事回，仙壺咫尺暫徘徊。花含宿雨迎雕輦，樹張去聲。清陰覆曲臺。水闊鳧依寧北去，鳧雁以春候北嚮，至塞外換羽育卵。液池水闊，有留集於此者，故特紀之。堂深燕賀定南來。載賡錫宴傳佳話，繪壁流連幾住迴。丙寅秋八月，賜宗室羣臣宴於惇敘、涵元二殿，聯句賦詩，並命畫苑臣繪圖黏於壁間，以紀其盛。

乾隆十八年御製人日瀛臺即目詩　人日率逢齋，法宮虔端凝。今年已祈穀，春雪況被塍。令節氣始和，即事傳攀登。宴賞例不舉，是日適逢忌辰，例不行宴賞。邱壑致可憑。積素纈珠林，噴流瀉玉崚。一屏絲管鬧，轉覺襟懷澂。攬勝新景會，勒壁舊題曾。新舊信儻然，流陰爾爲能。

又御製秋日瀛臺即景詩　高秋霽景暢登臨，山色湖光効靜深。遐想貞觀留治蹟，也教泉石一娱心。金碧樓臺學嶠壺，假山松檜緑陰扶。涵元殿裏天香放，勝賞明看畫作圖。

丙寅秋於此錫讌王公及廷臣，賦詩聯句，爲圖張於壁間。豐澤當春憶演犁，黃雲今幸黍禾齊。艱辛稼穡三時望，曾未胼胝共兆黎。太液波澄鏡影空，蘭舟沿泛韻秋風。尋常想像稱佳話，那似當前體認工？瓊島峯巒翠岌峩，浮圖尊勝漾明波。誰教日下傳春景，可識秋光不讓多。

乾隆二十二年御製泛舟至瀛臺即景三首　玉蝀新修飲練横，御河橋以年久重修，時方告成。輕舟直擬達仙京。由來太液一池水，三海何人浪與名？橋北爲北海，南爲中海，過勤政殿紅牆爲南海，蓋明季相沿即有此名。黃頭緩著盪蘭橈，爲愛芳荷挹露饒。襲襲清香無近遠，蓬瀛猶在錦雲標。補植高桐出老枝，團陰障暑緑參差。墨壺書策三庚静，正是當年敬業時。

乾隆二十三年御製新春瀛臺詩　祭臨吉戊返宫垣，路便南臺小駐軒。綺户歲屏猶未徹，仙壺春事已堪論。柳稊欲展風還弱，梅萼如嫌旭乍温。逐處題詩寧慮複？盤盂几杖意斯存。西苑周不過十里，然以勝朝遺蹟，加之國家百餘年延美承平，時復葺綴，一亭一榭各標勝概。邇年以來，逐景得句，無慮數十百首。然敕幾祈年之意恒多，故末句及之。

乾隆二十四年御製瀛臺小宴御前藩王大臣及漠咱帊爾詩　運斗屠維單閼迴，順時行慶合瀛臺。千羣尚可冰嬉試，三接都教春宴陪。屏翰何妨厠葱嶺，歡娱齊説到雲來。鵠場晴靄因觀射，是日發十五矢，中十三，蓋外夷雖宜宴賚厚惠，尤當示之以射獵之事，彼更樂亦畏服。示遠寧徒好樂哉。

又御製望瀛臺未至詩　執豕修宫祀，舊制，祭神於坤寧宫，三月、九月朔日則謂之大祀，益敬謹將事。儲牛逮藉田。以三月初七日耕藉。必躬伊古訓，清蹕以時旋。帶水盈盈隔，凝雲漠漠連。三壺疑在即，宛似望瀛仙。

乾隆二十五年御製人日瀛臺卽目詩　問安長樂噦鸞聲，佳祉欣占人日晴。祇以對時懷位育，因之取便到蓬瀛。歲華見説登臺賞，國典惟遵徹樂韺。是日忌辰，例不舉樂。寶月樓頭春色好，爲田一攬萬民情。

又御製瀛臺賜宴安集延來使卽席得句　奉檄猶慚力未宣，安集延奉將軍遣侍衛檄諭，卽欲協擒霍集占兄弟，以逆賊未至彼境，卽專使籲請入覲。石旋書捧使來專。閉關難學漢光武，謁陛何期安集延？西苑都稱到天上，南薰羣喜沐恩先。時拔達山使尚未到。仰流嘉彼明於順，三接應中錫賚駢。

又御製瀛臺賜宴拔達山來使卽席得句　歸俘獻馘識忠誠，貢使隨來萬里行。第一西方足嘉國，無雙天下此都京。俾觀禮樂三千盛，待賞烟花午夜明。重譯又須宣象寄，近始畧習回語，可以不煩譯寄，而拔達山居極西，語又異於葉爾奇木，故仍須回人譯彼語也。筠沖語異逮濛瀛。

又御製瀛臺曲宴外藩詩　仙壺曲宴答韶年，舊典惟遵憓悰聯。北漠户庭真密邇，西瀛裘帕許參連。蒙古王公等朝正來者，賜以曲宴，歲以爲常。今歲並令回部來使入席，且奏回樂。兜離歌與任僸舞，拔達山將安集延。近悦遠來寧易易，側身基命益乾乾。

又御製瀛臺宴拔達山諸部回使詩以紀事　遠使倈朝宴遺歸，傾誠憐彼戀依依。燈宵剛度韶春麗，夜雨欣晴瑞旭輝。乍可頒錫聯撤茘，何妨卉服接絺衣。從來曰信大蒙重，安爾耕桑永受機。

又御製上巳日凱宴成功諸將士詩有序筵開飲至，剛逢祓飲之辰；苑啓瀛臺，恰奏濛瀛之績。於時上公晉爵，青郊解甲初還；蕃長敷茵，黃幄纏頭列侍。官懸陳百部，將回中樂府齊登；錫爵偏三巡，以閣上圖形爲次。詎因詡挾纊投醪之惠？期得抒推心造膝之忱。且食刀闐璧偕來，包匭宜酬其效順；而紫綺朱提並賚，簽名合第彼成勞。從兹凱宴遐宣，足使天堂知樂。是用寅承永切，毋忘月䯊依光。非矜七德升歌，爰藉八章紀實。

出勞嘉勳蕆禮旋，昇平凱宴液池壖。闢疆掃逆誠資衆，助順成功總賴天。策績林林恩予厚，詢勞一一命來前。寧惟云不重生望，祗覺迴思越悚然。日麗風和春未深，奬庸備禮有壬林。試看偃伯靈臺上，詎數流觴曲水潯？命預綺筵排伯克，也陳夷樂奏任禁。笑聆蜀技無情者，那覺西悲動乃心。圓幕高張榆柳垂，犒筵喜值禊修時。策勳舍爵竟今日，鬯武書常允不期。誰擬浯溪浻崖頌？我歌靈夏出車詩。紫光將畫淩烟像，西師蕆成大功，自元臣及在事將軍、參贊、禁衛統領諸臣，第其勳績懋著者命工圖形紫光閣，以崇奬勸。穆棣同叨乾貺貽。成功將士錦衣旋，日月光輝軍氣蠲。藉我虎臣典宿衛，笑他杯酒解兵權。將軍兆惠、副將軍富德，既以酬庸晉爵，均命爲御前領侍衛大臣。宋藝祖權術駕馭，夙所鄙，故戲及之。八旗子弟心如石，萬禩國朝龍荷天。宣看瘡瘢猶未愈，三等侍衛綽克圖巴圖魯恩特驍勇過人，臨陣不避鋒鏑。今預宴賜酒時撫其額傷，猶未痊復，爲之惻然。能無一體恫瘝連。柳舒花放正良辰，上日前期福履申。三月三日爲上巳，然是日始戊申，故云。卸甲韔弓盡皀藻，凹睛豐額集魚鱗。千秋難遇太平宴，百戰歸來義勇身。獨憶儲胥宣力者，故大學士黃廷桂總理軍儲，調遣諸務，備殫忠勤。未及武成，遽焉先逝。故前賜詩有奪我賢臣何太劇，不教留看凱歌迴之句。凱迴未見惜斯人。敦瓜蒸栗允堪憐，一萬何期竟拓邊？遠愧周王興六月，遲過殷帝克三年。依楊霏雪凡經幾，立幟登弧盡陷堅。此日征夫真邇止，皇州春滿七條絃。拔達山人獻馘歸，三軍飲至藹晴暉。勞心幸我紓宵旰，公道憑伊論是非。紫綺朱提頒渥澤，前歌後舞迓鴻機。歡來憶不同來者，軍興以來，我大臣將弁等咸以盡誠自奮，其間有遇阿逆之叛，如將軍公班第、參贊伯鄂容安。遇噶爾藏多爾濟等之叛，如寧夏將軍和起。而追色楞之逃者，如副都統唐喀祿。誤聽沙拉斯瑪呢斯之詐者，如都統滿福。至遇回酋和卓木之叛，如副都統阿敏道、前鋒統領鄂實、副都統三格、侍衛特通額、總兵高天喜，而奉命在途猝遇亂賊，如將軍伯納木札爾、參贊侍郎三泰，其巴圖魯侍衛中之奇徹布、巴淩、阿寧古禮、富錫爾、瞞綽爾圖等，並能以死勤事，秉節捐軀，雖加恩優予旌卹，而當功成飲至時，迴念義烈炳然，不勝雪涕云。尤勞爵手持淚暗揮。芳節延禧淑氣清，禊歌聲是凱歌聲。元戎允合躬承衮，勇校均教手賜觥。藉衆力茲疆地戒，勑予心永奉天行。從來悟得受招理，虔鞏流謙慎捧盈。

乾隆三十二年御製仲春瀛臺詩　祭罷迴鑾路轉西，趯臺仲月曉寒凄。池餘冰雪春猶淺，架列詩書古與稽。向以問安過翠蹕，茲因進講駐彤閨。向來祭社稷壇禮成，皆至瀛臺更衣，即詣暢春園請皇太后安，茲以次日經筵，因於宮中多駐一日。偷閒偶此尋芳景，却是韶光尚有徯。

乾隆三十七年御製瀛臺雪景詩　密飄細灑夜連曉，洛起居餘到趯臺。望遠瓊樓彌漠漠，積深冰浦浩皚皚。座宣卿貳籌幾務，陣閱駕鵞掄軼材。每冬太液冰堅，令八旗與內府三旗簡習冰嬉之技，分棚擲采毬，互程趫捷。並設旌門懸的演射，用嫻步伐止齊之節。皆輪番閱視，按等行賞，以爲常例。行賞勵勤資卒歲，豈徒玩景此頻來。

〔臣等謹按〕瀛臺御製詩，謹繹有關紀述事實者恭載卷內，餘不備録。

欽定日下舊聞考卷二十二

國朝宮室 西苑二

瀛臺臨水爲迎薰亭。國朝宮史

〔臣等謹按〕迎薰亭御書額曰對時育物。聯曰：相於明月清風際；只在高山流水間。

藻韻樓折而東南向者爲補桐書屋，北向者爲隨安室。國朝宮史

〔臣等謹按〕補桐書屋東室聯曰：摩空野鶴養真性；繞壑風泉清道心。西室聯曰：清陰欲凌霄漢上；遠意自在山水間。隨安室聯曰：柳陰分緑籠琴几；花片飛紅入鏡屏。

乾隆九年御製補桐書屋作　瀛臺雙桐向所有，因循枯一成獨樹。秋夜春朝失侶陰，認巢好鳥徘徊去。老榦吟風似作悲，團葉無心捧承露。樹猶如此人何堪？爰命郭橐爲補足。佳陰依然罨緑窗，相得乍喜矧相妬。未必人心似樹然，世間雲雨紛新故。倚桐無語立斯須，彷彿廿年前覔句。雍正二年在此讀書，屈指至今二十年矣。光陰瞬息，爲之悚然。

乾隆十年御製四琴詩　瀛臺補桐書屋，所餘老桐，因循復枯，惜其材製爲四琴。各錫之名，而題以詩。瀛蓬仙籟　弱水湯茫不可極，有山三點突焦墨。齊人擘腕徒相憶，中多不死森森植。不爲爨下爲牖北，無弦亦可鳴以默。靜好天然中繩尺，鳳嗉玉軫太古式。偈演無生仙籟旻，比邱得道山叟寂。補桐主人餘結習，枯榮入目迷五色。湘江秋碧　不解攫醳解琴意，七弦掛壁何不可？暉十有三丁晨星，導和理性圖書左。湘江夜月來水仙，窗映飄蕭緑陰鎖。何須鳴玉覓金儒，愛渠亦復周旋我。臯禽霜唳　招鶴栖桐桐卽鶴，斲桐肖鶴鶴卽桐。幻哉今昔今原昔，是一是二將無同！龍齦鳳額渾餘事，春風秋月何忽忽。雲海移情　補桐時節桐森森，因風常作太古音。曾不數年鄰死灰，當前枯菀同陶陰。底俟爲薪識偉物，雷霄裁作冰弦琴。成連古有今則無，移情詎必雲海深？棐几高張殿閣涼，南風一曲渺予心。

乾隆十一年御製春正幸瀛臺曲宴外藩是日因至補桐書屋詩　梅放香珠草茁芽，果然春色最仙家。恰聽松竹勝韶管，適可琴書悦歲華。蜀紙再臨春日帖，宋蘇軾有春帖子詞帖。越甌一試雨前茶。駐年要識無常住，次第花櫺旭影斜。

乾隆十二年御製新春補桐書屋詩　嘉宴錫遠人，翌日宴準噶爾夷使。翠罕駐西苑。光風柳外摇，春色壺中宛。徒倚憩書屋，俯仰眄雲巘。池陽冰澌脆，牆陰雪初輭。嫩莎忽已萌，生稊未能綰。孤琴何必撫，雙鶴原堪款。幾餘此静討，逸興復不淺。大哉造化功，妙矣韶華轉。

又御製補桐書屋率題　温暾曉日一窗紅，窗下工夫想像中。昔日今時猶歷歷，補桐書屋自雙桐。枯枝早是中琴材，（截舊桐爲四琴，亦於是室藏之。）新榦扶疏翠影堆。淨几明窗重得句，肯教虚度此頻來。石門松影鬱蕭森，書室三楹倚碧岑。階下淙淙鳴曲注，朱弦不奏亦琴心。

乾隆十四年御製補桐書屋作　書屋蕭閒硯席清，嫩陽堪愛一窗明。静中底覺華年近，時聽街衢爆竹聲。松門石磴步徘徊，五色雲中望耀臺。最愛庭柯餘雪在，錯疑昨夜綻寒梅。每教舊句聯新句，（曾爲補桐書屋圖掛之壁間，數年來於此得句，即復書之。）可識今年即去年。憂樂向來何處著？惟餘省歲念無遷。

乾隆二十一年御製補桐書屋詩　詰曲玲瓏石逕深，每來端是稱予心。新枝萋菶待三月，舊樹風華在四琴。（斵舊材爲四琴各有名，篋藏室中。）題壁詩成今續昔，開函書展昔猶今。窗前正作紛糅勢，却爲農祥喜不禁。

乾隆三十五年御製補桐書屋戲題　新柯舊樹已枝齊，突兀庭前葉未萋。欲問草衣雙立者，（桐畏寒，北方冬季必收束其枝，縛草護之。）可同罍缺與王倪？

〔臣等謹按〕補桐書星御製詩，謹繹有關紀述事實者恭載卷内，餘不備録。

乾隆六年御製題瀛臺隨安室詩　隨安者，取其隨所遇而安之義。故凡勝地虛庭，明窗淨几，無不以是顔其軒，蓋藉以觸目會心云耳。書室依林俯碧瀾，文窗紗緑稱遐觀。庭虚松柏泛清籟，坐久衣裳生峭寒。觸目有懷皆遠俗，忘言何處不隨安。鑪烟晝永禽魚適，長嘯一聲天地寬。

乾隆四十年御製隨安室詩　隨安舊書室，是處與題名。況昔棲遲地，雍正二年曾居此讀書。如聞佔畢聲。幾曾德業進，空憶就將情。所愧宣尼語，三年曷有成？

〔臣等謹按〕隨安室御製詩，謹繹有關紀述事實者，恭載卷内，餘不備録。

補桐書屋又折而東爲待月軒。國朝宫史

〔臣等謹按〕待月軒東室聯曰：寫楹常看霞生際；對坐宛當月上時。又曰：半奩緑水菱花對；一㡧青山畫幅横。南一間爲海神祠。北建六方亭于石巖之上，顔曰鏡光亭。緑樹環繞，濃陰如繪。有桑柘一株尤蒼古，旁臨水際，構亭於水中，爲牣魚亭。轉石逕而南，爲牣谷。

乾隆二十八年御製牣魚亭詩　池上爲亭號牣魚，曲欄屧步偶憑諸。陸思大雅靈臺什，不覺怡然覺愧如。

乾隆三十九年御製待月軒詩　太液東臨碕岸，假山西倚碧嶒。素娥自應早見，緑字雅合名稱。誰此依依心遲，去聲。對其貼貼波澄。我惟偶來便去，待月於斯未曾。

又御製鏡光亭詩 臨水虛亭號鏡光，微風不動液池滄。岸傍人柳非昔樹，常乃幻知幻是常。

〔臣等謹按〕牣魚亭諸處御製詩，皆恭載首見之篇，餘不備録。

綺思樓西崇臺北爲長春書屋，後室曰漱芳潤。國朝宮史

〔臣等謹按〕綺思樓之西，山上爲臺，額曰八音克諧。長春書屋三楹南向，聯曰：松烟衝翠幄；雲逕繞花源。又聯曰：澹蕩青陽盎；棼煴瑞旭舒。後門額曰延爽，曰導青。東室額曰賓鳳。聯曰：閒庭不改風還月；欹案依然易與詩。又曰：商鼎周彝自典重；檻葩苑樹相芬芳。西室額曰學林。聯曰：庭饒芳毯鋪生意；座有芸編結古歡。又聯曰：鳥吟花笑自餘樂；月白風清無盡藏。漱芳潤聯曰：勝地尚傳詩句在；好山合作畫圖看。又内室聯曰：悟物思遥託；悦心非外求。西穿堂聯曰：地高游目遠；雲歛騁懷寬。

乾隆二十四年御製賦得漱芳潤 時雨聖門化，心源學海通。既因傾瀝液，庶得契鴻濛。座擁琳瑯府，神游翰墨叢。張公辭善頌，陸氏義彌崇。晰理誠無斁，研精轉不窮。若論親切句，恒在典謨中。

〔臣等謹按〕漱芳潤御製詩，恭載首見之篇，餘不備録。

長春書屋西池亭曰懷抱爽。國朝宮史

〔臣等謹按〕懷抱爽左右山石間有劍石二，恭勒皇上御書曰插笏。

仁曜門東，沿堤過崑崙石渡橋，橋上有亭曰垂虹。又沿堤東南一亭曰俯清泚。國朝宮史

御製人字柳賦有序　西苑南液池北岸有人字柳者，數百年以上物也。今秋仆於風，命補種之，因成是賦。憶行春於癸酉，賦南苑之雙柳。歎賓主其莫恒，感新舊爲非偶。歸而禁籞偶臨，池岸閒走。若人字柳者有言，寓以意而非口，曰：樹有菀枯，奚與人世？彼補植者已是贋鼎，則體物者寧非多事？爾時雖心知其非，而莫能與之爲議也。逮今秋之孟月，忽終風之落天。乍似轟雷砿砿而有如熛怒弗止，振蘀蓬蓬而遇輒摧堅。葱菁者亦莫不偃，婆娑者安望其全？然而葱菁者暫偃而其身復起如故，婆娑者難全而連根遂以仆焉。爰命奉宸，例視海子。種仍各根，培植而冀其生成；合爲一樹，絞縛而無分彼此。靈和殿前，何異張緒當年；上林苑中，漫稱公孫病已。於是兩足分立，一項挺成。俯液池以寫影，望躍臺而馳情。則何異樓閣東風，聽歌舞於宣德；荆凡南國，閲紀載於春明者哉！乃對人字而歌曰：昔議雙柳，今何若兮！使無補種，終寂寞兮。實固非久，名可託兮。人字若荅而歌曰：名實胥幻，誰恒在兮！成則有壞，匪愛實害兮。一之爲

甚，豈可再兮！

乾隆十七年御製賦得太液柳　人字低臨太液池，栽培誰辨永宣時？居然後老同彭祖，未覺先零傲悦之。春景青瞳仍望望，秋風緑髮故絲絲。世間松柏翻難並，得地延年意可思。

〔臣等謹按〕太液柳御製詩，恭載首見之篇，餘不備録。

俯清泚稍北曰淑清院。國朝宮史

〔臣等謹按〕淑清院，皇上御書額曰水流雲在。

乾隆七年御製淑清院見桃花始開泛杯有作　琤瑽韻裏繁枝斜，纔苞錦纈遲蒸霞。如是色聲堪静悟，不必能聽倩緑芭。峭寒尚切披香殿，青韶却釀淑清院。天公濯垢認三生，昨日微雨。今朝恰見春風面。

乾隆十五年御製淑清院詩　石徑度流泉，奇探小有天。樹垂冰作雨，砌暖玉生烟。屈膝紅牆繞，蜵蜎紫閣連。不如深翠處，精舍作幽偏。

〔臣等謹按〕淑清院御製詩，謹繹有關紀述事實者恭載卷内，餘不備録。

淑清院東北有室曰葆光。國朝宮史

〔臣等謹按〕葆光室額爲聖祖御書。皇上御書聯曰：天向淡間無礙迴；雲從閒處有餘姿。又聯曰：心觸清機親翰墨；目遊潤景足精神。

乾隆二十三年御製葆光室詩康熙年間皇祖御題扁額也。假山閱世如太古，穿幽乃造十笏所。上有詭石聳雲根，下有潨泉淙神乳。注焉不竭酌不窮，兩字葆光威鳳舞。羹牆宛憶神堯年，艾蓬誰究蒙莊語？

〔臣等謹按〕葆光室御製詩，恭載首見之篇，餘不備録。

淑清院左渡橋爲韻古堂。國朝宫史

〔臣等謹按〕韻古堂舊爲蓬瀛在望，乾隆己卯平定回部，捷音甫至，適江右大吏獻臨江新獲周鑄鐘十一枚。皇上考定爲鎛鐘，貯之堂内，易名韻古，有御製韻古堂記，恭録卷内。

御製韻古堂記　韻古堂因何而作也？曰：用舊堂而易以新名，是易也，非作也。然則因何而易也？曰：以獲古鎛鐘貯之斯堂，易其名，亦可云作也。鐘之出以臨江。牧者物色坡陀間，掘地而得古鐘十一，地方大吏以聞，傳致闕下。辨其名，知爲周時所鑄，是宜擅薌其事而爲之記也。堂在淑清院南，臨液池可望瀛臺，故舊名曰蓬瀛在望，而今易之爲韻古也。蓋自黄帝命伶倫與榮將鑄十二鐘以和五音，是鐘之於樂爲最古。黄鐘而下，三分損益，上下遞生，黄鐘定而八音六律無不定，以立均出度，紀之以三，平之以六，成於十二，以爲萬事根本。故帝王制禮作樂，莫不以是爲棘。或曰鎛鐘大小殊，編鐘大小同，其説如何？律鐘之説又如何？曰：八音無非律，磬亦律磬，琴亦律琴，其他諸樂無不皆然，獨鐘云乎哉？然金聲而玉振之，金爲始，故曰律鐘。非編鎛之外別有所爲律鐘也。云有律鐘者，篤古泥而不知音者也。鎛鐘大小殊而厚薄同，編鐘大小同而厚薄殊。其不同者，正所爲同也。且如排簫長短殊而一孔，長簫一器而六孔，長簫編鐘之説也，排簫鎛鐘之説也。故鎛鐘排簫先出而編鐘長簫後出，此首創質朴椎輪大輅之義也。律應十二鐘，缺其一，爲補成之，以全厥初也。聆其聲頗不合於今律，則以古器經久而移其本音，古人論之詳也。我聖祖心天之心，政古之政，親考律吕，正齊量，無不大當，而獨未及鎛鐘者，豈以時將有待，故引而未發耶！今既得古鎛鐘於西師奏凱之時，則闡前開後，備八音之正撰，垂一代之鴻規，在此時乎，在此時乎！故因記韻古堂而申其義如此也。

乾隆二十七年御製韻古堂詩　西江出鎛鐘，東壁稽册府。定樂概增今，（今以臨江得古鎛鐘仿鑄入樂，副以特磬，備十二律，聲振始終之節，古鐘闕一者並爲補足，弆之堂中。）藏器號韻古。服堯之服頌堯言，不行堯行堯豈然？韻古顔堂吾恧旃，斯民三代語不刊。安得華胥風現前！

乾隆二十八年御製題韻古堂　古屋液池邊，古鐘依律編。周迴十二月，隱現幾千年。詎曰音歸正？還教闕補前。古鐘十一，得自江西臨江，廷臣辨識以爲周器。補成十二，懸於此堂。並詳加考正，定以古鎛鐘卽係律鐘。勅樂部嗣後用樂各按十二月律吕，悉以律鐘起調，以協雅音。無能致率舞，衹合此高懸。

乾隆二十九年御製韻古堂詩　鎛鐘特磬均依古，所爲去聲。西江古器呈。遂使笙簧無舛律，乃知天地有元聲。溪堂在簴常含韻，春祭聆章正叶平。本朝中和樂皆以平爲章。鄒孟設如誦服服，放勳益切勉行行。

乾隆三十八年御製韻古堂詩　鎛鐘因以獲西江，易額溪堂貯六雙。向因江西臨江得古鎛鐘，嘗釐定宮懸聲振之節，仿鑄入樂，並製特磬，用章條理。其古鐘闕一者，兼爲補完十二，貯之堂内而額今名。居易華原吟樂府，匪今伊昔古聲龐？

乾隆三十九年御製題韻古堂　西江古器列南臺，瀛臺又謂之南臺。有暇於斯每一來。考羽量宮遜未矣，關雎麟趾緬悠哉！春音正叶和而盎，冰鑑猶呈朗以愷。禮樂周官因可溯，其間揖讓那能陪？

乾隆四十二年御製韻古堂詩　堂以貯古鐘，因之名韻古。問鐘何由來，出自西江土。己卯冬，臨江得古鐘十一，辨其爲鎛鐘，命鑄以補足之，弆此堂中，因名之曰韻古，詳見昔所作記。剥蝕歲月深，無復辨徵羽。偶存中郎思，步兵猶可覩。復古不易哉，欲言意先憮。

〔臣等謹按〕韻古堂御製詩，謹繹有關紀述事實者恭載卷内，餘不備録。

韻古堂左側有垣門，東爲流杯亭。國朝宮史

〔臣等謹按〕垣門石刻聖祖仁皇帝御書流杯亭額曰曲澗浮花，皇上御書額曰流水音。聯曰：積素墜枝全作雨；懸流落澗半成冰。

御製過曲澗花香游流杯亭日知閣諸勝詩　西苑曠且奥，肇自明代作。瓊華萬玉堆，太液千夫鑿。平地起蓬瀛，城市而林壑。松篁幾百年，參天秀崕崿。秋深鴻雁鳴，春暖桃李灼。肅廟求神仙，林亭更開拓。方士朝扶鸞，虚皇夜飛鶴。丞相冠蓮花，將軍赤符縛。雞犬倏已昇，殿宇還如昨。盛朝建邦畿，舊制因城郭。何獨廢西苑，姑亦存其畧。高居非昔比，偶幸行宫若。雍正二年夏，承恩開講幕。避暑供游息，勝蹟頻探索。湛湛芳草青，潑潑游魚躍。葱葱梧桐枝，爛爛蓮花蕚。或宴水雲榭，佳景開芳酌。或賦迎薰亭，妙句隨興落。師友得從容，昆弟善笑謔。是秋獮塞北，奇峯峭天削。回思此間山，宛似日出爝。因緣不復至，撫景懷佳約。時過玉蝀橋，波光含漠漠。烟際辨樓臺，松竹紛竿籥。彈指十年間，何異風鳴鐸？前日重來游，未能窮其樂。遥矚淑清院，凍岸不可泊。今朝好風景，遲日中天爚。步自瀛臺橋，踏冰行蹻蹻。乾蘆尋曲徑，虚殿開金鑰。穿雲洞户深，步石川梁迮。乃知洞裏天，自與尋常各。冬深景寂寞，翠剩琅玕蘀。閒坐流杯亭，更登日知閣。會心濠濮間，呼朋嗒然噱。其北乃假山，巉巖何磊硌！攀緣徑絶處，深澗戲騰踔。時我徑過之，我童猶畏却。其上挂瀑布，結構儼廬霍。飛沫雜冰流，玉牙排斷崿。其池乃不凍，疑有馮夷託。當年觀魚亭，塵土生珠箔，歸鞍適然返，聊爾何住著。我聞山水緣，好者不爲惡。何必買山錢，底須蠟芒屩？前居水中萍，兹游林裏雀。異日得清暇，還教度畧彴。

〔臣等謹按〕御製過曲澗花香、游流杯亭、日知閣諸勝詩載於樂善堂集，今恭録卷内。

乾隆九年御製題瀛臺流杯亭　憑欄俯碧流，佳景喜相酬。素色因心淨，清音與耳謀。仙人捧醇酎，春鳥弄箜篌。惡旨思前戒，盈科悟進修。

〔臣等謹按〕流杯亭御製詩，恭載首見之篇，餘不備録。

流杯亭北爲素尚齋。國朝宮史

〔臣等謹按〕素尚齋聯曰：花香鳥語無邊樂；近景遐觀取次拈。又曰：晝永花香醺似醉；雨收天色碧於藍。

乾隆二十一年御製素尚齋詩　瀛臺金碧輝，淑清泉石邃。泉石大家四，金碧將軍二。畫品有定評，奚煩重致議？所以臨西苑，淑清必一至。倚巖架樸斲，古樹圍蓊萃。迸水流不冰，詭峯飛欲墜。齋名取山莊，避暑山莊有此名，昔曾留詠。敬識聖人意。崇情返樸真，澆習防浮僞。兩言契葛亮，六策懷賈誼。用當座右銘，浴德期純粹。

乾隆二十四年御製素尚齋詩　樸斲冠去聲。峥嶸，雲窗幽且明。琴書無不備，几研有餘清。

春夏秋冬景，飛潛動植情。於斯設絜矩，吾獨取匡衡。匡衡有云：治天下者審所尚而已。

乾隆二十五年御製素尚齋小憩詩 臚傳葳鴻儀，夏清詢慈履。於焉返御園，更衣取便邇。黼芾入山林，笑未能免矣。雨後峭蒨佳，石激聲更美。書堂棲嶔寄生素尚宗堯旨。西苑及仙莊，何必分彼此？避暑山莊内亦有此齋名，皇祖御題也。怡神既遠塵，得句亦戒綺。士習與文風，斯之繫深企。

乾隆三十九年御製素尚齋詩 曲徑稱步延，樸齋足興遣。素尚我所名，山莊實數典。避暑山莊中素尚齋，皇祖所題額也。塞外彼致易，苑中斯逢鮮。趯臺金碧輝，勝朝遺蹟辨。欲問録春明，二者孰爲善？

〔臣等謹按〕素尚齋御製詩，謹繹有關紀述事實者恭載卷内，餘不備録。

素尚齋西有室，曰得靜便，向南室曰賞修竹，廊曰響雪。國朝宮史

〔臣等謹按〕得靜便額爲皇上御書，聯曰：境詣幽惟却藻繢；水澄波處養天真。齋東疊石，上鐫御書曰紫雲，曰功奪造化。賞修竹額爲聖祖御書。左右廊之北，皇上御書額曰響雪。聯曰：庭竹張真畫；階泉滴暗琴。

乾隆二十三年御製響雪廊詩 曲廊曼接千尺雪，淅淅常聞響碎霙。體物既堪方靜色，忘懷雅合晤清聲。

乾隆二十七年御製賦得賞修竹詩 淑清勝以竹，題額眪堯年。个个琳琅列，聲聲角徵

懸。四時皆入賞，千畝祇虛傳。護徑數竿足，畫窗一幨便。古今常有契，風月總無邊。元凱如堪擬，吾方意渴賢。

〔臣等謹按〕響雪廊、賞修竹御製詩，皆恭載首見之篇，餘不備録。

響雪廊東南室曰千尺雪。國朝宮史

〔臣等謹按〕千尺雪額爲皇上御書，室左右門額曰凝華，曰流靄。聯曰：書遇會心皆可讀；泉能蠲慮劇堪聽。並御書。

乾隆十八年御製千尺雪詩　吴下寒山愛佳名，熱河田盤率倣作。松濤泉籟或仿彿，路遥豈得常憑託。咫尺西苑傳春明，結構頗具林澗樂。四百餘年樹石古，峭蒨信佳究穿鑿。我書三字題簷端，亦有雪花拂簷落。揣稱終疑未恰當，雪後今來一斟酌。人之稱也徒彼哉，天之然兮誰此若？

乾隆十九年御製千尺雪詩　借問真佳處，端惟心暢時。瀑聲新雨壯，夏日小年遲。茗椀原堪瀹，縑圖偶慢披。千尺雪昉於吴中，西苑、田盤、熱河皆有之，各爲之圖，四圖合貯一函，分藏其所。每至一處，展圖卽得其三，故云。神游三卽一，區别亦奚爲？

乾隆二十一年御製千尺雪詩　新年行樂小蓬瀛，泉石天然愛淑清。院名。水閣向稱千尺雪，春朝喜值六花霙。迷離上下噴珠玉，應答琤琮奏管笙。遲却寒山素梅約，長宜防誤恤民情。前已降旨今春南巡，因去秋吴中偏災，命有司賑恤爲急，特緩省方之期。

乾隆三十六年御製千尺雪詩　玉泉流出注長河，迸石引來太液波。地當液池之南，甃牐引池，水由石罅出，跳珠懸瀑。溯玉泉來脈，自長河分匯西苑，凡二十餘里。便是吴中果千尺，較兹源遠遜猶多。飛流潝濈激嶙峋，小閣三間對水濱。篋鼎茗甌俱恰當，笑終不是味閒人。

乾隆三十八年御製千尺雪詩　臨泉亭子又新春，輞水淪漣冰底循。千尺原來出假藉，積成盈尺喜誠真。四圖展一却含三，寒山、避暑山莊、静寄山莊、與此淑清院，四處各貯千尺雪圖，每一處兼備其四，積年題詠相續。寶塔華嚴類合龕。即目今朝生別會，孰真孰假箇中參。

乾隆四十一年御製千尺雪詩　迴廊下轉接溪齋，面對飛流落磵涯。想像寒山聽雪閣，春音春物總相諧。千尺雪雖假藉名，較真雪却有餘聲。設非真者仍堆積，歲内瑞雪屢霑，兹新正二日又逢優霈五出，實兆農祥。假亦倩誰作證明。

〔臣等謹按〕千尺雪御製詩，謹繹有關紀述事實者恭載卷内，餘不備録。

千尺雪又東爲魚樂亭。國朝宫史

〔臣等謹按〕魚樂亭中横石恭刊御書曰箇中自有玉壺冰。

乾隆二十四年御製魚樂亭詩　禽去絶駭驚，漲生任潛躍。豈必藉濠梁，今來識魚樂。

〔臣等謹按〕魚樂亭御製詩，恭載首見之篇，餘不備録。

欽定日下舊聞考卷二十三

國朝宮室 西苑三

循池岸而南爲日知閣，閣後左門東南爲春及軒，軒左爲交蘆館，又左爲芸齋。國朝宮史

〔臣等謹按〕日知閣建石梁上，其下爲水牐，太液池水從此出，達於織女橋。閣額爲聖祖御書，閣内皇上御書額曰漱玉飛珠。聯曰：秋月春風常得句；山容水態自成圖。又聯曰：境静趣無窮，魚躍鳶飛同活潑；水流機不息，瀑淙雪淨總鮮新。皆御書。

乾隆二十三年御製交蘆館詩　屧窗恰對玲瓏壁，游目通明俯碧湖。鷗鷺菰蒲都自在，便因相見悟交蘆。

乾隆二十四年御製日知閣詩　閣據飛淙表，是處爲太液尾閭，閣名皇祖所題。璇題號日知。機參賢者語，情見聖人辭。既凛無忘義，又如默識時。曩予成薈説，自審每慚斯。

又御製春及軒詩　山複水之涯，苔蘇柳已絲。熙春及節句，觸目會心時。念彼西疇事，

匽吾東作思。英英常薈蔚，膏雨願如期。研淨甌閒道趣生。曾是少年績學處，祇慚兩字曰躬行。

又御製芸齋詩　古芸䨨馥小窗明，

〔臣等謹按〕交蘆館諸處御製詩，皆恭載首見之篇，餘不備録。

芸齋稍南爲賓竹室，室南爲蕉雨軒。國朝宫史

〔臣等謹按〕賓竹室内聯曰：自是林泉多藴藉；依然書史得周旋。蕉雨軒聯曰：春泉石罅淙聲細；新竹風前弄影娑。北室聯曰：禽鳥雜歌傳户外；篠簩爽籟下雲標。

乾隆二十一年御製賓竹室詩　月下檀欒影，風前淅颯聲。籦兮吹汝和，夷也聖之清。等度真瀟灑，安排豈堿平？便應延入幕，底鎮傲南榮。

又御製蕉雨軒詩　十笏幽居益灑然，軸蕉簪石小庭前。臨窗恰稱聽春雨，萬琲驪珠摐緑天。

〔臣等謹按〕賓竹室、蕉雨軒御製詩，皆恭載首見之篇，餘不備録。

蕉雨軒南曰雲繪樓。樓西有室，曰韻磬。又西南爲清音閣。國朝宫史

〔臣等謹按〕雲繪樓三層北向。聯曰：道堪因契真佳矣；畫豈能工有是夫。又曰：衆皺峯如能變化；太空雲與作浮沉。清音閣聯曰：宫商之外有神解；律吕以來無是

過。閣上下與雲繪樓通，有門曰印月，門外東南則船塢也。

乾隆二十五年御製雲繪樓詩 棣通景物鬭韶妍，又見魚鱗皴遠天。水墨丹青争獻技，東皇寧許一家專？

乾隆二十六年御製韻磬居詩 風水相吞吐，磬聲出碧粼。自成宫與角，底辨主和賓。似矣彭蠡口，居然泗水濱。東坡笑李渤，蓋是特欺人。

〔臣等謹按〕雲繪樓、韻磬居御製詩，皆恭載首見之篇，餘不備録。

清音閣沿堤而南爲同豫軒。國朝宫史

〔臣等謹按〕同豫軒東室聯曰：魚躍鳶飛參物理；耕田鑿井樂民和。内室額曰大圓鏡，曰小方壺。聯曰：夏屋暢清，吟風篁半嶺；春城通曉，望烟樹萬家。西室聯曰：麗日和風春澹蕩；花香鳥語物昭蘇。

乾隆二十二年御製同豫軒得句 因迴爲高得軒榭，屧窗俯處見閭閻。對時育物恒關切，士習民風藉驗覘。春色滿皇州入詠，後樂以天下同忺。心殷保泰戒鳴豫，周易分明注福謙。

乾隆二十八年御製同豫軒詩 碕岸周遭鏡影皚，中央金碧焕瀛臺。東南綴景兹堪憇，在軒瀛臺東南。西北遵王方遞來。時回部極西愛烏罕部之愛哈莫特沙汗及哈薩克西部烏爾根齊部之哈雅布汗、啓齊玉蘇部之努喇麗汗巴圖爾汗以次奉表貢馬。窗俯六街驗蕃庶，民猶三代慎栽培。曰同固可然艱矣，言倡斯非益戒哉！

乾隆三十年御製同豫軒詩 新舊萃藩封，三接不可缺。賚與宴並行，所以聯情悦。涓休月之六，嘉饗答詔節。同豫此臨憇，紫光閣名，賜宴之所。待整設。軒墀既静佳，甌研亦清潔。羲經在棐几，玩象觀辭説。雷出地奮軏，撫辰敬斯切。

乾隆三十六年御製同豫軒詩 西苑例春醼，南池憇曉餐。軒在液池南岸，紫光閣賜宴外藩每先臨此，傳餐待備。徘徊聊待備，吟詠適清歡。篆鼎非烟結，華燈是晝看。豫同中與外，家法永綏安。

〔臣等謹按〕同豫軒御製詩，謹繹有關紀述事實者，恭載卷内，餘不備録。

同豫軒後爲鑑古堂。左爲香遠，右曰静柯。國朝宫史

〔臣等謹按〕鑑古堂皇上御書聯曰：心觸清機親翰墨；目游潤景足精神。香遠室聯曰：鳶飛魚躍天機錦；秋月春風大塊章。静柯室聯曰：會心多野趣；契理謝言詮。

香遠室西有静室，額曰自在觀，山下有室，額曰鷺濤，皆御書。

乾隆二十三年御製鑑古堂詩 壁號圖書聚，筵惟翰墨攤。常懷三鑑對，寧棘一身安？無逸凛明訓，與稽愜古歡。顧名思義處，所愧是貞觀。

乾隆二十四年御製静柯室詩 書室蕭然號静柯，喬枝窗外自婆娑。驀思庾信方點筆，與寄東陽得幾多。

乾隆二十五年御製香遠室詩　可遠觀猶不可親，色香一例淨無塵。山陰鏡裏如相訪，髣髴其人是賀循。

〔臣等謹按〕鑑古堂諸處御製詩，皆恭載首見之篇，餘不備録。

瀛臺之南，隔池相對者，爲寶月樓。國朝宮史

〔臣等謹按〕寶月樓乾隆戊寅年建，與同豫軒、茂對齋東西相望，北對迎薰亭，南臨皇城。樓上恭懸皇上御書額曰仰觀俯察。聯曰：佳興四時同，圖呈苑裏；清光千里共，鑑徹池心。樓下東室北間，額曰錯繡，曰卷綃。聯曰：雲容水態從頭會；秋月春風取次拈。又曰：玉宇近高寒，欄憑十二；慶霄增朗徹，界俯三千。又曰：烟雲舒卷攬勝賞；松石古澹怡遠情。南室額曰芳援，曰玉萃。聯曰：雲斂琳霄目因迥；水澄蘭沼意俱深。又曰：寫影水中央，萬川同印；澄輝天尺五，一鏡常懸。又曰：風物似登瀛，景呈瑶島；雲山疑罨畫，影漾金波。寶月樓西爲茂對齋，聯曰：舒卷天真任嵐靄；飛沉自得樂禽魚。茂對齋右爲涵春室，室内額四，曰花港，曰淥淨，曰魚樂，曰晚春，皆御書。齋西爲延賞亭。

御製寶月樓記　文有神會，落筆可以千言；興有時來，待機不妨數歲。寶月樓記之作，遲速蓋有如是。寶月樓者，介於瀛臺南岸適中，北對迎薰亭，亭與臺皆勝國遺址，歲時

修葺增減，無大營造。顧液池南岸逼近皇城，長以二百丈計，闊以四丈許。地既狹，前朝未置宫室，每臨臺南望，嫌其直長鮮屏蔽，則命奉宸既景既相，約之椓之。鳩工戊寅之春，落成是歲之秋。久欲爲記，輒以片時來往，率卽成詠罷輟，兹始叙而記之。蓋是樓之經始也，擬以三層，既覺太侈，則減其一，延不過七間，袤不過二丈。據岸者十之四，據池者百之一。池不覺其窄，岸不覺其長。拾級而登，布席而坐，則雲閣瓊臺，詭峯古槐，峭蒨巉巗，聳翠流丹，若三壺之隱現於鏡海雲天者，北眺之勝概也。憑窗下視，迴出皇城，三市五都，隱賑縱横，賈貿墆鬻，列隧百重，華蓋珂馬，劍珮簪纓，撫兹繁庶，益切保泰與持盈，此則南臨之所會也。於東則紫禁紫微，左廟右社，規天矩地，因上因下，授時順鄉，玉堂金馬，慚茅茨於有虞，法卑室乎大夏。奉此宫室，每同漢文恐羞之情也。而其西則西山起伏連延，朝嵐夕靄，氣象萬千，春雨霡而農興，秋霜落而林殷，是又神臯繡壤，下視三都與兩京也。樓之義無窮，而獨名之曰寶月者，池與月適當其前，抑亦有肖乎廣寒之庭也。夫人之爲記者，或欣然於所得，而予之爲記常若自訟，是宜已而不已，予亦不知其何情也！系以辭曰：樓之聳惕，居高以悚。樓之廓坦，吾心以樂。樂與民同，悚勵己恭。樂不忘悚，樂斯益永。謂悚匪樂，悚不可藥。摛辭壁間，因識意之所存。

乾隆三十三年御製茂對齋詩　因迴得高齋，俯臨見闤闠。羲經可觀象，顔之曰茂對。玩辭既呈外，保泰亦殷内。先王貴因性，夫何勞智慧。

又御製涵春室詩　東皇弗偏黨，物物付以春。此室名曰涵，其意何所云？譬如天地間，人乃一粒存。心則粒之粒，量與天地均。以此例吾室，含春寧有垠。享帚不爲私，與物常同仁。

又御製延賞亭詩　役情書史亦糟粕，契理鳶魚總道機。試問亭中延賞者，究於何處獲心依？

乾隆二十四年御製題寶月樓詩　南岸嫌長因構樓，樓臨直北望瀛洲。瀛臺皆前明所建，惟南岸向無殿宇，故爲樓以配之。一泓水鏡呈當面，滿魄冰輪映舉頭。金掌夜盤流沆瀣，玉街晨珮響琳球。樓臨皇城，俯視可見長安門朝騎。康家佳句誰能繼，處上常殷保泰謀。

乾隆二十七年御製寶月樓六韻　鈞軸青旗轉，璇璣玉燭調。高樓春可望，斜漢月恒邀。旭靄占多穀，是日穀日。露湑詠蓼蕭。敬思九功敍，敢詡八瀛朝？綵燕翔屏綺，銀花壓勝韶。晚來鈎影挂，欲釣上元宵。

乾隆三十年御製涵春室詩　春節雖遲日，是月十四日始立春。春意遞新年。雪積祥玉花，爆騰瑞靄烟。宫城近六街，市語何喧闐？昨歲幸遇豐，物價平於前。婚嫁率乘時，景象熙京廛。

可遽云返樸，通經貴達權。

乾隆三十三年御製寶月樓詩　淑氣漸和凝，高樓拾級登。北杓已東轉，西宇向南憑。樓臨長安街，街南俾移來西域回部居之，室宇卽肖其製。門户新粘帖，街衢早鬻燈。團圞三五近，眺賞又何曾。上元例在御園陳烟火，此樓從未賞節。

乾隆三十四年御製寶月樓詩　冬冰俯北沼，春閣出南城。樓近倚皇城南牆。寶月昔時記，向作寶月樓記粘壁。韶年今日迎。屏文新茀禄，鏡影大光明。鱗次居回部，牆外西長安街内屬回人，衡宇相望，人稱回子營，新建禮拜寺正與樓對。安西繫遠情。

乾隆三十七年御製寶月樓詩　兩層傑閣出城頭，樓在液池南岸，倚皇城牆，俯臨城外。春色皇州俯滿眸。素壁綵屏新換帖，碧簷銀魄始垂鈎。丹梯那似惠連陟，玉斧何須吳質修？寶月名樓亦已久，幾曾玩月一登樓。

〔臣等謹按〕茂對齋諸處御製詩，謹繹有關紀述事實者恭載卷内，餘不備録。

仁曜門西爲結秀亭，亭西爲豐澤園。國朝宫史

〔臣等謹按〕仁曜門西，屋數楹。聖祖仁皇帝養蠶處也。建亭於橋，榜曰結秀。又西一水横帶，稻畦數畝，爲豐澤園。聖祖每親臨勸課農桑。世宗憲皇帝，歲耕耤田，先期演耕於此。我皇上舉行舊典，率循不廢。仰見聖聖相承，勤民務本之至意云。

乾隆二十三年御製結秀亭詩　亭臨七月驗豳風，鋤雨犁雲凭覽中。環秀當年定遠近，金史章宗紀：承安元年六月幸環秀亭觀稼。日下舊聞採入，當在今西苑地。劭農今古意還同。

〔臣等謹按〕結秀亭御製詩，恭載首見之篇，餘不備録。

御製豐澤園記　西苑宮室皆因元明舊址，惟豐澤園爲康熙間新建之所。自勤政殿西行，過小屋數間，蓋皇祖養蠶處也。復西行，歷稻畦數畝，折而北，則爲豐澤園。園内殿宇制度惟樸，不尚華麗。園後種桑數十株，聞之老監云：皇祖萬幾餘暇則於此勸課農桑，或親御耒耜。逮我皇父纘承丕業，敬天法祖，世德作求。數年以來，屢行親耕之禮，皆預演禮於此。乃知聖聖同規，敦本重農，用躋天下於熙皥之盛。若瀛臺之建於有明，飛閣丹樓，輝煌金碧，較之此園固爲美觀，而極土木之功，無益於國計民生，識者鄙之。行一事而合於天心，建一園而合於民情，身率先而天下丕變，吾於是乎知皇祖、皇父之爲首出之聖也。

御製辛亥仲春上幸豐澤園演耕耤禮上躬四推命臣等終畝恭擬應制十韻　大地陽和淑景韶，潛蘇土脉應風條。洪鈞普扇百昌序，大造均舒萬物調。翠輦臨耕旗閃爍，金輿載駕玉鏤雕。行行西苑停鑾輅，泛泛天池盪畫橈。帝耒四推膏壤沃，皇躬一墢甫田遥。先期已見寅恭懋，終畝還思教澤饒。種布期生連理穗，壠開願長九岐苗。追思聖祖觀耕地，却值吾皇演禮朝。豐稔歲功九有遍，太和景象萬方昭。放勳久頌堯功茂，協帝重瞻舜德超。

乾隆九年御製豐澤園演耕耤禮詩 千畝將臨耤，三推預習耕。脉膏方起動，節序過清明。禮以勤農重，詩因觸念成。猶思終畝教，豐澤園演耕禮皇考時屢行之，曾奉命終畝。望歲倍關情。

乾隆十二年御製豐澤園演耕詩 霽靄光烟向遠低，演耕豐澤趯臺西。今年却先春三月，耕耤常行於三月，今歲節氣早，故在二月。前日欣霑雨一犁。緬想芳型農重也，豐澤演耕自皇考始行之，後遂以爲例。仰承渥澤志欽兮。上林太液增新景，黛耜青箱湊好題。

又御製豐澤園嘉穀既獲命大學士九卿觀之兼成近體八韻 我皇祖以農桑爲重，於瀛臺之西別建一園，黍高稻下，左右區分。蠶屋桑疇，後先相望。驗田功而重本計，貽訓良深。皇考年舉耤田之禮，每先期演耕于此。予小子仰聖蹤之同揆，其敢弗蘉？茲當萬寶告成之際，王畿遍覽而旋，越我弄田，亦登嘉穀。對時有喜，點筆成章。較晴量雨一年中，家法廑農聖聖同。倬彼公田經舜步，欽茲本務對豳風。三春於是青箱播，九夏曾看玉穟芃。實好實堅欣始遇，維穈維芑類皆充。莖莖尺穗真希見，顆顆圓璣允化工。快目稍酬祈國志，因心敢懈凛淵衷。勤耕時溉兼逢歲，山左江南可遍豐。鷺序傳觀休進頌，先憂後樂事何窮？

乾隆十四年御製豐澤園演耕詩　帝耤耕將舉，苑卿甸早治。多因重稼穡，詎祇習威儀。沃壤南東矣，新犁往復之。鳥鳴春欲半，蠖屈土全滋。農父荷鋤立，親藩布種隨。演耕之禮自皇考始之。耕耤則司農布種，三王五推。此則率以親藩布種，用訓勤農，遂成典制云。淰雲欣有渰，膏澤被無私。每以試耕日，頻思觀禮時。豳郊宛在目，不必詠周詩。

又御製經畧大學士忠勇公傅恒奏凱金川率領諸將士還朝錫宴豐澤園用昭飲至之典卽席得長律一首　卡撒功成振旅歸，昇平凱宴麗清暉。兩階干羽欽虞典，六律宫商奏采薇。湛露應教頒幕殿，甘膏更慶遍春畿。持盈保泰咨同德，偃武修文凜勅幾。

乾隆十七年御製豐澤園演耕詩　春暮西園屆演耕，土膏動處物勾萌。勤農知稼承家法，漫擬惟循典故行。夜雨雖微足浥塵，潤含烟柳綠絲新。西山又見英英吐，優澤惟期近遠勻。太液東風送畫船，到來京兆奉絲鞭。盛儀畧較農壇殺，去聲。漢典由來有弄田。農衣農具錯綜陳，意在毋忘農苦辛。瞥眼迴思成隔歲，昨年江國爲觀民。去歲未曾耕耤故云。

乾隆十八年御製豐澤園演耕詩　耕耤前辰例演耕，無非民事廑躬行。仗排上苑春風麗，土潤新犁時雨晴。種佈從教付林監，耒陳不必命農卿。耤耕，司農進耒耜佈種，演耕則先陳耒耜，以奉宸苑卿佈種，蓋皇考定制，遂爲典故云。憲皇家法過周制，肯播伊予敢懈誠。

乾隆二十一年御製豐澤園詩　轣轆冰床度，因臨豐澤園。試耕還有待，園北爲每歲試耕之地。問景畧堪存。竹重琅玕節，麥培餅餌根。閭閻增富庶，未可禁人喧。

乾隆二十三年御製豐澤園演耕作 豐澤春犁習，良規聖考留。那忘隨種日，忽作教耕秋。雍正年間，皇考演耕，常敬隨佈種，是日命皇子等隨行禮，因而有感。無逸聰聽訓，知艱慎率猷。隴頭偶迴顧，殊似服先疇。

乾隆二十九年御製豐澤園演耕作 豐澤真豐澤，端因習禮臨。墢無千畝遠，潤過一犁深。往歲逢曾罕，三農喜不禁。迴思播種日，雍正年間皇考演耕於此，每隨播種。重穡教垂今。

乾隆三十一年御製豐澤園演耕作 耤禮行將舉，弄田先習耕。仰窺垂制意，豐澤園爲皇考每歲躬耕耤田預行演耕之地。特寓重農情。金耜翻土潤，青箱播穀精。林鳩偏入聽，喚雨一聲聲。

乾隆三十二年御製豐澤園詩 亭榭各標額，總名豐澤園。當年廑農圃，園規制樸素，環以桑徑稻畦，皇祖時建爲幾暇勸課農桑之所，因賜名豐澤云。此日緬文言。適以習耕至，對斯古屋存。何當霈甘雨，生意攬前軒。

〔臣等謹按〕豐澤園御製詩，謹繹有關紀述事實者恭載卷内，餘不備録。

豐澤園門内爲惇敍殿。國朝宫史

〔臣等謹按〕惇敍殿舊名崇雅殿。乾隆壬戌，宴王公宗室於此。聯句賦詩，因移崇雅，額於別殿，易名惇敍。殿内額曰睦親九族。聯曰：彝訓念貽謀，本支百世；仙源長篤慶，華蕚一堂。又曰：玉水涵波遠；瓊枝浥露榮。皆皇上御書。

御製惇敍殿柏梁體聯句詩序 乾隆丙寅秋八月，式宴王公宗室於瀛臺之惇敍殿，法皇祖也。惟時朕諸叔父列王爵者四人，皇弟封王者二人，皇子三人，宗室王公有爵者三十二人。念我羣從子姪孫姓之同出自皇祖者，或倹封或爵不至與宴之列，十年以來，未舉和會之典，親親之誼疏焉，則亦命入今日之座，凡六十有二人。其以事故是日未至者復五十餘人。於戲！自黄虞以來，有大德者之得其位、得其禄、得其名壽如我皇祖者其誰耶？卽子孫之繁衍，雖文王不得尚之。使目前之振振揖揖我皇祖皇考式臨式憑，予與諸弟兄子姪孫姓稱觴獻壽於其間，其愉悦鼓舞又當何如？歡極而戚，固情之所必至也。然今日之宴會，我皇祖、皇考實式臨之，實式憑之。諸伯叔父自當以予言爲不謬也，則又灑然以怡焉。昔漢武帝柏梁之宴，同姓者惟梁王武及宗正安國而已，其餘皆羣臣，然尚以此留詩。唐明皇改集仙殿爲集賢，籲俊之義尚矣，而周親未與，亦闕典也。朕今易崇雅爲惇敍，以紀今日之事。復倡爲首句以俟衆作之成。凡今兹之摛藻得句者，皆我皇祖皇考遺教之所垂也，又何必舉金谷之例乎？

乾隆二十一年御製惇敍堂詩　惇敍名堂始自予，每來欲去且徐徐。齊家治國從來重，木本水源未可疏。瓊壁聯吟七字在，錦筵回首十年餘。會當歲美還幾暇，行葦和歡更繼初。

〔臣等謹按〕惇敍殿御製詩，恭載首見之篇，餘不備録。

惇敍殿東爲菊香書屋，殿後爲澄懷堂。（國朝宮史）

〔臣等謹按〕澄懷堂額爲聖祖仁皇帝御書。康熙初年，詞臣嘗於此進講。堂内額曰觀衆妙。聯曰：心田喜色良先玉；鼻觀真香不數蘭。東室聯曰：偶在參天一；閒憑味道腴。菊香書屋聯曰：庭松不改青葱色；盆菊仍霏清淨香。

乾隆七年御製澄懷堂詩　細草輕莎緑滿堂，荷風槐雨釀新涼。池塘澂徹鷗朋集，簾幙蕭閒燕子翔。四壁圖書鑑今古，一庭花木驗農桑。金猊篆裊澄懷永，民事艱難子細商。

乾隆二十四年御製澄懷堂詩　書堂構豐澤，七十有餘年。佳境春光駐，聖人寶額懸。（堂額皇祖御筆也。）席珍常接引，（康熙初年，儒臣率於此進講。）義府足周旋。詎止羹牆慕？紹聞勵勉旃。

乾隆二十八年御製菊香書屋詩　屋無長物有詩書，暫爾盤桓意淡如。四季淵明趣具足，東籬欲笑尚拘虛。

〔臣等謹按〕澄懷堂、菊香書屋御製詩，謹繹有關紀述事實者恭載卷内，餘不備録。

澄懷堂北有樓，榜曰遐矚樓。（國朝宮史）

〔臣等謹按〕遐矚樓上下七楹，樓上聯曰：體物豈緣誇麗藻；撫時端藉勵雄心。又曰：千疊雲峯空外迴；三農雨露望中深。樓下聯曰：窗通碧水蒼山外；人在光風霽月間。東室聯曰：擬景真無盡；會心迴不同。西室額曰圖史自娱。聯曰：點綴雲峯留玉宇；參差水榭引朱船。

乾隆六年御製遐矚樓詩　宇空千里近，樓迥一窗虛。坐久塵氛遠，曠懷寄太初。溪田圍緑野，樂事在桑麻。一幅豳風景，憑高玩歲華。樓在豐澤園中，康熙年間所建。涵元朔氣通，松檜鏡光中。南望仙壺景，蓬瀛不在東。涵元，瀛臺殿名也，在豐澤園之南。雕甍焕蚪龍，飛閣連雲漢。芸編散古香，樂此不知倦。林空帷乍捲，冰合鏡逾明。登覽非娱目，憑觀萬物情。

〔臣等謹按〕遐矚樓御製詩，恭載首見之篇，餘不備録。

豐澤園西有亭，曰荷風蕙露。與亭相對有門。入門爲崇雅殿。殿後東爲静憩軒，西爲懷遠齋，後有臺。其南隔水相對爲純一齋。國朝宮史

〔臣等謹按〕荷風蕙露亭相對有門。南面石刻額曰静谷。聯曰：勝賞寄雲巖，萬象總輸奇秀；青陰留竹柏，四時不改蘢葱。北面石刻額曰雲竇。聯曰：月地雲階，別向華林開静境；屏山鏡水，時從芳徑探幽蹤。崇雅殿東室聯曰：乍雨乍晴春事好；宜詩宜畫物華殊。西室聯曰：翠合三山連閬苑；波涵一鏡儼蓬瀛。又曰：金猊靄入瑶編潤；玉樹花均蔀屋香。臨水北向有臺，額曰歌舞昇平。聯曰：水中樓閣浮青島；天上笙歌繞碧城。純一齋額爲聖祖仁皇帝御書。齋内聯曰：煙景滿前供妙墨；芳洲隨處引清游。

乾隆二十八年御製静憩軒詩　假山歲久真山似，峭蒨閒房静憩宜。消得一年來幾度，自嫌結構屬多爲。

乾隆三十二年御製静憩軒詩　塔側文軒小憩遲，軒在永安寺白塔旁，即萬歲山廣寒殿舊址也。墨壺琴薦雅相宜。風鈴替戾松窗外，長短聲中託静思。

〔臣等謹按〕豐澤園之静憩軒御製詩，謹繹有關紀述事實者恭載卷内，餘不備録。

乾隆二十四年御製純一齋詩　在豐澤園中，皇祖御額也。過雨乘晨爽，游園憩舊齋。即今對景日，仍昔重農懷。綈几披芸簡，松簷仰古叙。兩言賅衆義，未易涉津涯。

乾隆三十七年御製懷遠齋詩　方寸不爲小，萬里詎云遥？何須稱芥納，至理原自昭。書齋纔幾楹？寰區量可包。懷遠向所題，非爲去聲。攬景撩。百世籌永圖，兆姓思艱勞。循名欲責實，吾寧徒游遨。

〔臣等謹按〕純一齋、懷遠齋御製詩，皆恭載首見之篇，餘不備録。

德昌門西，有門東向，入門循山徑而南，爲春耦齋。國朝宫史

〔臣等謹按〕春耦齋在豐澤園之西，齋東室聯曰：即事既多美；託好有常因。又曰：曉露蘭陔外；香風禾隴間。又曰：心澹水木秀；興幽魚鳥同。西室聯曰：林薄濃陰藏別院；汀洲新水漲前津。閣上聯曰：縈洄水抱中和氣；平遠山如藴藉人。又曰：

潤浥雲霞氣；真參泉石靈。齋後楹恭懸御書額曰雲木含秀。

御製春耦齋記 語云：周過其歷，秦不及期。班固美其親親賢賢，固本衆建，至鄙秦以子弟爲匹夫，骨肉失藩衞。其然，豈其然哉！夫秦之失，賈誼論之詳矣。闢封建之議，則莫過於柳宗元。而周之所以過其歷，後世鮮有發厥旨者。蓋自后稷、公劉，世以重農爲務，惟土物爱，知稼穡艱。至於文武成康，猶是道也。立我烝民，祈天永命，詩書所歎，畧同一軌。國家龍興東海，較之周家藝荏菽迺埸疆者，固有不同。而天下初定，禮樂未遑，卽舉祈穀之祭，下力田之詔。我皇祖建此豐澤園於西苑，以劭樹藝而較晴雨。至於皇考，歲舉耕耤之典，必先演耕於園北弄田。以視周家世業肯穫者有過無弗及。予小子聰聽祖考之彝訓，亦惟是無逸作所民本食天之念，拳拳無懈。不敢以一己之貴而忽萬姓之窮，不敢以四方之豐而忘一隅之歉。二十一年以來，此物此志也。園之内有齋，兹以春耦名之，而闡其説如右。石渠寶笈中舊藏唐韓滉五牛圖，農部尚書蔣溥因進其父故大學士蔣廷錫倣項聖謨摹本，繼又得項聖謨卷。古今名蹟一時會合，良稱藝苑勝事。夫服疇力穡，牛之資用最鉅。並貯齋中，每一展觀，如見洪縻縹軛，馴擾膏壤間，然予知依務本之意所爲在此不在彼耳。

乾隆二十二年御製春耦齋詩 行春得餘暇，小憩臨春耦。舉趾彼尚遲，於耜吾何有？不可無此意，以身先去聲。黔首。華燈懸綺綴，麗景羅菱牖。所樂詎在兹，康年冀施厚。

又御製春耦齋詩　春耦鄰豐澤，田犂歲演公。代耕因展義，今春因南巡例以苑丞代耕。卽目每祈豐。暘雨今年若，黍禾夏日芃。五牛致十五，齋中貯韓滉五牛圖，并項聖謨、蔣廷錫所倣二卷，共爲十五云。考牧可因通。

乾隆二十四年御製春耦齋詩　緑竹叢中詰徑幽，綺窗玉砌俯澄流。每因耕禮於時憩，試問農人得此不？寳穡綏豐真勝賞，墨林契要亦優游。齋雖老屋額新署，妙蹟緣收十五牛。唐韓滉五牛圖真蹟，項聖謨、蔣廷錫俱有臨本，並貯齋中。

乾隆二十八年御製春耦齋詩　片刻傳餐去，暢春將問安。五牛聊閲古，是齋貯韓滉五牛圖，向有記。一墢尚餘寒。農務惟心廑，春光舉眼看。行當試耕候，咨爾上林官。

〔臣等謹按〕春耦齋御製詩，謹繹有關紀述事實者恭載卷内，餘不備録。

雲木含秀隔池相對，有延樓數十楹，榜曰聽鴻樓。由徑南折而東，面北爲植秀軒。國朝宫史

〔臣等謹按〕聽鴻樓上下五十有四楹，與春耦齋相對。聯曰：遠翠靄晴嵐，四山圖畫；清風生爽籟，萬竹笙竽。東室聯曰：烟霞表裏因心静；天水空門觸目新。又曰：每因物表延遥寄；似與天游得静陶。又曰：風前竹韻金輕戛；石罅泉聲玉細潺。西室額曰神觀蕭爽。聯曰：鏡自遠塵皆入詠；物含妙理總堪尋。植秀軒聯曰：幾羣鸞鶴隨吟管；四面芙蓉入緑紗。

乾隆二十二年御製聽鴻樓詩　太液輕冰未解池，候惟北矣到來遲。高樓試可如斯聽，春色何妨許共知。

乾隆三十一年御製聽鴻樓詩　延樓俯液池，春水恰生時。人字傳聲矣，今朝乍聽之。衡陽來應節，塞北去如期。目送曾何謂？吾惟戒在兹。李白鞠歌行，雙目送飛鴻，戒心不在賢之意。

乾隆二十二年御製植秀軒詩　伏中移竹罷，雨後到軒初。清聽入窗牖，疏觀映砌除。寧惟將俗遠，兼可學心虚。設以菁莪擬，育才亦起予。

乾隆三十一年御製植秀軒對竹有會　山軒名植秀，四面圍緑竹。試問植物中，秀應讓誰獨？一解　竹亦有秋時，梢頭葉或黄。不争衆木青，節概故異常。二解　雨於春夏交，南多北艱致。補助在人爲，汲水課澆埭。三解　暇即課澆埭，園人前致辭。權且不宜澆，緣埭抽筍時。四解　問其故何爲，水多笋屈曲。匪愛實害之，郭橐言可復。五解　若然雲棲林，地洳雨且霪。何以行鞭時，十丈拔森森。六解　對曰此實異，雨乃天膏賜。井寒河或污，其水不同致。七解　情知此巧言，不復斥其非。澆竹猶小事，戒在莫予違。八解

乾隆三十五年御製植秀軒詩　休誇鳳影與龍文，雅稱去聲。敲風而拂雲。況是卉中君子節，可能培植不斯勤。

〔臣等謹按〕聽鴻樓、植秀軒御製詩，謹繹有關紀述事實者恭載卷内，餘不備録。

植秀軒折而西爲石池。度池穿石洞出爲虛白室，又南有亭，曰竹汀亭，南爲愛翠樓。國朝宮史

〔臣等謹按〕虛白室三楹東向，北室聯曰：景向淡中宜藻繢；山從老處見精神。南室聯曰：連林新緑間舊緑；入户泉音復鳥音。

乾隆二十二年御製虛白室詩　石縫五丁開，假山具真理。貪緣步仄逕，虛室壺天裏。誰謂既狹閒，曠望莫可揣？讀我西銘篇，顏彼南華子。底須辨異同？吉祥受止止。

又御製愛翠樓詩　種竹猗猗已作林，高樓出竹翠雲侵。虛窗不礙疏還密，詰徑何妨靜以深。豈止坐來滿清聽，每宜望去愜幽襟。河陽寄傲非吾事，耐可薰風一撫琴。

乾隆二十八年御製愛翠樓詩　竹樓枕碧岑，樓在竹林中，非如王禹偁所云以竹爲之也。四季翠陰森。假藉黄岡記，徘徊君子林。由來非覆瓦，亦可聽鳴琴。世慮無能遣，民艱每廑心。

〔臣等謹按〕虛白室、愛翠樓御製詩，謹繹有關紀述事實者恭載卷内，餘不備録。

由竹汀折而西爲棕亭。又由樓南下，有佛宇一所。國朝宮史

〔臣等謹按〕佛宇臨池北向，額曰大圓鏡中。殿内額曰智珠慧照。聯曰：天花不礙一林落；仙草真成四季芳。其東稍北有石門，門外横刻：薈蔚適於幽處合。其内横刻：峆岈每與望中深。又外石刻聯曰：悟物思遥託；悦心非外求。内石刻聯曰：芝徑繚而曲；雲林秀以重。石門以外，卽荷風蕙露亭也。

欽定日下舊聞考卷二十四

國朝宮室 西苑四

春耦齋循池西岸而北爲紫光閣。國朝宮史

〔臣等謹按〕紫光閣在明武宗時爲平臺，後廢臺，改爲紫光閣，本朝因之。聖祖仁皇帝，常於仲秋集三旗侍衛大臣校射，復於閣前閲試武進士，至今循以爲例。皇上聖武遠揚，平定伊犂回部，拓地二萬餘里。乾隆二十五年上嘉在事諸臣之績，因葺新斯閣，圖功臣，自大學士忠勇公傅恒、定邊將軍一等武毅謀勇公户部尚書兆惠以下一百人於閣内。五十人親爲之贊，餘皆命儒臣擬撰。洎四十一年，兩金川大功告成，復命圖大學士定西將軍一等誠謀英勇公阿桂、定邊右副將軍一等果毅繼勇公户部尚書豐昇額等一百人，列爲前後五十功臣。御製前五十功臣贊，命儒臣擬撰後五十功臣贊，一如平定伊犂回部例。宸章鉅製，後先輝映，此誠曠古未有之績。彼麟閣雲臺，不可以同日語者也。閣額爲御書。聯曰：干羽兩階崇禮樂；車書萬里集冠裳。左右向南壁間，恭懸御製平定伊犁及平定回部告成太學碑文。左壁爲伊犁全圖，右壁爲回部全圖。東西廊壁，恭懸御製平定兩金川告成太學碑文，及兩金川全圖，並御製報捷凱歌十首。閣上尊藏得勝靈纛，及俘獲軍器。正中繪平定西陲凱宴圖，左壁繪西陲獻馘圖，右壁繪平定回部郊勞圖。聯曰：天衢翊運風雲會；策府銘勳日月光。

聖祖仁皇帝御製秋日紫光閣射詩　碧漢層雲斂，金風別館開。騶虞賓射禮，士馬羽林材。隊引花間入，鑣分柳外催。桓桓心膂寄，堪許屬車陪。

皇上御製紫光閣五十功臣像贊有序　西師之役，賴天佑，乘時運，資衆力，拮据擘畫，幸底厥績，固非予一人所敢逆料敢期必也。然稍可以謝衆論愜深衷者，無他，則以賞罰信而應機速耳。語云：目中必彗，操刀必割。言應機宜速也。書曰：罪疑惟輕，功疑惟重。言賞罰宜信也。機之來，發於無窮之源而應以萬變之極，蓋難言之。若夫信賞罰，似非難事，而亦有所難者，則以不能因物付物有所容心於其間耳。且罪疑而後從輕，若不疑而亦從輕，則偷生者何懼焉？功不疑而從重，其理固當然，涉疑而屢從重，則冒賞者生心，而真功反有向隅者矣。是知疑不可也。夫不疑而功惟真功，賞斯重焉；罪惟真罪，罪斯必焉。則捨命灰軀冒矢石投鋒鏑之倫孰不勸以懲乎？兹者事定功成，寫諸功臣像於紫光閣，朕親御丹鉛，各系以贊。不過譽，不尚藻，惟就諸臣實事録之，並闡其義如右。雲臺二十有八，凌烟閣二十有四，而此五十人者，則以國家中外一統，宣力者衆，然此猶舉其尤赫者。若夫斬將搴旗，建一績，致一命者，亦不忍其泯滅無聞，將亦圖其形而命儒臣綴辭焉。世胄元臣，與國休戚。早年金川，亦建殊績。定策西師，惟汝予同。鄺侯不戰，宜居首功。大學士一等忠勇公傅恒濟爾哈朗，喀喇烏蘇。兩番襲迫，均保無虞。以智濟險，以誠感衆。卓哉崇勳，闢我提封。定邊將軍一等武毅謀勇公户部尚書兆惠元戎率師，平定伊犁。而何阿逆，叛亂乘危。變出不期，投軀西漠。故里櫬歸，痛哉酹酌。原定北將軍一等誠勇公兵部尚書班第我懷賢勞，命將往代。正值黑水，猖獗鼠輩。以二百衆，陷萬賊中。因緣徇節，勇濟以忠。原靖逆將軍三等義烈公工部尚書納木札爾拍馬彎弓，無敵所向。不曾讀書，如古名將。和落霍斯，少勝衆彼。超勇親王，額駙之子。定邊右副將軍親王品級超勇郡王策布登札布古云福將，信有其言。所遇均吉，勇冠軍門。不寧一勇，兼善於謀。吉林拔萃，特賜封侯。定邊右副將軍一等靖遠成勇侯理藩院尚書富德彼中宰桑，識時早歸。副帥以往，克贊戎機。拔身戰出，不忘本朝。云胡不死，責備則澆。原定邊右副將軍二等超勇伯內大臣薩拉爾外任封疆，內司綸綍。俾理儲胥，經權弗詘。殫誠盡智，事協予心。未同凱宴，痛惜曷任！原大學士三等忠勤伯陝甘總督黄廷桂惟科爾沁，世連姻戚。魯館承訓，王廷宣力。參贊軍務，賊營夜侵。中創弗退，嘉乃忠心。參贊大臣和碩親王固倫額駙色布騰巴爾珠爾準夷之叛，奉命在道。賊遮中途，屢戰不撓。其志既篤，其材亦英。蓋自髫年，教養禁廷。（參贊大臣固山貝子札拉豐阿）渭陽所出，扎薩頴材。命帥本部，宣力龍堆。及愛隆阿，單騎見虜。降哈薩克，厥功甚鉅。（參贊大臣扎薩克多羅郡王羅卜藏多爾濟）土魯蕃族，早年歸正。命贊軍務，以識回性。知無不言，言無不宜。其心匪石，弗可轉移。（參贊大臣多羅郡王額敏和卓）屢受重寄，亦屢左遷。厲厥意懦，策厥材賢。白衣白水，聞黑水信。安衆進援，爵秩重晉。（參贊大臣工部尚書舒赫德）富德入援，次呼爾璊。趲行戈壁，馬不進焉。以馬濟軍，敵營夜襲。同事建績，曰鄂博什。（參贊大臣一等果毅公兵部尚書阿里衮）世臣知書，料善論兵。惜弗通語，遂弗燭情。變起倉卒，力戰命畢。用違其材，實予之失。（原參贊大臣三等襄勤伯總督鄂容安）椒室懿親，年少志雄。謂可造就，俾學從戎。獨出獨入，既忠且壯。屢立宏勳，恆予所望。（參贊大臣一等承恩毅勇公戶部侍郎副都統明瑞）阿克敦子，性頗捷敏。力請從戎，宜哉惟允。身不勝衣，心可干城。楚材繼出，爲國之楨。（參贊大臣工部侍郎副都統阿桂）率二百人，共詣軍營。臨敵而退，寧謂忠誠？如早聞信，何致殞身？不前不後，失二賢臣。（原參贊大臣三等子戶部侍郎副都統三泰）其兄徇節，其弟忍使？欲報兄讎，固請不已。黑水之挫，復以捐身。超雪前罪，賞延後昆。（原參贊大臣前鋒統領騎都尉又一雲騎尉鄂寶）矍鑠請行，索倫巨擘。挽五石弓，尚能殺賊。如鷙之擊，不留飛鳥。馬援來歸，殊恩榮老。（領隊大臣內大臣博爾奔察）宿將行間，久矣宣力。所董綠旗，遵其律則。隊中獨喪，是有命焉。裹創慰衆，益廑哀憐。（原領隊大臣安西提督總兵官豆斌）爪牙之將，用不拘資。感予特達，効命何辭。百戰百進，義弗旋踵。怒則面赤，是謂血勇。原領隊大臣甘肅提督總兵官高天喜將軍黑水，先衆徑渡。固營待軍，實端濟布。衆寡稍挫，倉卒周防。奪回人馬，勇且謀長。領隊大臣副都統塔什巴圖魯端濟布將門傑種，拍張撫髀。受將軍檄，力戰全歸。整師再進，賈勇陷堅。弟巴靈阿，盡節軀捐。領隊大臣護軍統領愛隆阿侍衛從征，奇功屢立。雖賊萬衆，單騎直入。陷陣馬仆，距躍彎弓。賊人咋舌，稱天上雄。領隊大臣前鋒統領墨爾根巴圖魯瑪瑺都爾伯特，部中傑驍。嘉其心直，授職本朝。凡與交戰，義弗返顧。師濟和闐，不孤恩遇。領隊大臣內大臣副都統巴圖濟爾噶爾旗籍蒙古，偏校從軍。殺賊則奮，鶻入鴉羣。與噶布舒，分守和闐。保衆集事，且有謀焉。散秩大臣穆爾德木圖巴圖魯齊凌扎布躍馬抨弧，先鋒鏖陣。入俄羅斯，得阿逆信。和闐既定，論功策勳。衣錦歸籍，散秩大臣。散秩大臣哈坦巴圖魯噶布舒軍門統事，諸務勤宣。亦能力戰，突將無前。入拔達山，索逆回馘。曉諭殊方，是其偉績。副都統噶畢雅圖巴圖魯額爾登額奉元戎檄，擒達瓦齊。後稍觀望，旋迎我師。同大軍進，被圍黑水。回部望族，居之京邸。郡王霍集斯平伊犁時，歸順勤王。回部傑出，其心允良。往諭和闐，被圍三月。共噶布舒，全守卓越。貝子鄂對前無堅對，後無返思。持矟一呼，千賊披靡。揚揚英氣，洸洸偉身。與薩拉爾，蓋同部人。內大臣鄂齊爾於格登山，賊據險守。率廿四人，間道襲後。諸賊大潰，爰以成功。本厄魯特，降順効忠。散秩大臣喀喇巴圖魯阿玉錫衛拉從征，喑噁咤叱。額駙受創，衛護以出。用賜殊恩，用益奮感。畢命回城，每懷惻慘。

（原散秩大臣騎都尉達什策凌）索倫營總，乙亥出師。老而益壯，頗識戎機。厄魯回部，胥聞其名。聳身馬上，如擊兔鷹。（副都統鄂博什）生不知懼，戰不知退。亦不受傷，銅額鐵背。弓可擔水，箭如鑿鏵。温侯名布，是耶非耶。（副都統圖布巴圖魯温布）本射生手，狼不暇走。以之殺賊，如探囊取。從軍奇功屢建，亦因閱歷。世職崇階，酬其勞勳。（副都統克特爾克巴圖魯由屯）渾齊潛遁，疏防降謫。從軍贖罪，每戰必力。黑水殞命，豁罪論功。圖像紫光，表忠無窮。（原副都統騎都尉又一雲騎尉三格）包沁之叛，千賊一身。賜巴圖魯，昉乎斯人。後復屢戰，喪哈薩克。始終於是，曷勝悼惜。（原頭等侍衛舒布圖鎧巴圖魯奇徹布）哈薩錫拉，叫噉稱亂。趨羊適過，以計解難。後復從軍，屢戰屢進。單馬衝突，獅子奮迅。（頭等侍衛博克巴圖魯老格）庫車圍攻，命守要害。偵賊來援，周防以待。賊卻乃前，魯前乃卻。引至大隊，是轢是膊。（頭等侍衛墨爾根巴圖魯達克塔納）厄魯刼運，搆釁互戕。識時拔出，致力疆場。首被掄選，往拔達山。譯語曉譬，共索馘還。（頭等侍衛薩穆坦）捉生以出，被回所遮。衆寡不敵，矢盡堪嗟。駡賊以死，雖死猶生。時共事者，達什策凌。（原二等侍衛固濟爾巴圖魯雲騎尉瑞綽爾圖）聞戰則喜，無生有死。五易馬進，終弗却視。身不及膽，心則乏謀。用以衝陣，勝五百牛。（二等侍衛哈朗書巴圖魯塔瑪鼐）三巴圖魯，於中之一。要遮色楞，忽墮其術。不及彎弓，白刀揮霍。猶斬數人，之死弗卻。（原二等侍衛哈布台巴圖魯富錫爾）烈風掃枯，迅其奚難。亦賴衆傑，摧敵攻堅。於塔巴台，射巴雅爾。是其偉績，勇鮮倫比。（二等侍衛額爾克巴圖魯海蘭察）黑水築柵，未畢賊侵。蜂屯蟻雜，攘攘林林。持將軍令，意氣昂藏。來往慰衆，銃殞堪傷。原二等侍衛雲騎尉富紹　狗盜雞鳴，孟嘗不棄。竊馬何害？用人之際。間道進檄，首遴斯人。雙雄比肩，衝出萬軍。三等侍衛賽音博勒克巴圖魯扎奇圖　騎二駿馬，縱兩神鶻。回如瓦雀，伏不敢發。共扎奇圖，左旋右抽。卒致軍信，効力獨優。三等侍衛什倫哈什哈巴圖魯阿爾丹察　軍檄再發，更掄五英。馳驛逾月，迅至北京。捨身報國，不可數算。舉其尤者，圖形作贊。三等侍衛卓里克圖巴圖魯五十保

御製平定金川五十功臣像贊有序　金川既平定，圖功臣像於紫光閣，序而贊之，一依伊犁回部之例。其故其義，前序言之詳矣。兹復何言？而不能無言者，誠以諸臣宣力攄猷，或定策於樽俎之間，或衝堅於石矢之隊，且捐軀盡節者指不勝屈，寧忍令泯没無聞，而弗壽厥儀表彰厥名聲者哉！夫用兵蓋難言之矣。無應機之謀，乏識人之鑒，而徒俾推轂，是藉寇兵而賫盜糧也。温福之僨軍，朕深引以爲愧，而阿桂終能集事，朕又略因解嘲。至於午夜癈寢，當食忘餐，吁，亦勞矣！夫無此勞而徒曰有兵有將，汝其爲我征伐，則真窮兵黷武而付其天下之成敗於不問者，朕弗爲也。觀此序者，或諒朕非窮兵黷武之爲，幸何如之！冀何如之！而朕之子孫尚以佳兵爲戒，苟不得已而用之，必深體此序之意，弗以冒昧行焉，則我大清億萬年無疆之休基於是矣。前圖逮今甫十六載，事故過去者卽十分之九，爲之愴然。而後生疊奮，繼前人之光，爲國家之用，林林源源以

出，因又爲之慶矣。其兩被圖形如阿桂之倫，豈非德業之光輝，人臣之厚幸，而較衛霍英鄂之流更爲榮遇超越乎！西師參贊，經歷多年。茲爲巨擘，掄掌兵權。

西師之役，阿桂爲參贊大臣，著有勞績。因其嫻習軍務，特授爲定西將軍，統兵勦兩金川。阿桂承命以來，籌畫盡心，不憚艱險，用能掃蕩賊巢，俘擒逆黨，大勳克集，實爲首功。錫爵圖形，優加章服，懋昭酬庸之典。

誠而有謀，英弗特勇。集衆出奇，成勳克鞏。

定西將軍一等誠謀英勇公協辦大學士吏部尚書阿桂

宜喜弗動，

癸巳夏，因促浸賊人勾通瓚拉降番，潛出滋擾。時豐昇額駐兵宜喜，諭令就近赴大板昭堵勦。豐昇額得旨時已知有木果木之事，又未得阿桂軍營信息，恐將綽斯甲布一路兵力分單，徒去無益，竟未移兵前往。奏至，嘉其有識，特降旨獎勵之。

定見識機。後副西路，親勵戎衣。遜克爾宗，督兵進取。國之藎臣，勇繼乃祖。

遜克爾宗地最險要，且在我軍之後。豐昇額督兵進攻，或斫寨而入，或梯牆而進，遂爾得硐殲賊。嘉其勇敢，無愧乃祖巴圖魯公額亦都之風。因於所襲果毅公爵加繼勇二字以旌之。

定邊右副將軍一等果毅繼勇公加一等子户部尚書豐昇額

獨統一路，頗有斬獲。

明亮爲孝賢皇后親姪，察其少年誠篤，俾習軍旅，命爲副將軍，在南路統兵，隨卽攻取馬尼，繼復移兵襲取宜喜山梁，遂於北路進勦尋克日旁沙爾尼一帶，亦屢著功績。

姻戚少年，世承恩澤。建績抒誠，是用褒嘉。

兩金川既平，於其地設鎮安營駐守，因授明亮爲成都將軍以控馭之。

定邊右副將軍一等襄勇伯成都將軍明亮

俾司將印，永靖筰巴。

辛卯夏，土爾扈特汗渥巴錫等率全部歸順，特調舒赫德爲伊犁將軍，經理其事，安措極爲妥協。旋授爲大學士。甲午秋，命統兵勦捕山東逆匪王倫，甫六日而藏事。

命土爾扈特，安集邊城。入綸閣，速定臨清。金川之役，未悉端委。書旨承行，時亦贊理。

大學士舒赫德

內地土司，事須漢字。

國家用兵一切機宜率以清字書旨，茲金川乃內地土司，軍書往來多用漢字。五年以來，于敏中始終其事，禀受機宜，承旨書諭，頗著勤勞。既加恩賞以世職，並賜雙眼孔雀翎，圖形紫光閣，尤儒臣從來未有之榮遇。

大學士一等輕車都尉于敏中

自始至終，勤勞弗替。相機擬諭，厥功茂焉。賜翎寫像，儒臣孰肩。父定復叛，子嘗愧之。

戊辰金川之役，大學士傅恒前往經畧。時以莎羅奔郎卡畏罪投誠，遂奏聞受降。未十年，郎卡卽滋擾鄰封，其子索諾木益背恩反噬，實深悔前此之姑息，非一舉而殄滅之不能永除後患。福隆安因此屢懇赴軍營自効，皆未允所請，留之禁近，俾習贊軍務。

是用稽首，躬請出師。留於左右，俾習規畫。頗有嘉謀，協予廣益。兵部尚書一等忠勇公和碩額駙福隆安伊犂宣力，屢立戰功。金川參贊，仍勵勇忠。抱病軍營，弗令奏聞。惜竟不起，未觀成勳。原參贊大臣固倫額駙贈和碩親王色布騰巴爾珠爾射巴雅爾，超授侍衛。洊至都統，參畫軍計。堅碉險砦，無不先登。勇而有謀，封侯實應。參贊大臣一等超勇侯都統海蘭察虎槍隨圍，覺與衆殊。命往勦賊，攘臂以愉。閱歷既多，遂參謀議。獨當一面，亦復集事。參贊大臣一等嫻勇男護軍統領副都統額森特八旗子弟，總屬世臣。菁莪造就，命以從軍。勇弗搴旗，智堪入幕。北路贊機，時資其略。參贊大臣護軍統領舒常兄終王事，至今爲恨。奎林乃毅勇公明瑞親弟，皆孝賢皇后親姪也。明瑞爲將軍，督兵征勦，緬匪陣亡，朕每以爲恨，不忍更命從軍。乃奎林力請不已，因許之，奮勇屢著功績。屢請効力，披堅斫陣。心源落落，膽氣堂堂。世家英器，是予所臧。領隊大臣一等承恩武勇公加一等男都統奎林襲父卹職，和隆武之父將軍和起，征勦準噶爾時，在闢展爲莽噶里克等所害，議卹予以世襲子爵。和隆武襲之。此次征勦金川，不意其勇敢超衆若此，因晉封侯爵。少年老成。囊錐脱穎，竟善用兵。略日旁寨，獨擅偉勳。楚材繼出，既憐以欣。領隊大臣三等果勇侯都統和隆武代兄以往，繼父而奮。福康安，福隆安之弟也。矜許廑勵，王臣之藎。登碉奪砦，那須蒙甲。嘉勇錫名，世傳勳業。領隊大臣内大臣都統户部侍郎三等嘉勇男福康安父是日磾，子非弄兒。普爾普之父巴圖濟爾噶爾，以都爾伯特部宰桑來降，隨征回部，於和闐立功，仕至都統。普爾普臨陣奮勇，頗能繼其父志，因特錫男爵。命往勦賊，盡力無遺。金戈鐵衣，冰山雪窖。能入能出，敵不敢校。領隊大臣副都統三等奮勇男普爾普憶當國初，創業開基。宗室王公，宣力率師。承平襲慶，安享榮華。董軍建勳，斯爲可嘉。領隊大臣荊州將軍輔國公興兆中土回人，性多拳勇。哈其大族，每出將種。向略攢拉，屢舉險要。中道病殂，成功未告。原參贊大臣西安提督哈國興西師劾勇，早著旗常。命勦逆番，盡力以蕆。撦橋渡河，奪卡據水。用濟我師，井井有理。領隊大臣西安提督馬彪挾翼雖英，御須造父。設非其人，良材徒苦。陷木果木，將軍僨轅。温福頓兵昔嶺，株守不進，以所統二萬衆散布各卡，遂以分而見少，致爲賊人所輕。攢拉降番七圖甲噶爾思甲布等約促浸許爲內應。賊衆各由間道潛出，擾温福後路，漸逼木果木軍營。綠旗懦卒聞風驚潰，温福率十餘人突出，遇賊被害，馬全在後抵禦，遂没於陣。英材爲庸帥所誤，雖加恩贈卹，至今惜之。殿後捐軀，愧惜難言。原領隊大臣江南提督馬全本非習戰，遇戰卽奮。恐孤父名，書麟乃大學士高晉之子。偉哉後進。功成事定，提督鬱林。攻則壯志，守則小心。領隊大臣廣西提督書麟本射生手，獸無跳走。以之射賊，探囊物取。冒險屢進，志篤且純。受創獨重，祿養終身。三保在軍營，每戰勇往，不避矢石，因攻甲橐賊寨，右臂受鳥槍傷甚劇，久治不痊。憐其臂已殘廢，免令入直當差，仍留副都統之任，俾得祿以贍。領隊大臣副都統綽克托巴圖魯三保有足如鑷，有手如翼。削壁尖峯，行無難色。領隊奮勇，屢克碉堅。羌兒畏之，若雀遇鸇。領隊大臣副都統法福里巴圖魯烏什哈達木思工噶，躍入賊碉。督衆鞣膊，勇不目逃。巴占牽敵，俾無遮刹。番人望之，弗戰辟易。領隊大臣副都統多布坦巴圖魯瑚尼爾圖奎林深入，賊刃將及。發矢斃之，險中救急。同心合力，共集大勳。寫圖旌壯，惇史流芬。領隊大臣副都統札克博巴圖魯爾格德喀咱奎林，及和隆武。絕地被遮，餘勇猶賈。曰阿爾都，據險牽賊。二人乃出，其功尤特。領隊大臣副都統咱爾親巴圖魯阿爾都跬步皆山，面前萬仞。無著足處，攀騰奮迅。遂破札古，札古卽札烏古，急呼之則爲兩字。既翹且英。人中獅子，實稱其名。阿爾薩朗，國語謂獅子也。領隊大臣副都統阿爾杭阿巴圖魯阿爾薩朗率健鋭營，訓練有素。節制之師，五步六步。礌隮叢中，鼓衆身先。勞而不伐，是用稱賢。領隊大臣副都統穆騰額巴圖魯舒亮堂堂之陣，亦藉出奇。潛行僻路，附葛踔巇。直越峯頂，火攻石硐。破二百寨，色格功高。科瑪於沙壩山率兵潛行，攀陟山頂，爲賊所阻。卽分兵搶佔色格落喀爾都等處，抛入火彈，燒賊寨二百餘間。原領隊大臣副都統銜納親巴圖魯科瑪有賊必戰，有戰必先。率我勁旅，攻其中堅。志不顧身，勇能知義。噶占進棧，丹格建幟。領隊大臣副都統銜扎濟克巴圖魯伊蘭保功成一將，那保無虞。爭前恥後，舊風未渝。當噶之戰，直進身殞。使我心惻，優恤惟允。原領隊大臣副都統銜扎爾巴圖魯佛倫泰信勇世家，志不愧祖。富興爲信勇公費英東之曾孫，以有足疾不能登陟攻戰，而駐守要隘則甚得力。徒以瘸瘻，艱於步武。蠶叢鳥道，登進則遲。據險守要，千軍不移。領隊大臣副都統三等信勇公富興賊之所恃，據硐堅守。我之所利，拏柵進取。知彼知己，正以出奇。邀隙攢射，善手是資。領隊大臣副都統德赫布索倫善射，其中稱最。西師建勳，紫閣形繪。逞其猿臂，搜彼蟻封。不虞創重，歎惜何窮。原領隊大臣副都統莽喀察資哩美諾，皆樹奇績。奪昆色爾，攀枝援壁。固資衆力，率先必親。事定酬庸，命鎮天津。領隊大臣直隸天津鎮總兵噶布什海巴圖魯海祿甘涼宿將，屢立戰功。以其驍習，俾伐蠻賨。於巴布里，攻其恃固。乘雪拔之，有如李愬。領隊大臣貴州鎮遠鎮總兵巴格巴圖魯敖成連環火攻，國之雄器。率領得人，無往不利。及至近硐，斫門穴孔。大呼直入，嘉乃獨勇。領隊大臣山西大同鎮總兵巴爾丹巴圖魯官達色沉舟側畔，鼓棹爲難。受創復進，其心審丹。似若而人，不勝屈指。養育八旗，報非虛飾。叶領隊大臣四川川北鎮總兵賽尚阿巴圖魯成德承平日久，敢恃內安，永憶文子，厥有名言。嘉我諸臣，遇兵則奮。竭力敵愾，世承家訓。領隊大臣陝西固原鎮總兵法福里巴圖魯圖欽保始由偏裨，洊至總戎。騎牆殺賊，受傷捐軀。賞延於世，爲之惜悼。季世朱門，歌舞以笑。原甘肅肅州鎮總兵札親巴圖魯曹順父歿王事，保寧之父納木札爾以靖逆將軍征剿回部，於黑水陣亡，卹贈義烈公。保寧襲爵，因其力請出師，遂允之。在軍營屢著功績。襲爵爲公。不忘忠蓋，力請從戎。雖屬少年，乃如宿將。持重戒輕，心精膽壯。領隊大臣陝西興漢鎮總兵三等義烈公保寧誰謂世家，而多紈絝。後生可畏，不忘祖父。叶特成額爲原果毅公策楞之子，其高祖卽巴圖魯公額亦都也。是予所嘉，是予所憐。願予世臣，綿此萬年。領隊大臣山西太原鎮總兵特成額平生若懦，戰則倍勇。雖屢受傷，進不旋踵。功成事定，賊寨火延。沒於弗值，實可嗟焉。將軍等既平促浸賊巢，掃蕩數日後，噶喇依寨内忽火起，延及火藥局。烏爾納督兵往救。不意藥轟石飛，傷腦而没。爲之悼惜，因勅部照陣亡例議卹。原領隊大臣陝西延綏鎮總兵烏爾納披堅破鋭，突將無前。衆志成城，而各力宣。威震邛筰，拉朽摧枯。宜喜已克，惜哉捐軀。原署福建建寧鎮總兵敦柱七校護衛，無殊衆人。及至臨敵，其膽包身。地道深入，木城超躍。遂克勒圍，厥功允卓。頭等侍衛扎卓穆巴巴圖魯額爾特每戰俱前，三遇三克。勝彼忠嗣，王耀武漠北。漠北可馬，此步而攀。冰巘萬仞，所以爲難。頭等侍衛揚達克巴圖魯托爾托保一大曷支，衆擎易舉。嘉我諸臣，欽保、泰斐英阿。心同力努。人自爲戰，各有所成。攻康薩爾，直進賊營。二等侍衛拉布凱巴圖魯泰斐英阿於戰可觀，人之立志。或挺而前，或退而避。受傷雖多，其節弗踰。如柏凌冬，壯矣丈夫！二等侍衛崇鑁巴圖魯柏凌或仰而攻，或俯而壓。仰似鷹抄，俯如馬蹋。么麽迹遁，鬼蜮魂銷。追奔逐北，處處功高。原二等侍衛額依巴爾巴圖魯達蘭泰賊之長伎，在於善守。反而用之，拏柵進取。德赫布薩爾吉岱滴博蓬婆，威名遠服。惜哉陣亡，於阿穰曲。原二等侍衛善巴巴圖魯薩爾吉岱賊之所懼，勁弓長箭。飛鋒蝟集，對則色變。索倫捷手，射番最多。每據要害，其功弗磨。索倫佐領舒克丹巴圖魯特爾惇澈黷武豈願，詰戎敢忘！因弗得已，曉夜徬徨。良材總總，爲國宣猷。寫圖表績，永示千秋。貴州副將奢特陳巴圖魯興奎

乾隆四年御製紫光閣閱武舉射詩　掄材臨別苑，策對明廷。養士百年久，干城九塞寧。瑚弓懸滿月，羽箭迅流星。爲問赳桓輩，能通黃石經。

〔臣等謹按〕御製紫光閣閱武射詩，恭載首見之篇，餘不備録。

乾隆二十六年御製紫光閣寫功臣像及諸戰圖畢集讌落成爰賦六韻仍疊四章有序　勳標偃伯，烟銷濛氾之氛；蹟炳圖形，雲擁趯陂之勝。時則掄偉績而系贊，先教褒鄂傳神；逮一善亦臚名，乃屬鄒枚紀實。匪詡天經地緯，恰符五數之重；真逾漢史唐書，能覯百賢之萃。且聚米狀山川阨塞，壁间八陣常存；而列星占旌纛飛揚，磧裏參斿盡掃。試按昇平王會，詎惟萬里而遥？爲思宵旰軍書，何幸五年式集？昨者歸而飲至，行觴趁上巳良辰；兹焉落以慶成，展席繼先庚嘉宴。凡在股肱心膂，藉國家翊運多才；應知竹帛旗常，承天祖垂庥永靖。維億載綏遐有象，已被丹青；予一人持滿彌殷，長鐫金石。閣就勝朝址，見日下舊聞。圖標昭代勳。格慚虞帝羽，數過漢時雲。閣中圖功臣像勳績顯著者五十人，朕親製題贊，餘命儒臣擬爲者又五十人，視雲臺二十八將不啻倍蓰。大造無私佑，諸臣實盡勤。五年勞突將，此日幸休軍。有覺上林表，斯干液水

漬。落成緣戢武，錫宴重去聲。摛文。建置惟旌績，運籌匪詡勳。永期紀勞勩，寧爲去聲。賞烟雲。保大天垂貺，開遐予敢勤。帑原出内庫，督未命將軍。掄武駐冬日，每科武殿試，例於閣下校閱騎射及諸技勇。慶成臨沼漬。詰戎求世德，寶訓揭鴻文。恭讀太宗、聖祖、世宗實録中飭武備懲晏安爲萬世大法者，敬勒石閣中，以昭彝訓。伊犁征不戰，五月已成勳。將謂業安石，誰知事幻雲。驅馳常塵遠，擘畫不辭勤。最恨庫車轍，深虞黑水軍。事均見歷年詩章。轉旋叨昊綷，仍執竟淮漬。始末親籌筆，其觀勒壁文。經畫西師前後所製詩文，於成功端委運籌次第綜彙刻石壁間，示誌實也。衛拉勞前烈，厄魯特舊謂之四衛拉特。重華與放勳。敢云成不日，惟凜望如雲。載先去聲。傳柑宴，允嘉荷戟勤。歸春舞干旅，洗雨伏波軍。風嫩中和樂，冰酥太液漬。賡歌鴛鷺侶，可以共論文。

又御製紫光閣落成錫宴卽席得句　落成勳閣液池濱，廣宴都陪宣力人。宴間以功臣圖畫爲次，其西陲建績者並令預坐。幸際時休頌照燭，宜聯句亦引垂紳。嬉文恬武由來戒，保泰持盈一再申。旭日春雲欣協象，是日曉陰微雪，宴時畧晴，既而復陰。祥花滋麥冀霑頻。

又御製尊藏得勝靈纛於紫光閣詩以紀事有序　亭鄣靖金牙，威宣載旆；燧烽銷洱海，德表結旌。爰開高閣以圖形，並弆靈旂爲守器。原夫一麾臨閫外，彌文不侈禨機；七宿炳壇中，壯志初傳鐃鼓。方過祁連而壓陣，千山風鶴騰聲；更驅疏屬以揮軍，百部沙蟲掃跡。昔也緬李程刁斗，遜是森羅；今焉輝褒鄂弓刀，逾其英特。彼龍堆邈矣，詎惟銅柱齊標？而虎紐纍然，合與金符同譜。從此雷霜生色，匪徒充武庫之儲；還將日下承華，庶永隸奉常之掌。麟閣圖形例紫光，大師靈纛並尊藏。招遥伊古資神佑，功績從今紀太常。信是元戎篤忠悃，肯忘羣力効疆場。持盈知足懷乾貺，敢復佳兵恃盛彊。

又御製弆藏西師俘獲軍器於紫光閣詩以誌事有序 幕庭收絶域，運翊風雲；臺閣應中台，圖兼將相。軍儲森列，旗常已炳尚方；陣獲便蕃，仗械胥登武庫。甲函青瑣，得自前驅脱胄之時；槍委緑沉，出諸後隊伏兹之會。貫矢詎來肅慎？應知貳負先僵；佩刀疑壓赫連，早識温禺久釁。掃蚩尤之長彗，還帶毶纓；轟尸逐之鋒車，曾資鉛彈。凡此勳銘百戰，無須漂杵矜奇；方當蹟著九功，用藉包戈紀實云爾。高閣巍巍表藎忠，弆藏俘獲類從同。戢干櫜矢肆時夏；奪鎧搴旗藉衆功。信可傳神留百世，寧稱屈指數三雄！器書名例太常紀，甲胄旗纛之類，孰所獲者各書名其上，以誌永久。一善吾惟憶莫窮。

又御製紫光閣曲宴外藩紀事 柷聲三作翕如隨，琴上春温動檿絲。中外一家宜愷樂，耕桑九服正熙怡。紫光佳話從今紀，豐澤恩筵合此移。每歲宴朝正外藩例於豐澤園設大幄次，兹以紫光閣落成，遂移筵宴於此。戢武毋怠詰戎戒，皇清奕葉奉天禧。

乾隆二十七年御製新正紫光閣賜外藩小宴即席得句 歲歲名藩賀正入，[illegible]沖今益覲光臣。元朝式序羣公拜，蒙古汗、王、貝勒、公等各視品級，敍於内親王、貝勒、公等之次行禮。曲宴還教三接申。勒壁畫圖思偉績，閣中備列功臣畫像并贊。開筵酒醴款嘉賓。蒙古諸王優稱之曰賓客。呼韓位在侯王上，漢室偏誇服遠人。

乾隆二十八年御製紫光閣錫宴外藩並各回部卽席得句　紫閣高騫黄幕低，舊藩新部賀正齊。宜頒湛露聯疏逖，恰看卿雲蔚配藜。德愧衆星拱北極，疆踰大夏譯東鞮。謾詢計里爲多少，拔達克山西更西。

乾隆二十九年御製元正二日紫光閣賜蒙古王公及回部宴卽席得句　元正纔過綺筵排，節賜先期爲值齋。上元前例宴外藩，並行賜賚。茲以值齋，故先期於初二日卽頒宴賞。遂試冰嬉千隊出，是日並令觀冰嬉。旋歌露湛八音諧。舊藩已似世臣藎，新部胥嫺國禮佳。紫閣猶然戰圖繪，旌功益切奠遐懷。

乾隆三十五年御製紫光閣賜宴外藩疊去年題句韻　正節欣逢天澤行，初三日大雪繽紛，自晨達午，積可四五寸。田家五行以是日爲上正三節，適遇祥霙，尤徵稔兆。池冰鋪雪閃光晶。筵開紫閣諸藩侍，樂奏彤墀萬舞呈。巡酒都遵令儀什，聽歌敢忘勅幾情。驃蠻歸命王師返，去歲紫光閣賜宴，有壁勒戰圖思往績，逾年征緬底遲成之句。蓋其時正籌進兵勦緬。及冬月師抵老官屯，攻圍方急，顧其地水土惡劣，兵有病者，因傳諭撤軍。旨未至而緬酋適遣其頭目詣軍營籲乞歸誠，傅恒等具奏，遂俯從所請班師。亦可云然告武成。

乾隆三十六年御製紫光閣賜宴外藩卽事有詠　外藩輪歲覲新正，例有恩筵示惠榮。久罷池邊張廣幕，向於液池旁張黄幕賜宴，後因紫光閣武成殿構成，遂每於閣中設席。仍因岸側構層甍。六清賜醴迓春祉，四壁繪圖告武成。禮樂雖云聊暨備，惕乾敢曰此升平？

乾隆三十七年御製紫光閣賜宴外藩卽席成什　柷起中和奏樂[illegible]，肆筵紫閣午曦明。底須九拜遵朝典，惟是三巡聯衆情。新附烏孫來北漠，土爾扈特。舊班雁僕熟西瀛。回部。撫茲敢曰能開創？益切冰淵惕守成。

乾隆三十八年御製紫光閣曲宴外藩卽席得句　崑西漠北共朝趨，三接聯情惠有孚。筵列雕盤裝粔籹，茵連華服逮鏤鍝。都爾伯特台吉等向以未出痘，祇遣人賀正。今亦有出痘可入關者。茲親王策凌烏巴什之子公爵索諾木雍忠卽以出痘親來賀正，因令入座。辰良日吉答韶令，長治久安懷永圖。燕語家人寧藉譯？向接外藩王公等皆用蒙古語，蓋素所熟諳。近則回語並已通習，卽新疆伯克等亦不藉舌人傳譯矣。却非吁咈與都俞。

乾隆三十九年御製紫光閣曲宴外藩卽席成什　層閣紫光太液濱，外藩曲宴錫昌辰。禮非元會朝儀肅，情洽聯茵燕語申。需雅還同笳吹奏，是宴陞座行禮，奏中和韶樂，賜酒時則奏笳吹番樂，以外藩等所習知也。承筐別繼列觴陳。宴後例有賞，內府大臣司其事。上正三節宜行慶，是日正月三日。撫序垂衣倍敬寅。

乾隆四十年御製紫光閣宴外藩卽事成什　外藩恩宴例初年，協洽情宜與衆聯。共慶蠶登稻昌卜，見淮南子。合教樂備禮明宣。促成醼什牓鄰舊，將寫戰圖廡展前。向年平定西域，曾繪戰圖張紫光閣壁。卽日蕩平金川，擬於閣外展接前廡，以備繪圖紀績。兩紀崇勳藉輿力，惻然意覺勝欣然。

乾隆四十一年御製紫光閣曲宴外藩卽席得句　廊展前楹布席寬，果然逮繪戰圖觀。昔西師凱旋，曾録其功績，繪爲戰圖張壁。今征勦金川，集勳在卽，而自進攻促浸以來，摧堅奪隘，戰績尤多，擬添繪新圖紀盛。預展前楹以待，當於凱宴時張之。聯情雖合此中外，効力那忘彼赳桓。將是承筐祗循例，及陳凱宴此真歡。鏤鍝近已習生痘，綵服欣看捧爵盤。蒙古以未出痘者爲生身，不敢至内地。是以策凌烏巴什雖歸誠二十餘年，惟於熱河朝覲。昨歲渠已出痘，因亦來京朝正，即命其於筵前進酒。

又御製四月廿八日紫光閣凱宴成功諸將士有序

績宣西㠩，洗兵波靖金川；凱叶南薰，錫宴筵開紫閣。旋蹕舉勞還之典，昨朝纔解征衣；御樓受俘獲之儀，詰旦全陳縶組。念徼外棧穿冰雪，猝以五年；指壁間米聚山川，成於百戰。功宜懋賞，允兹晉爵加章；實稱循名，遂爾圖形系贊。繄此日同堂之愷樂，酬諸臣歷歲之藎誠，酌酒親頒，一醻霑殊非易；承筐共拜，千緡賚亦奚多？撫陳蹟以增懷，難忘視昔；幸後來之繼踵，益勉從今。

六章詎曰侈文？億載願言偃武。己巳班師原赦罪，己巳之奏凱，非受降，乃赦罪。彼乃所屬土司，逆命則討之，服罪而赦之，安得與外夷相提並論謂之受降哉？丙申宴凱信成功。樊崇甫以十年叛，郎卡自赦罪之後，未及十年即侵擾鄰境，念番俗構爭乃其常事，遂置不問。莽布奚當六戰雄？蠶食狼貪終弗改，雞連鯢取孰矜窮？五年宵旰勞西顧，幸覩酬勳禮樂融。郊勞昨還曉受俘，禮應凱宴答功膚。修儀偃伯斯宜矣，夜雨朝晴有是乎！廿七夜半後快霈渥霑，未曉而霽。夜雨朝晴最爲難得，於盛典尤覺相宜。紫閣貌圖俾績顯，金卮手賜按名呼。宴間，召將軍阿桂、豐昇額，參贊海蘭察、額森特，領隊大臣奎林、和隆武、福康安、普爾普，並擇其餘勞績茂著之人及軍機大臣舒赫德、于敏中、福隆安等至坐前，親賜卮酒，以示優眷。鋌瘢著處恫關切，念此何敢耀武吾？美諾重征得重易，勒圍多戰信多勞。初攻蹔拉，雖經歲始平，及收復美諾諸境，則未旬日而蕆事。至促浸則層層險阻，賴阿桂不憚艱瘁，將士奮勇宣勞，每因難以奏績，前後不啻百戰。詎予隴蜀無已望，念彼孽芽有藉嬦。資哩卡了消雪窟，木思西里化冰嶆。而今都是光明境，屯戍相將事桴槹。上將歸來是近臣，阿桂、豐昇額俱軍機大臣兼領侍衛内大臣，其餘亦在御前乾清門行走者多。國朝家法萬年循。解兵笑彼一杯酒，示澤欣兹滿座春。夷樂寧須鬬僸佅？俘歌合此奏童佤。阿桂等所俘番童有習鍋莊及斯甲魯者，即番中儺戲也。亦命陳之宴次。鴻勳集矣雨暘若，祇恐驕生志倍寅。紫光閣峙液池邊，爲寫戰圖廊展前。紫光閣壁間舊列西師戰圖已滿，昨歲展拓前楹以備繪金川戰績，命將軍等具稿以進，擇其事最大戰最偉者繪之。幸矣竟如操左券，嘉哉所賴掌中權。揚威擣險重無藉，櫜劍弢弓合有然。五載劬勞信不易，一爲歡喜一爲憐。伊犁回部早成勳，又勒畫圖新舊分。詎我佳兵不知戢？奈其伏莽敢忘勤。索諾太濟其父惡，蠶食鄰封，與僧格桑狼狽爲奸，背恩反噬，不得不聲罪致討。今幸成功，而追憶艱險，不啻痛定之思矣。頻思舊績翻因戚，多出翹才繼以欣。平定伊犁回部時所繪一百功臣，今存者不過十之一二，撫念慨然。今所繪功臣中世家子弟及新進之人頗不乏翹材，則又爲之欣幸云。湛露采薇重賦罷，益欽保泰敢云云。

又御製尊藏得勝靈纛於紫光閣詩以紀事有序

師中麾督劚旌，軍勝壯風雲之色；徼外績成偃伯，兵銷騰日月之光。郊臺既列拜以告勳，紫閣遂尊藏而誌武。溯自虎符申命，壁壘新而一將宣勞；因之貔旅同心，弓刀利而八旗鼓勇。應指揮以破險，咸勵赳赳桓桓；運鈐略以出奇，仍合堂堂正正。艱辛百戰，先登則蟻聚就殲；摩蕩七斿，並舉則鷹揚奮擊。顧壁间之圖畫，建牙稱是英姿；振地角之鼓鉦，展旆知其勇號。韜函媲昔，與西陲珠飾以交輝；櫜戢從今，叶北斗玉衡而永定。臺武定叩蒼穹，陳列靈斿凱禮雄。宣力勤勞資衆將，坐謀籌畫賴元戎。建時吉氣占剛日，豎處軍祥符勝風。例以伊犁及回部，尊藏高閣紀成功。

又御製弆藏所獲金川軍器於紫光閣並誌以詩有序 卬籠剷淨，深林無伏莽之遺；槃木俘來，遠徼有戢戈之喜。指點戰圖張壁，慑我威弧；檢稽獲簿陳庭，收其脱帽。金璅已抛殘重甲，嗤犀兕之尚多；鉛丸惟懸臢空囊，識蟲沙之早化。短鋒誰佩，漫矜犵黨之銛；左插何施，自斂脱光之影。蕩兩川而兵洗，金氣全消；鑄九鼎以勳銘，銅標詎比？虎皮韜櫝，連函用誌武成；鳳味濡毫，長律寧誇文具？出師寧曰圖俘物？弆器亦因紀武功。貝甲鑾刀胥就獲，搴旗斬將並稱雄。金川金小穴俱掃，兩金川分東西，東爲小金川，西爲金川，俗亦謂之大金川云。白鹿白狼跡豈同？那肯事平忘衆力？惟應泰保慎吾衷。

乾隆四十二年御製紫光閣曲宴卽席成什 紫閣筵開迓始春，每教卜日先去聲。於人。是日爲人日前一日。民安物阜期引翼，北溟西戎仰集鱗。時朝正新舊諸藩年班回部哈薩克來使及輪班覲謁之土司等咸集，並命與宴。衆土司都欣得所，兩金川那更侵鄰。戰圖左右陳前廡，預拓閣之前廡以待紀功，今張戰圖於壁。叨沐天庥倍敬寅。

〔臣等謹按〕平定伊犁回部及兩金川武功告成，銘勳紀事，悉仰宸章，謹依次臚載。至節年錫宴外藩之什，謹繹有關紀述事實者，恭載卷内，餘不備録。

欽定日下舊聞考卷二十五

國朝宫室 西苑五

紫光閣後爲武成殿。國朝宫史

〔臣等謹按〕武成殿内御題額曰綏邦懷遠。聯曰：兩階干羽欽虞典；六律宫商奏采薇。正中書御製辛巳題句。左右壁門張御製開惑論西師詩，東西兩壁繪西師勞績諸圖。兩廡各十有五楹，石刻御製自乙亥軍興訖己卯成功詩二百二十四首，詳載御製詩二集中，兹不具録。

御製開惑論　夫人情有所弗概於懷者，則不能無惑。況西師之役，決機於午夜之密勿，馳檄於絶域之阻閡，語言泮不相同，風俗敻然各别。是安能人人而告之以祛其疑？故事以問明，理以答晰，因倣四子講德之遺意作開惑論。其辭曰：有春秋碩儒者，是古卑今，循規蹈矩。喜寬衣博帶如魯諸生；厭突梯脂韋若楚公子。聞信天主人欲有所締構撻伐，雖不敢面折其非，而每退有後語也。既而定伊犁，俘名王，成舊志，闢新疆。兵不血刃而歸馬於華山之陽。西陲一役，自乙亥春兩路大兵進發，所過迎降恐後，遂擒達瓦齊，定伊犁隸屬諸部，及秋已告成事，無頓弦遺鏃之費。乃造於臻成大夫之席曰：唉！有是哉，有是哉！走懷杞人之憂有日矣。夫守在四夷，其德莫恢。佳兵不祥，其理莫晐。今所見者迥異乎所聞，則是秦王不必築長城而漢武不必悔輪臺也。曷以啓予蒙乎？大夫曰：子不聞長卿之言乎？非常者固常人之所疑也。無何，阿逆叛，羣兇應。如蜩如螗，曰梟曰獍。斷驛擄牧，奮臂以逞。一二隻行野宿者，或致戕其身命。阿睦爾撒納潛蓄異志，乘我師既平準夷，覬爲四部大台吉未遂，中途叛逃，而一時逆黨如伊犁之巴碌克什木、西路之阿巴噶斯哈丹、北路之包沁等，先後煽附，斷臺肆掠，道路爲梗。於是碩儒復過大夫之間曰：如何如何？果不出吾所訝。宜亟罷是役，禍庶少輯。大夫曰：子姑俟之。於時師重進，渠遠跳。順者撫，逆者剿。丙子春，我師整旅討逆，阿睦爾撒納竄去，其黨並就剿撫，伊犁復定。先是，喀爾喀有青滚雜卜者，猔狁僉回之騂獟也。以收都爾伯特四部時曾賈其牛羊，用賜新撫。乃藉以煽惑衆喀爾喀，且欲私通阿逆之醜虜。青滚雜卜本喀爾喀台吉恩封郡王，從征。密旨令將軍等計擒阿逆。時青滚雜卜實漏其信，復自軍營逃回游牧，蠱衆撤卡，甘心從賊。爲我參贊大臣納木札爾執送京師，得正顯戮。阿逆既竄，罪人斯得。喀爾喀衆，以休以息。然彼時將帥之臣，追阿逆於哈薩克，爲其所賣。同時準噶爾宰桑之在役者，皆習爲盜而慣軍詐者也。見而輕之。時阿逆竄跡哈薩克，方以譎計緩師，而將軍達爾黨阿不審先機，竟爾按兵待獻，坐失事會。既罷役則相率爲亂，欲復其舊制而恥爲我臣。是和起被欺於闢展，兆惠戰出於濟爾哈朗之所因也。厄魯特宰桑等從征哈薩克者，既心輕將帥所爲，思逞亂階。將軍和起方往追巴雅爾，至闢展，爲逆回莽噶里克厄魯特呢嗎等設計遣散駝馬，倉卒被害。而將軍兆惠自濟爾哈朗力戰得出，賊勢復輯。碩儒曰：吁！是蓋禍結兵連，吾不知何日之息肩矣。

爾其重整四甄，夾攻兩路。阿逆復自哈薩克竄歸，適遇我師，又倉黃而遁去。蓋自是哈薩克亦面内歸化，欲助我以擒阿逆，而阿逆乃隻身入俄羅斯境，窮極伏冥誅之故也。哈薩克以素稔阿逆反覆，且畏懷中朝威德，奉表來歸，請以擒賊自効。逆勢益蹙，僅以殘喙投俄羅斯斃焉。遣侍郎三泰驗實以聞。豺狼不可以犬豕蓄，鴟鴞不可以雞鴨育。是反覆喜亂之徒，再存之，再不知感，且殘賊爲奸焉。是惟翦刈灰滅之而已，更不可以仁義化遷。乃欲姑息了事者又以爲不殺降人。夫不殺降人可，留降人之馬而與之足力以受其愚則大不可。滿福之遇難以及助二回酋與我抗衡，皆此沙拉斯瑪呼斯二鄂拓之所構禍也。丁丑春，復命將軍成衮札卜、參贊舒赫德等由朱爾都斯路進伊犁，將軍兆惠、參贊富德等由額林哈必爾罕路進塔本集賽，而成衮札卜等遇克勒特烏魯特沙拉斯瑪呼斯等鄂拓克皆撫降其衆，不取其馬駝，大軍過而賊皆反去。乃遣都統滿福領偏師追剿沙拉斯瑪呼斯二鄂拓，賊人詭持軍門劄自稱已就降撫，並云前驅除道以待。滿福行次哈拉和落，竟以墮計捐軀。至庫車之稽勳，實僨轅於逍遥。更將申律，旗鼓一新，遂長驅直入而功垂成於崇朝。先是大和卓木既還故部，乃阿逆之叛，小和卓木孤恩助惡。及興師問罪，圍庫車城而小和卓木來援，身竄入城，自投羅網。雅爾哈善縱賊失機，遂致養癰貽患。黑水之守，主客衆寡之勢，雖愚者亦知其漂摇。以三千餘人敵數萬衆而搜穴得米，掘井得泉。賊銃著木，取鉛丸數無萬，反以擊賊，無不中賊之酋豪。於是兩軍相合，賊乃遁逃。及窮追異域，駐旅馳檄，獻馘稱臣，遂成耆定之功高。戊寅冬，將軍兆惠直薄葉爾奇木，道遠馬疲，被遮固守。時經三月，深溝高壘，賊不敢侵。且屢獲神應，而夏前調兵在道副將軍富德得以檄促赴援。又參贊大臣阿里衮解馬適至，内外夾擊，軍威大振。至己卯夏，酋懼六師繼進，棄城遠遁，入拔達山界。尋以追兵壓境，其汗素爾坦沙聞風歸化，殺賊函首以獻，回部悉平，西陲永定。臻成大夫乃進春秋碩儒而詔之曰：兩大部落不爲不强，周二萬餘里不爲不廣，五年成功不爲不速，前歌後舞不爲不祥。子徒見始事之秋，選愞畏葸者之騰口，是所謂人然亦然、人否亦否者也。且師旅征伐之於國，猶雷霆霜雪之於天，非霜雪則萬彙煩囂之氣不盪滌，非雷霆則四時湮鬱之氣不舀宣。非師旅征伐則梗我王化者無以讋伏懲創不敢抗干。是以詰戎揚烈，益當廑於重熙累洽之年也。子獨不見達瓦齊之懵懵乎！達瓦齊獻俘後，赦不誅，且優賜王爵，以善終。設云事慎首禍，禮不納叛，是儼然以外夷弒君者爲敵國，豈不貶我君哉？碩儒曰：豈謂是哉！陽舒陰慘，生民大情，離憂合歡，品物同性。絶者不可復屬，死者不可復生。損兵折將，無補功成。大夫曰：吁！子所謂執迷而不悟者矣。成大事者不顧小謀，圖大全者寧辭小害？示應於近者，遠有可察；託驗於顯者，微或可概。且子亦知損兵折將之由乎？彼或内怯於心，外受人紿，決機不審，遲疑擿埴，而自貽伊悔。豈主人之辠哉！若夫虎臣羆士，折衝宣力，馬超囊足，姚期攝幘，渴賞捐軀，實不乏人。而一聞如是者，午夜爲之酸心，舉案爲之忘食。雖刻木結蒲無以加茲。而且賞延後昆，太常紀績，如子所云，則漢祖唐宗撥亂草創之初，寧無一人結纓死綏者哉？禮記聽磬聲則思，又何以云乎？故非沉機不足以圖功，非果斷不足以定業。彼其狼狽相顧，潛包禍謀者，以螳蜋之斧，禦隆車之轍，不自竿量，何異葦苕之鷦鳩？是以王師屢入，霆奮席捲，如舉炎火而焫飛蓬，覆湯泉而沃白雪。子何不度以全局，待以歲月，而爲是無稽之説哉？碩儒曰：若僕者，乃隙中觀鬬，井裏窺天，以今日應機底績論之，何妨再遲數年？愧矣服矣，豁然悚然。大夫曰：未也，子姑聽之。夫食椹懷音，非納叛臣。獎蹙優遇，欲集其勳。阿逆初降時，備陳賊中情形，請兵甚力，卽推誠奬任，令副北路將軍以行。時或有以厚遇新附竊議者。密勅周防，先示戚親。時命固倫額駙色布騰巴爾珠爾與阿睦爾撒納偕行，密諭察其動定。雖非豫存逆億，而逆賊狡獪故智未嘗不在意計中也。操刀必割，所戒逡巡。阿逆既以未饜所望，在伊犂時居常不衣賜服，及用私印行軍檄，蹤跡頗露不逞，屢勅將軍班第、參贊鄂容安相機擒勦，而因循寡斷，阿逆得以入覲爲詞，乘隙生變。子云應機，亦非至論。三隙可乘，未興大軍。或又以爲乘人之釁，不知策妄多爾濟那木札爾年幼昏暴，此一釁也，喇嘛達爾札篡奪，又一隙也，達瓦齊復篡奪之，又一隙也。彼時皆未興兵，詳見西師詩。加征增筭，何曾於民？凡有水旱，無不恤賑。運輸給價，防其蝕侵。甘肅歲賊，豫免庚辰。兩部永靖，並及其鄰。哈薩布露，梟瞷文身。無不內屬，慕義歸仁。鴻庸爰建，千古未聞。若子者，所謂菽麥未辨，安足以知信天主人哉？信天主人乃召大夫碩儒而告之曰：若二子者，所謂楚既失之，齊亦未爲得也。夫順天者昌，逆天者亡。故粵宛猶不逆時氣，而奉若者豈可恃力而誇張？且屢危而屢夷，愈變而愈康。鉦鼓一動，遂定二方。鑿空二萬餘里，蕆事五載已央。使畏難而中輟，未必不致禍而受殃，浮議者方且謂老成之言臧也。在易師之上六曰：大君有命，復之上六曰：迷復有眚。今得以利用禦寇，由頤有慶。是不亦大幸乎！夫獲此幸者，宜思何以獲此幸於昊蒼？方將矜矜惴惴，凜凜皇皇，隕越是懼，奚暇計之二子之短長也哉！

乾隆二十三年御製西師詩 西師歷四載，王臣久于役。誰無室家心，而能忘契濶。始緣趁機動，操刀乃必割。終以阻遠艱，舉碁忌屢易。欲罷又未能，永言誌顛末。皇祖征朔漠，卽此厄魯特。三番整六師，狼羣始窘迫。策妄退守巢，於以延喙息。取馘索賊子，惟命無敢逆。噶爾丹兵敗仰藥死，其子脱身逃竄。時策妄阿拉布坦鼠伏一隅，畏威服德，獻出逆屍，不敢容留逆子。厥後漸滋饒，遂復刧西域。策妄阿拉布坦逞其詐力，勢漸强横，計誘拉藏汗，以女妻其長子丹衷，襲殺拉藏汗，大肆刧畧。我師抵西藏，其酋帥大策零敦多卜始引衆歸巢。大策零敦多卜卽今達瓦齊之祖爲策妄族兄。終康熙年間，蓋未止兵革。皇考闡前猷，思一勞永逸。兩路命大舉，帑藏非所惜。究因時弗輳，勝敗互軒輊。雍正年間，西北兩路駐兵，賊以送還羅卜藏丹津爲名，又值西帥入覲，刼竊西路馬羣。因藉所獲馬力，跳梁北路，勢甚猖獗。後爲額駙策楞擊敗於額爾德尼招，幾至匹馬不返。而將帥之臣按兵不追，賊衆得以免脱，我武既揚，遂有罷兵之議。曰予守成訓，罷兵事安戢。稔知賊所恃，其長有二術。一曰激我怒，勞我衆遠出。彼乃邀近功，坐絀我物力。一曰窺我邊，列堠疲戍卒。戍久心或懈，彼乃逞陵軼。知然明告彼，以主待其客。遠兵既罷征，遠戍亦罷撥。近邊汝或伺，汝遠勞竭蹶。噶爾丹策凌，聞言乃計絀。得失故曉然，求和使來亟。來亦弗之拒，厚往示恩澤。如是終彼身，無事皆寧謐。其子曰阿占，卽策妄多爾濟那木札爾之乳名。暴虐莫可詰。用是失衆心，相延爲簒奪。喇嘛達爾濟，戕彼位自襲。達瓦齊攘之，計蓋由撒納。喇嘛達爾濟既簒阿占而奪其位，達瓦齊偕阿睦爾撒納奔哈薩克，藉其聲援復簒喇嘛達爾濟，皆阿睦爾撒納爲之謀畫，蓋欲自取也。綽羅斯汗族，達瓦齊一脈。阿睦爾撒納，輝特別枝葉。時慮衆鮮從，以此綴旒設。終不忘伊犁，伊犁蓋四衞拉特會宗之地也。煽亂事狡譎。達瓦齊弗甘，兵連禍相結。惟時三策凌，都爾伯特台吉策凌、策凌烏巴什、策凌孟克恐禍及己，率所部來降。避禍來投闕。撒納旋亦歸，寵遇厕班列。熟籌如許衆，雜居喀爾喀。如狼入羊羣，幾不遭咥噬。就其力請師，毋寧授之鉞。阿睦爾撒納歸命乞師，朕思機既可乘，而新降多人，若盡處我喀爾喀之地，終非長策。故定議出師，遂命阿睦爾撒納副將軍班第以往。國家全盛時，出帑儲胥挈。曾弗加賦徭，更未廢賑恤。八旗及索倫，勁旅多英傑。其心盡忠篤，其技善撇捩。那如杜甫詩，慘惻新婚別？乙亥我出師，一矢曾未發。五月大功成，庶以慰前烈。而何狼子心，飽揚去飄瞥。留語啖衆狙，倡亂動戈戟。致我二臣捐，驛路肆唐突。阿逆潛蓄異謀於達瓦齊就擒大兵凱旋時，卽流言脅衆黨惡之徒，倉卒變動，班第、鄂容安同時致命疆場，賊衆紛紛四出，竊占伊犁截斷臺路。羣言益蜩螗，無怪懦者怯。欲棄巴里坤，堅志斥其說。整師重討叛，所向復無敵。一二畏首尾，乃致賊免脱。大兵復進，前徒倒戈，阿逆衆叛親離，成擒在邇，乃因將軍策楞參贊玉保等不和，又無克敵致果之畧，阿逆得以亡命。中命事窮追，大宛搜三窟。於詐應以直，殘喘命得乞。哈薩克汗阿布賚始意欲留阿睦爾撒納，大兵已壓其境，相隔一谷，阿逆自度力不能支，因遣使詭辭稱哈薩克衆卽欲擒獻阿逆，但其汗阿布賚未到，乞暫緩師。適以策楞獲罪，命達爾黨阿將兵前往，我兵以逆賊在目前，争欲進促。而達爾黨阿以爲天朝當示大義，彼既縛獻，不宜加師。力阻衆兵，徘徊觀望，而賊得以槖載遠颺矣。宰桑勤王者，見此笑以竊。遂生輕我心，旋師反又忽。時呢嗎、哈薩克錫拉皆已授職從征，見達爾黨阿爲賊所賣，笑其無能，自哈薩克還，復生變計，與巴雅爾莽噶里克等密謀搆亂以害將軍和起。計嗛我和起，奮勇沙場沒。兆惠全師還，則予命往接。將軍兆惠以孤軍遠駐伊犁，聞呢嗎等作亂，整師東旋，中途屢殲逆衆。值朕命侍衛圖倫楚等率師赴援，乃得振旅而歸，抵巴里坤。丁丑重問罪，值彼互殘殺。因緣撒納歸，遇我竄倉猝。諸將分南北兩路直指伊犁。維時札納噶爾卜殺其叔綽羅斯汗噶爾藏多爾濟，欲併其衆，尋又爲台吉達瓦所殺而獻其首軍門。時阿睦爾撒納復自哈薩克逃回伊犁，聚衆争長，突遇我師，跳身遁跡。富德躡其後，大宛徠汗血。稱臣許捕寇，寇更逃羅剎。富德追阿睦爾撒納，適值哈薩克之兵，而哈薩克畏我兵威，稱臣貢馬，且誓擒賊自効。阿逆知不能免，乃奔俄羅斯。俄羅斯一名羅义或曰羅剎。或曰不必追，或曰不必索。或曰捐伊犁，築室謀紛汩。北荒守和議，冥誅致賊骨。伊犁倡亂流，大半就擒訖。初議衆建侯，爲撫四衛拉。二十一昂吉，公屬掄閥閲。準噶爾厄魯特又名四衛拉特部，內有綽羅斯、輝特、和碩特、都爾伯特四族，各領其衆，而綽羅斯爲長。噶爾丹策凌時設二十一昂吉，昂吉者部落之稱也，爲其汗公屬，達瓦齊既執歸京師，於四部各封一汗，而二十一昂吉則歸之公屬，如八旗蒙古然，仍擇其世族宰桑輩長之。是予奉天道，好生體造物。詎知彼孽深，歷世不可活。不如以其狙詐類，誠如向所畫。每歲費豢養，終亦背恩蔑。自傷我脂膏，而育彼羽翼。不如反之速，掃蕩今將潔。猰貐肆惡流，三氏淪亡歇。噶爾藏多爾濟被殺，綽羅斯族殄滅，無幾輝特汗巴雅爾亦以叛逆誅殛。和碩特汗沙克都爾滿津心懷攜貳，參贊大臣雅爾哈善詗知異謀，殲之於巴里坤外。餘都爾伯特，始終守臣節。所以至今存，耕牧安職殖。其廿一宰桑，非誅即病歿。不善降百殃，此理愈昭晰。謂禍乃成福，致得每於失。幸以免衆議，孰非鴻佑錫？設使司事者，惟明更勇決。萬全盡美善，詎有小差跌？都大承平久，軍旅誰經歷。益因警宴安，求全肯過刻。先是花門類，雜種曰回鶻。久屬準噶爾，供役納秷秸。羈縻其和卓，噶爾丹策凌先以兵威迫脅回人，執其酋長和卓，拘縶於阿巴噶斯之部落，以回民分隸各昂吉下而役使之。籠絡其臣妾。我師定伊犁，乃得釋縲絏。我將縱之歸，撫衆許朝謁。和卓初聞大兵西伐，獻欵輸誠，備極恭順。我將軍班第等因縱還故土，俾撫馭其衆，納賦執役。肉骨生死恩，感應久不輟。報德乃以怨，轉面凶謀黠。我將所遺使，百人遇害劇。和卓歸故域後，我將軍等差副都統阿敏道率百人往會盟，而彼乃設計盡行戕害。是皆奉上命，守義遭梟兀。苟不報其讐，何以勵忠赤？厄魯今蕩平，回部餘波蕞。徒以守堅城，未可一時拔。賈勇誠易登，傷衆非所悅。中夜披軍書，萬里遙籌策。窮荒信安用，弦上矢難遏。志因繼兩朝，變豈防一切？蒼靈賴有成，浮論寧祛惑。開邊竟無已，自問多慚德。但思文子言，解嘲守弗誇。

乾隆二十六年御製武成殿作　紫光閣後殿，因額武成名。千載丹青貌，五年宵旰情。被天恩獨厚，資衆力斯誠。那更生餘望？迴思幸以驚。

〔臣等謹按〕御製開惑論、西師詩、武成殿詩，謹繹有關紀述事實者，恭載卷内，餘不備録。

紫光閣之北爲時應宫。宫之東向北有門，曰福華門。國朝宫史

〔臣等謹按〕時應宫在紫光閣後，雍正元年建。前殿祀四海、四瀆諸龍神像，東西爲鐘鼓樓，正殿祀順天佑畿時應龍神之像，後殿祀八方龍王神像。前殿恭懸世宗憲皇帝御書額曰瑞澤霑和，福華門之外即金鼇玉蝀橋也。

御製時應宫記　夫天一生水，坎精發祥，凝靈聚液，流爲江海。江海乃天地間物之最鉅者也。江海之有神，自三代漢唐以來，莫不祠祀惟謹。有宋大觀四年，詔天下五龍神並封王爵，龍神之尊自是始。厥後春秋犧牲之祀，代有常典。皇清受天命，禋事上帝后土，懷柔百神，江、淮、河、濟、五岳、四瀆之祀，載在太常。犧帛之數，俎豆之器，既豐既隆，神歆以格。雍正二年，天子以爲龍神之位既尊，宜特修宫觀，以致虔禱。乃於西苑内豐澤園北建時應宫，所以致誠明神，俾雨暘時若，

稼穡以成者也。夏六月，霖雨彌旬，幾至於澇。皇父步行往禱，其日卽晴。又明年，黄河清百餘里。此非神人効靈河海清晏之明驗乎！夫以天子精誠通於神明，以之事天饗帝，罔不昭格，而況於龍神乎？信哉誠之能感物也！是爲記。

西苑門循池東岸而北爲蕉園舊址，向北爲蕉園門 國朝宫史

〔臣等謹按〕蕉園卽芭蕉園，一名椒園，内有前明崇智殿舊址，稍南卽萬善門。

聖祖仁皇帝御製中元日蕉園詩 中元來太乙，新爽下林端。水檻臨流入，風窗捲幔看。魚游迷藻荇，鷗戲悦沙灘。宇宙無塵翳，涼生月一團。

御製游蕉園詩 冰牀聲裏過長湖，遠岸人行似畫圖。雪覆蕉園松突兀，雲生古殿路虚無。南臨太液風鈴語，北望瓊華塔影孤。屐齒幾番游歷處，寒林已聽噪歸烏。

〔臣等謹按〕御製遊蕉園詩載於樂善堂集，今恭録卷内。

乾隆三十六年御製蕉園詩 蕉園書舍對僧寮，遺制由來踵勝朝。爲憶士良傳秘訣，翻教施彼罷儒僚。蕉園向以舉人教習小内監讀書，年滿録用，而僧舍書館相對，甚不愜意。兹因修葺是處，爰命移置書舍他所，且若輩不過令識字記檔案而已，内府筆帖式足以教之，毋庸儒士訓誨，遂並罷之。

〔臣等謹按〕蕉園御製詩，恭載首見之篇，餘不備録。

蕉園門之南稍折而西，面南爲萬善門，門内爲萬善殿。國朝宮史

〔臣等謹按〕萬善殿正中恭懸世祖章皇帝御書額曰敬佛。皇上御書聯曰：萬象證圓通，金輪妙轉；三乘皈定慧，華海長涵。又曰：了悟徹聲聞，花拈妙諦；淨因空色相，月印明心。皆皇上御書。殿後恭懸聖祖御書敬佛二字額。

聖祖仁皇帝御製上元幸萬善殿戲作　雪霽寒輕景物鮮，上元臨幸遇參禪。方丈無人般若静，天花虚落古松前。

乾隆五年御製中秋日恭侍皇太后萬善殿瞻禮隨游瀛臺諸勝敬成一律　金風玉露共徘徊，爲奉慈游特地來。璧月圓時瞻月相，壺天深處是天台。香飄桂子堆金粟，酒獻南山作壽杯。無限歡欣隨輦道，人間端的有蓬萊。

乾隆三十五年御製萬善殿瞻禮詩　液池南北一舟通，命棹蕉園爲去聲。落工。萬善殿在蕉園中，猶前明所建，閲久剥落。今歲鼎新之，茲届蕆工，拈香瞻禮。松户百年依舊緑，梅梁八架換新紅。金仙本自泯成壞，塵世誰爲悟色空？初正陀羅音禮懺，工既落成，緇流於大悲壇禮懺，懺文陀羅尼乃新依梵音釐正者。笑予者箇未全融。

又御製萬善殿詩　古砌猶存柏，今園不見蕉。正名去書室，舊時選小内監十餘人讀書於此，且有教習督課之。昨以書館與僧寮相混，於體非宜，因移置他處。設色焕禪寮。無暇參白業，有欣對碧霄。精藍息心處，漫與問前朝。

〔臣等謹按〕萬善殿御製詩，謹繹有關紀述事實者恭載卷内，餘不備録。

萬善殿後圓蓋穹窿爲千聖殿，東爲迎祥館，西爲集瑞館。國朝宮史

〔臣等謹按〕千聖殿中奉千佛塔一，高七級，正殿東西建樓各三楹，南向，東曰朗心，西曰悦性。朗心樓聯曰：花宮具見嚴而妙；别室還饒静且佳。又曰：松風謖詩意；水月空禪心。又曰：樓出輕烟横翡翠；池生新水徹琉璃。悦性樓聯曰：洗不期其筝笛耳；悦原契此淨明心。又曰：耆崛鳥吟都送喜；香林花色總無塵。迎祥館、集瑞館，在朗心悦性兩樓之旁，東西結宇，各與圓殿相通。迎祥館聯曰：古樹當庭直；天花滿座馨。又曰：辨見還參柏；徵心欲剥蕉。集瑞館聯曰：塵祛滋意蕊；聞復發心香。又東配殿之東建大悲壇五楹，額曰妙印真如。聯曰：般若示禪修，檀薰澄觀；陀羅參梵韻，貝讚精持。皆皇上御書。

萬善殿之東爲内監學堂。國朝宮史

〔臣等謹按〕萬善殿之東院房六間，舊爲内監學舍，後移置他處。内恭懸聖祖御書額曰惠迪吉，西室額曰敬佛，西配殿之後僧寮五間，額曰菩提。皆聖祖御書。

萬善門西行抵水埠，有亭出水中，曰水雲榭。國朝宮史

〔臣等謹按〕水雲榭額爲皇上御書，中有石碣恭刊御書太液秋風四字，爲燕山八景之一。御製詩已恭載形勝卷内，兹不複綴。

聖祖仁皇帝御製水雲榭聞梵聲詩　水榭周遮集翠苔，薰風拂處午雲開。忽聞梵誦驚殘夢，疑是金繩覺路來。

皇上御製水雲榭詩　雲無心出岫，水不舍長流。雲水相連處，蒼茫數點鷗。坐席生烟雲，石欄俯秋水。空明是我心，何如漆園史。

〔臣等謹按〕水雲榭御製詩載於樂善堂集，今恭録卷内。

水雲榭之北有白石長橋，東西樹坊楔二，東曰玉蝀，西曰金鼇。國朝宮史

〔臣等謹按〕金鼇玉蝀橋跨太液池以通行人往來。橋西紅牆夾道，兩門相對，南即福華門，北爲陽澤門，達闡福寺。橋東即承光殿。橋下洞七，中洞南向石刻額曰銀潢作界。聯曰：玉宇瓊樓天上下；方壺圓嶠水中央。北向石刻額曰紫海迴瀾。聯曰：繡縠紋開環月珥；錦瀾漪皺焕霞標。

乾隆十九年御製過玉蝀橋詩　明當啓蹕謁橋山，此日清宮夙駕還。迤邐蝀橋過玉馬，漣漪春水漾銀灣。迴翔鳧燕心含喜，新茁蘋蒲意總閒。韶景方欣徧融洽，輕雲又見冪孱顔。

〔臣等謹按〕玉蝀橋御製詩，恭載首見之篇，餘不備録。

金鼇玉蝀之東有崇臺，即臺址爲圓城。兩掖有門，東爲昭景，西爲衍祥，中爲承光殿。國朝宮史

〔臣等謹按〕承光殿俗名團殿，即元時儀天殿舊址，周以圓城。殿内恭懸皇上御書額

曰懸圃風清。聯曰：何處五雲多，大羅天上；飛來三嶠秀，太液池邊。又曰：風月清華贏四季；水天朗徹統三洲。又曰：悦性適因静；會心何必遐。

乾隆十一年御製承光殿古栝行　五鬣爲松三鬣栝，名雖稍異皆其儕。牙槎數株倚睥睨，歲古不識何人栽。夭矯落落吟萬籟，盤拏鬱鬱排千釵。徒聞金元飾棟宇，兩人並坐傳齊諧。甕城久閉殿閣寂，綺櫳落色風箏摧。珊瑚反挂珠簾斷，喬柯雪夜烏鳴哀。嗟嗟偃蹇凌雲姿，難辭根幹纏蒿萊。往來或有尋題者，弔古感慨多徘徊。瓊華遺蹟惜就圮，況近紫禁城西隈。爰葺爰築命匠人，事殊經始攻靈臺。時向重基駐行蹕，金鼇蜿蜒空明皆。盤桓嘉蔭撫壽客，真堪弟視竹與梅。春朝緑雲參天青，秋夕碧月流陰皚。靈和之柳非倫比，滄桑閲盡依然佳。滄桑閲盡依然佳，嗚呼，種樹之人安在哉！

又御製承光殿三首　三嶠飛來秀所鍾，崇基朶殿抗疏龍。虬枝夭矯扶珠綴，鬱作當時翠影濃。曾聞一月日邊明，尚覺歌聲繞繡甍。此際倚欄飛逸興，却如雲樹弔華清。遺蹟金元一慨然，踞盤形勝覽全燕。空澄何似瀛池水，玉蝀秋風五百年。

乾隆十八年御製承光殿詩　三推耕耤回，途順臨崇殿。松枝輕靄低，花色明霞絢。儀天名久消，承光殿，元時名儀天，今仍明舊。太液波猶見。飛潛禽魚適，暄涼節候變。鑒古惕有赫，自强勵無倦。

乾隆二十年御製承光殿詩　朶殿年芳入綺錢，崔嵬疑陟閬風巔。琪花瑶草神仙地，細雨甫田。

柔風上巳天。陰凝去聲。瓊華遮半塔，波涵太液漾輕船。登臨底識予心慰，四野春膏沃

乾隆二十一年御製承光殿詩　曾城十二匪崑崙，每憑朱欄興欲軒。白帝素娥留古栝，秋

風太液自金源。暇當綈几身聊憩，景入紗疏意與存。重構輿梁利行旅，新看虹影飲波

翻。御河橋年久重修，時成。

〔臣等謹按〕承光殿御製詩，謹繹有關紀述事實者恭載卷内，餘不備録。

承光殿南有石亭，以置元代玉甕。國朝宫史

〔臣等謹按〕玉甕徑四尺五寸，高二尺，圍圓一丈五尺，恭鐫皇上御製玉甕歌於上，

並刻詞臣四十人應制詠玉甕詩於柱間。

乾隆十年御製玉甕歌　玉有白章，隨其形刻爲魚獸出没於波濤之狀。大可貯酒三十餘

石，蓋金元舊物也。曾置萬歲山廣寒殿内，後在西華門外真武廟中，道人作菜甕。見輟

耕録及金鼇退食筆記。命以千金易之，仍置承光殿中，而繫以詩。昔夏有德聲教訖，

九牧貢金來魏闕。鑄鼎象物備神姦，山澤遍逮遺海物。化工爲鑒敷工心，藍田日暖露山

骨。工倕縮手不敢斲，乃借剛斧來月窟。含形内虚象海德，葆苞元氣洞芒芴。駭波沓灕

迴迆涎，驚瀾瀵漭涌澥汨。習坎有孚坤厚載，魄淵朝夕輪出没。浮黍幾粒見三山，泰華

安能詡昂屹。何奇不有怪不儲？湯湯漻澫鬱呵歘。駕山之鼇横海鯨，天吴蜩象紛怳欻。元螭紫貝朱鼈鼉，肥遺蠵蠵鼅蜞蚏。赤龍焚蕴修鼋浮，蒼虬揵鰭海馬突。鱅鮨鰅魞鯤鰤鮷，鮔鱭魼鰨鱠魦鱖。珊瑚琫瑁鮫人珠，孕珍産瑰宏泱鬱。用協上下承天庥，重逾九鼎光朝黻。千秋法物昭靈奇，歊雲吐景鎮溟渤。匪同器寶乃待人，方周大訓楚檮杌。瓊斝繡篋吁奇淫，商彝晉鐸埋蓬蔚。瓊島春陰（元萬壽山，金名瓊華島。）萬景全，廣寒高殿青雲拂。倒茄下垂紅狎獵，沉香横泥（入聲。）氣蓬勃。從臣敬獻南山頌，樽擬白獸頌章皷。存亡蜃市閲荆凡，谷陵秦項紛遺仡。金露秋風憶桂香，（金露亭在廣寒殿前，見輟耕録。）悽傍山人煨榾柮。五陵年少重金刀，誰從蘭若尋荒碣。惜乎古器就湮滅，有如獻璧連遭刖。刮苔滌垢露光晶，天然豈用施剞劂？波臣水族羣蹙踞，夏鼏秦丁難撓扣。承光相望接堆雲，（承光殿在萬壽山南，隔一水，橋曰堆雲，金元舊址惟此存耳。）人有懷歸物豈不。信哉安得如汝壽？漢京銅仙應愧艴。

乾隆十四年御製玉甕爲金元舊物嗣淪没古刹中以貯菜甕後購得仍於承光殿前爲起一小亭置之並命内廷翰林等各賦一詩卽刻於楹柱偶幸承光殿復成是篇 幾年蕭寺伴寒虀，仍置承光焕彩霓。夢覺金源成故蹟，聲騰玉署艷新題。若爲巧合延津畔，竟得天全露掌西。松杪照來千載月，夜涼依舊景淒淒。

〔臣等謹按〕承光殿玉甕御製詩，謹繹有關紀述事實者恭載卷内，餘不備録。

欽定日下舊聞考卷二十六

國朝宮室 西苑六

承光殿後爲敬躋堂，堂東爲古籟堂，又東爲朶雲亭。堂西爲餘清齋。國朝宮史

〔臣等謹按〕古籟堂額曰象昭。聯曰：蒼官壽客結好友；岸芷汀蘭入畫圖。餘清齋聯曰：鏡裏林花舒艷裔；雲邊樓閣隱神仙。齋西室額曰環秀，曰涵虚。聯曰：座挹山光兼水態；窗延秋月與春風。

乾隆二十五年御製古籟堂詩　謖謖拂虚牖，泠泠來廣筵。有聲祇金石，何物更蹄筌。團蓋一十丈，少言五百年。今朝幾務簡，略得久周旋。

〔臣等謹按〕古籟堂御製詩，恭載首見之篇，餘不備録。

餘清齋西爲沁香亭，其後曰鏡瀾亭。國朝宮史

乾隆二十六年御製沁香亭詩　臺亭百步接迴廊，液沼平陵號沁香。甲煎罷燒雲錦結，果然六月有春光。

〔臣等謹按〕沁香亭御製詩，恭載首見之篇，餘不備録。

圓城外東爲承光左門，西爲承光右門，爲積翠堆雲橋。國朝宮史

〔臣等謹按〕圓城北駕石梁，南北樹坊二，南曰積翠，北曰堆雲，過橋卽瓊華島。

永安寺爲金源瓊華島，踞太液池中。奇石疊纍，皆當時輦致艮嶽之遺。國朝宮史

〔臣等謹按〕瓊華島周圍計二百七十四丈，舊有廣寒殿，相傳爲金章宗時李妃妝臺遺址。元改名萬壽山，又稱萬歲山。本朝順治八年立塔建刹，稱白塔寺，今易名永安寺。恭繹皇上御製塔山四面記，辨方正位，瞭如指掌，今謹遵照次第列叙於後。

乾隆十九年御製視事既畢自南臺御冰舵凌太液遂至瓊華島登臨瞻眺雜詠誌賞　封事凌晨畢閲披，公卿次第接疇咨。穉春悦可尋吟眺，漫聽新歌坐玩時。淑清泉石淑而清，竹鼎瓷壺事茗烹。篩牖嫩陽攬韶秀，徘徊真覺稱其名。冰凝太液鏡光皚，轆轆舵牀坐渡來。聲雜排門鳴爆竹，權輿帝里是春臺。細霙昨日玉攢團，積素嶤峯直北看。怪底重裘猶覺怯，椒園鐘梵落高寒。承光高殿鬱參差，玉甃澆春想昔時。只有檜松仍好在，東風旭影上罘罳。春陰瓊島正堪憑，淑景層楣瑞靄凝。仙木綺錢增吉兆，五風十雨願休徵。

乾隆二十一年御製人日瓊華島詩　凝和積素績嶙峋，眺賞真宜七日人。故事登臨傳勝

節，國朝絲竹戒斯辰。是日以逢國忌例不舉絲竹。清游静寄翻成趣，石秀松蕤倍有神。即看春陰還釀雪，多多益善豈辭頻！

〔臣等謹按〕瓊華島御製詩，恭載首見之篇，餘不備録。

御製題艮嶽石詩　木鳳曾同燕用來，一拳獨立刼餘灰。月明彷彿廣寒殿，勃窣嫦娥白玉臺。

〔臣等謹按〕艮嶽石御製詩載於樂善堂集，今恭録卷内。

永安寺入門爲法輪殿。殿後拾級而上，左右二亭，東曰引勝，西曰滌靄。亭後各有石，東曰崑崙，西曰嶽雲。國朝宫史

〔臣等謹按〕法輪殿五楹，内奉釋迦佛，御書額曰慈雲覺海，又曰人天調御。聯曰：靈鷲風香傳妙偈；澄潭月皎印真如。又曰：青蓮法界本清淨；白毫相光常滿圓。殿後拾級而上，有坊樹焉，南曰龍光，北曰紫照。引勝亭内石幢恭刊御製白塔山總記，滌靄亭内石幢恭刊御製塔山四面記。

御製白塔山總記　京都於唐爲范陽，於北宋爲燕山，遼始稱京，金元明因之。雖城郭宫市建置沿革時或不同，而答陽都會居天下之上游，俯寰中之北拱，誠萬載不易之金湯也。宫殿屏扆則曰景山，西苑作鎮則曰白塔山。白塔山者，金之瓊華島也。北平圖經載

遼時名曰瑶嶼，或卽其地。元至元時改爲萬歲山，或曰萬壽山，至明時則互稱之，或又謂之大山子。本朝曰白塔山者，以順治年間建白塔於山頂。然考燕京而詠八景者，無不曰瓊島之春陰，故予於辛未年題碣山左，亦仍其舊，所爲數典不忘之意耳。山四面皆有景，惜春明夢餘録及日下舊聞所載廣寒仁智之殿、玉虹金露之亭，其方隅曲折未能盡高下窈窕之致，使人一覽若身步其地而目覩其概。蓋地既博而境既幽，且禁苑森嚴，外人或偶一窺視，或得之傳聞，其不能覩之切而記之詳也亦宜。兹特界爲四面，面各有記，如柳宗元之鈷鉧、石城諸作，俾因文問景者若親歷其間，嘗鼎一臠，足知全味云爾。

御製塔山南面記　承光殿之北，跨太液爲橋，南北各有坊，南曰積翠，北曰堆雲。過堆雲坊卽永安寺，殿曰法輪。殿後石磴拾級而升，得稍平道，左右二亭，曰引勝，曰滌靄。復因迴疊石中，仍拾級左右各爲洞，玲瓏窈窕，刻峭摧崣，各極其致，蓋卽所謂移艮嶽者也。穿洞而上，適與拾級而上者平。洞之上，左右各有亭覆之，曰雲依，曰意遠。平處爲佛殿，前曰正覺，後曰普安。兩廂各有殿，東曰聖果，西曰宗鏡。又自永安寺牆之東緣山而升，路中有振芳亭，再升爲慧日亭。稍西則順治年間建塔碑記及雍正年間重修碑記。復畧升則進普安殿之東廊矣。其寺牆之西，亦緣山而登，半山有亭，扁曰蓬壺挹勝，再登則爲悦心殿。偶臨塔山，理事引見恒於此。其後爲慶霄樓，每逢臘日奉皇太后觀冰嬉之所也。悦心殿東側書屋爲静憩軒。轉石屏入牆門，則仍普安殿。自殿後陟石階將百磴，卽山頂，白塔建於此。塔前琉璃佛殿曰善因。考日下舊聞，山頂爲廣寒殿，蓋卽建塔之所。山中爲仁智殿，則今普安佛殿是。塔後列刹竿五，或謂之轉梵經，或謂之資瞭遠。其下爲藏信礮之所，八旗軍校輪流守之。蓋國初始定燕京，設以防急變者。雍正年間復申明其令，載在史策，其發信礮金牌則藏之大内。予因思之，比及藉此知守，其失守已多矣。然而覩此知懼，凛天命，畏民嵒，戒盛滿之志，繫苞桑之固，則信礮之制豈非祖宗之良法美意萬世所當慎守者乎！

御製塔山西面記　室之有高下，猶山之有曲折，水之有波瀾。故水無波瀾不致清，山無曲折不致靈，室無高下不致情。然室不能自爲高下，故因山以構室者，其趣恒佳。慶霄樓既據山之高，樓西緣廊而降有二道，其一向南不數武爲一房山，蓋房中覆湖石成山云。歷磴以下爲蟠青室，廻廊環其外。緣廊北降，達山之西，憑廊向南，俯睇有深淵。東則山之西脚，而山半腰有亭曰揖山，乃從悦心殿西角門而出者。其下峭壁插入，滉然覩然，若龍湫之有神物也。波與太液通，石橋鎖其口。橋之南，步堤東轉，可通悦心殿及永安寺前。橋之北則琳光殿前，爲山西總路矣。又其一轉而北，有亭焉，曰妙鬘雲峯，歷石磴而下則水精域。其下有古井，古井向有記，闕諸家記載謂引金水河轉機運㪺之非，及葺土壓勝之謬。凡山之陰、山之麓所爲屈注飛流，線溪畝池，皆綆汲此井以成其勢。水精域之下爲甘露殿，又下爲琳光殿。則就平陸，爲山西之路。轉而北爲閱古樓，樓壁砌三希堂法帖碑版，攀梯而登，與地平。稍北則畝鑑室，窗臨清池，卽鑿山溪引古井之水也。閱古樓後楹平臨山溪，石橋駕其上。度橋有小石亭，梁柱皆泐詩。過亭，岭岈崱屴，徑衹容人，攝齊而上，出巖牆門，與慶霄樓後門相望，而山西之景畧畢。

御製塔山北面記 自閱古樓巖牆門出，轉而東，則邀山亭，又東北則酣古堂。堂之東室倚石洞，循洞而東，則寫妙石室。堂與室之南皆塔山之陰，或石壁，或茂林，森峙不可上。而室之東間乃樓也，踏梯以降，復爲洞。窗㝗窅映，若陶穴，若嵌龕，旋轉光怪，不可殫極。若是者行數百武，向東忽得洞門，出則豁然開朗。小厂三間，曰盤嵐精舍。而其南則仍石巖陡立。然羊腸之逕可以躋而上達看畫廊，廊屬山東景，兹不複綴。自精舍轉而北，至環碧樓緣飛廊而下，則嵌巖室，折而西小山亭額曰一壺天地，西扇面房額曰延南薰。其盤嵐精舍之西，由洞門北行數十武，亦達扇面房。自房而西爲小崑邱，蓋畝鑑室水盈池則伏流不見，至邱東始擘巖而出，爲瀑布，沿溪赴壑而歸墟於太液之波。又西爲銅露盤，銅仙竦雙手承之，高可尋尺，此不過綴景，取露實不若荷葉之易，則漢武之事率可知矣。又西爲得性樓，爲延佳精舍，爲抱沖室，爲鄰山書屋，名雖殊而因高以降，或一間，或兩架，皆隨其宛轉高下之趣而各與題額。又自畝鑑室北牆門而出，緣山蹊亦可達此。至鄰山書屋則就平地廊接道寧齋矣。其東乃漪瀾堂，蓋山之北以堂與齋爲主室，而圍堂與齋北臨太液，延樓六十楹，東盡倚晴樓，西盡分涼閣，有碧照樓、遠帆閣分峙其間，各對堂與齋之中。南瞻窣堵，北頫滄波，頗具金山江天之概。故登樓與閣，偶有吟詠，無不以是爲言。由漪瀾堂而東，則蓮華室以奉大士及妙法蓮華經得名。出牆門而南，則爲塔山東面之境矣。若夫各室内或題額，或聯語，率銘意寄興，無關於景概之全，斯則不悉載。

御製塔山東面記　因舊置而修飾之謂之沿，易新建而創爲之謂之革。山之南，沿者多而建者少；山之北，革者夥而置者稀。然東北泐瓊島春陰之石幢雖出於新建，亦實述其舊置。由石幢登山逕爲看畫廊，其上則交翠庭。庭之下、廊之側，攀援石洞以出爲古遺堂，對之者，䜌影亭。自堂躡梯以下，仍依洞以出爲見春亭。遂循東岸可至半月城前。而自交翠庭步嶺路至智珠殿者，分左右階而下，亦達半月城前。蓋殿原據城上，埤垸卽平殿基也。過石橋則陟山門，而白塔山四面之事備矣。白塔建自順治八年辛卯，至於今蓋百有二十年矣。夫士民之家尚以肯構爲言，況兹三朝遺蹟，地居禁苑，聽其荒廢榛蕆爲弗當。然予自辛酉、壬戌之間，始稍稍有所葺建，至於今凡三十年，而四面之景始畢成而爲之記。雖云發内帑以徐爲之，然而視春明夢餘録、日下舊聞所載有過之無不及矣。知我罪我，吾豈能辭哉！

滌靄亭後由甬道拾級而上，左右有方亭二，東曰雲依，西曰意遠。正中爲正覺殿，殿後爲普安殿。國朝宮史

〔臣等謹按〕雲依、意遠亭下各有石洞，其東洞有額曰楞迦窟。普安殿内恭懸皇上御書額曰慧根圓相，又曰如如不動。聯曰：真諦總涵華海露；慈光長仰德山雲。又曰：心鏡朗懸空色相；智燈長滿燭人天。

普安殿前東爲宗鏡殿，西爲聖果殿，殿後石磴層躋爲善因殿。國朝宮史

〔臣等謹按〕善因殿内供梵銅佛像，殿後即白塔也。

永安寺牆之左，緣山而升爲振芳亭，再升爲慧日亭，又南，穹碑二。國朝宮史

〔臣等謹按〕慧日亭碑，一爲順治八年建塔恭紀文，一爲雍正十一年重修恭紀文，今皆附録卷内。

順治八年建塔諸臣恭紀碑文 恭惟皇上仁孝性成，天縱太平之主也。親政以來，拳拳以愛養斯民爲念，是以雨暘時若，歲稱大有。天心眷顧，此其明徵。有西域喇嘛者，欲以佛教陰贊皇猷，請立塔建寺，壽國佑民。奉旨：果有益於國家生民，朕何靳此數萬金錢爲？故賜號爲諾木汗，建塔於西苑之高阜處，庀材鳩工，不日告成，因命臣等而爲之記。

雍正十一年重修碑文 白塔在皇城西北隅，創自順治八年辛卯，世祖章皇帝從喇嘛諾木汗所請而俾之駐錫結香，諷唄祝釐者也。至雍正八年庚戌，既經八十餘載，我皇上念兹塔之建，實惟世祖爲民祈福之盛心，今寰宇又安，民物豐阜，耕食作息，浩蕩熙遊，蓋慈雲慧日，廣大願力，固亦有默助焉。爰發帑金命官修葺，以歲之十二月肇工，凡用金錢五萬二千有奇，閱十一年七月告成。飾其頹敝，鮮其漫漶，巋然寶刹，更復舊規，黄教緇流，駢集交慶，用以承世祖創建之志而福庇兆民於無窮也。豈獨增壯麗於
皇都，以爲耳目之觀哉？因敬記其歲月而勒之於石。

永安寺之西山半有亭，又西由山麓躡而上，爲悦心殿。國朝宫史

〔臣等謹按〕永安寺西亭額曰蓬壺挹勝。悦心殿東室聯曰：員嶠曉烟連碧漢；曲池春雨念蒼生。又曰：是處暢觀頗役目；此間闞景足澄心。西室額曰静挹古香。聯曰：雲端曠奥軒疑畫；樹杪高低圃是懸。

乾隆九年御製悦心殿作 永安寺卽明之瓊華島也，順治年間建白塔於此，俗又名白塔寺。別殿構其旁，顔曰悦心。幾餘臨幸，卽景成什。飛閣流丹切顥空，登臨縱目興無窮。北憑太液平鋪鏡，南接金鼇側飲虹。冬已半時梅馥馥，春將迴處日融融。摩挲艮嶽峯頭石，瓊華島，金人取宋艮嶽石爲之。千古興亡一覽中。

乾隆二十一年御製悦心殿詩 納遠虚窗萬景羅，往來清憩此爲多。金仙露下清秋氣，玉蝀風生太液波。自是山林在廊廟，不妨黼芾入松蘿。是日御殿後卽於此更衣，故云。問予底事心知悦，暘雨剛時蔚黍禾。

乾隆二十二年御製夏日悦心殿詩 緑樹重陰曉露濃，崇基朶殿暑安容。視朝每廑勅幾

要，因視朝預日進宮。駐輦偏懷修己恭。瓊島罨圖峯崒嵂，金鼇夾鏡水沄溶。適來策騎城西路，聊合於斯悦爲農。

乾隆二十五年御製坐冰牀至悦心殿詩　篘沖錫宴有餘閒，瓊島韶光暖鏡間。尚可翠鸞輕柁試，徐過玉蝀一橋彎。凍酥岸覺看波漾，春到物知聽雁還。是日聞回雁聲。今日悦心真恰當，窗憑積素慰開顔。

乾隆二十八年御製臘日悦心殿侍皇太后膳即景得句　年年慈豫奉嘉平，更喜瓊華島名。雪始晴。千里麥欣壅秋本，幾峯樹訝發春榮。綵屏節事遐齡祝，鏡浦冰嬉例賞行。每歲冬月陳冰嬉，既因使習衆藝，亦欲藉以行賞也。此日悦心真是悦，然吾豈敢忘去聲。持盈。

乾隆二十九年御製臘日悦心殿侍皇太后膳疊去歲詩韻　高低四寸雪鋪平，萬歲巒光映座晴。瓊華島，元時爲萬歲山。一例臘前霑愷澤，去歲臘前一日得雪，今歲臘前二日得雪。千林培後毓和榮。每逢雪後，令步軍收培樹根，既不虛瑞澤，亦因以行賞。週年以來，率成例矣。皚皚玉巘畫中列，轆轆冰牀鏡裏行。今日慈心真是悦，壽籌添擬海山盈。

乾隆三十三年御製悦心殿即事詩　乘興維舟復陟山，殿在永安寺山之麓，即元時萬歲山之故址。載臨朶殿翠微間。春陰恰喜瓊華潤，明季瓊島春陰爲燕山八景之一，亦即此地。見春明夢餘録及日下舊聞諸書。細浪從拔太液潺。花木且遲二月景，詩書聊伴片時閒。悦心漫道於斯悦，遥繾軍情那解顔。時正籌征緬軍務，日夜問郵章。

乾隆三十四年御製新正悦心殿詩　三冬頻望雪，鮮有悦心時。春澤今真渥，轂朝幸在兹。是日正月八日爲穀日。濃雲猶作勢，集霰又先期。笑似老農矣，何曾苗碩知。

又御製悦心殿詩　南郊承祭罷，北淀問安旋。暢春園、圓明園俱在都城之北，俗名海淀，而其中又自分南北。是處更衣慣，輕輿取路便。露濃林似沐，夏淺卉猶鮮。攬景兹無暇，心儀愛日懸。

又御製悦心殿詩　玉塔聳崔巍，瓊島圍羅列。浸映太液光，精神堪澡雪。冕黻於焉换，御太和殿傳臚後，至此更衣視事。竹素於焉設。展卷恰虞書，知人云則哲。惟帝其難之，得賢心庶悦。

乾隆三十五年御製新正悦心殿詩　躍龍邸第炷香還，路便因之到濆山。元之濆山卽明季之瓊島也。樹態峯姿濯雪後，屏南硯北伴幾閒。三冬望澤心那悦，一晌行春意始憪。烟火皇都憑富庶，可能此象徧區寰。

又御製由液池東岸遂至悦心殿漫題三首　液池祗是一湖水，明季相沿三海分。好去聲。爲張大娱人主，仇士良言夙所聞。淑清院名，在瀛臺東北角。石逕出宫牆，東岸夤緣二里强。瓊島春陰景正好，遂登山殿攬烟光。山殿岧嶤號悦心，悦心得不易難諶。祈農敕政先憂切，卅五年初勵至今。

〔臣等謹按〕悦心殿御製詩，謹繹有關紀述事實者恭載卷内，餘不備録。

悦心殿後爲慶霄樓，樓後有亭曰擷秀。悦心殿之東爲静憩軒。國朝宫史

〔臣等謹按〕慶霄樓南向上下各七楹，額曰雲木含秀。聯曰：得水之情，盆魚有

樂；領山之趣，拳石皆奇。又曰：延賞亭臺皆入畫；向陽景物又從新。静憩軒聯曰：悦性適因静；會心何必遐。又曰：暇當綈几身聊憩；景入紗疏意與存。自永安寺門至此爲塔山南面之景。

乾隆二十五年御製慶霄樓卽目詩　堵波高矗傑樓横，伊字當前三點成。霄是眼華由景慶，月如心印任虧盈。且遲慧草緣階茁，正喜唐花映座榮。繡户懸燈從未賞，常年辜負此稱名。

〔臣等謹按〕慶霄樓御製詩，恭載首見之篇，餘不備録。

慶霄樓之西有延廊，環抱山石間，築室其中，爲一房山。由房内南間石巖蟠旋而下，爲蟠青室。國朝宫史

〔臣等謹按〕一房山聯曰：好山一窗足；佳景四時宜。又曰：翠霏峯四面；青罨户千螺。

乾隆二十三年御製賦得一房山　架楹玲峯上，步磴嵌巖底。夤緣陟其巔，仍在一房裏。開窗眄羣嶺，攢簇參席几。秀色互映帶，妙趣無彼此。炙轂辨難窮，轉物理若是。又御製蟠青室詩　落落庭前千歲松，之而蟠屈儼青龍。荆凡閲盡元明世，依舊參天翠色濃。

〔臣等謹按〕一房山、蟠青室御製詩，皆恭載首見之篇，餘不備録。

慶霄樓之西爲揖山亭。國朝宮史

乾隆二十五年御製揖山亭詩　亭畔介昂藏，博褒貎復蒼。愛他好風度，不是擬元章。令人磬折者，却自揖山亭。可悟漆園論，主賓誰定形。

〔臣等謹按〕揖山亭御製詩，恭載首見之篇，餘不備録。

悦心殿前循山西行有石橋，爲琳光殿，殿後爲甘露殿。國朝宮史

〔臣等謹按〕山西石橋南北坊楔各一，南向曰涵秀，曰濯錦，北向曰挹源，曰艷雪。渡橋有坊，坊南向曰芳淥，曰舞藻，北向曰静游，曰紉香。甘露殿額曰蓮界慈緣。聯曰：不二啓津梁，同歸法海；大千空色相，自覔心珠。

擷秀亭之西有亭南向，曰妙鬘雲峯。甘露殿後有殿，曰水精域。國朝宮史

〔臣等謹按〕水精域聯曰：鎮留嵐氣閒庭貯；時落鐘聲下界聞。

琳光殿之北延樓二十五間，左右圍抱相合，爲閲古樓。國朝宮史

〔臣等謹按〕閲古樓額爲皇上御題，乾隆丁卯歲以内府所藏魏晉以下名人墨蹟鈎摹勒石，御定爲三希堂法帖三十二卷，既成，嵌石樓壁中。樓後層有額曰翠湧虹流。

乾隆十九年御製閲古樓詩　三希堂法帖石刻既成，作延樓於瓊華島之西麓，嵌石壁間，

用期貞固。因名曰閱古，而繫以詩。寶笈三希萃法珍，好公天下壽貞珉。樓飛四面開屏障，神聚千秋作主賓。不雜嬴劉誇博廣，畧存魏晉要精真。游絲燈影參元契，大塊文章沉瀣津。

乾隆二十五年御製題閱古樓詩　壁勒千年字，壁間列嵌三希堂石刻全部。架藏四部書。每因暇來憩，欣與古相於。翰墨漱芳潤，雲烟幻卷舒。欲詢陸司馬，所閱竟何如。

乾隆三十四年御製閱古樓詩　借問延樓何以名，樓壁間嵌三希堂法帖石。三希古蹟聚精英。閲人閲水徒悲歎，欲笑吴中陸士衡。

〔臣等謹按〕閱古樓御製詩，謹繹有關紀述事實者恭載卷内，餘不備録。

閱古樓後楹平臨山池，建石亭於上，北爲畝鑑室。國朝宫史

〔臣等謹按〕閱古樓後楹石亭恭懸皇上御書額曰烟雲盡態。畝鑑室聯曰：天光水態披襟袖；岸芷汀蘭入畫圖。左室聯曰：山容空外秀；波態席前浮。右室聯曰：一泓水鏡呈當面；滿魄冰輪映舉頭。後室聯曰：鏡光呈朗照；竽韻發清機。皆御書。

御製古井記　白塔永安寺蓋就瓊華島故地而建，所謂廣寒殿、玉虹金露之亭皆湮没不可考。適有所營葺，工人於山之西麓掘地得廢井一，甋甃木盤，層累鱗裓，尋丈以深。汋汋有水，不濁以智。巽下坎上，合義經義。轆轤綆汲，可致山巔。乃知輟耕録所稱引金

水河於山後轉機運𣃁至山頂者，舍近求遠，妄也，明矣。不寧惟是，所云島土取自塞外者，更妄也。當時縱爲厭勝，或少取塞山之土置此，則有之矣。豈有鑿掘輦致於數千里外，以成是山之理？意者疏濬液池不能移土於遠，卽就近成此島耳。夫顯而易見者尚淆訛至此，史氏之耳食影談，任好惡而顚倒是非，吁，可詫哉！井不可幕而杜牧闢之，顧謂廢井之無水者，或致傷人。今得此於堙埋土封中，不濬可汲，導流助景，事半功倍。故樂從司工之請而存之。瓊華島始於金，至元時改稱萬壽山，或訛爲萬歲山，玆不具論。惟是甎甋盤幹，半千年物，而人視之與今之木若甎無以異。若夫宣德、成化之瓷則人寶之，其初豈離土哉？物之託質失尺寸而貴賤殊別，與夫人之好惡逐目役高下鮮定衡者，吾以慨古澄照息其是非焉。

乾隆十九年御製畝鑑室詩有序 閲古樓之北，樸室三楹，周以步櫚，後臨方塘，引古井之水，源源不竭，視日下、春明所載自金水河轉機運𣃁至山巓者，事半功倍矣。方塘開一畝，樸室得三楣。古井新成記，春明昔費辭。松頭浴月影，藻面漾風漪。幽致今朝別，當前冰鑑宜。

〔臣等謹按〕畝鑑室御製詩，恭載首見之篇，餘不備録。

〔又按〕自慶霄樓之西至此，爲塔山西面之景。

欽定日下舊聞考卷二十七

國朝宫室 西苑七

閲古樓北爲漪瀾堂國朝宫史

〔臣等謹按〕漪瀾堂據瓊島北麓，規制畧仿金山，五楹北向，堂後左右有過山石洞。堂内聯曰：蘿逕因幽偏得趣；雲峯含潤獨超羣。又曰：籟動風滿谷；波澄月一奩。西暖閣聯曰：四面波光動襟袖；三山烟靄護壺洲。堂後檐額曰秀寫蓬瀛。閲古樓巖牆門出轉東則邀山亭。又東北則酣古堂，三楹西向。倚石爲洞，循洞而東，有屋三楹，前宇後樓額曰寫妙石室。聯曰：石縫若無路；松巢别有天。

乾隆十八年御製題漪瀾堂　在瓊島之北麓，畧倣金山規制爲之，俯液池，瞻穹塔，覺水態雲容來參几席，更不與江天别同異矣。勝蹟遥思瓊島陰，每因餘暇一登臨。雲樓高下規浮玉，春樹參差吐鬱金。出浪魚喁披錦縠，入松風籟譜瑶琴。漪瀾匪慕滄浪意，舟水民情静會心。

乾隆二十四年御製漪瀾堂詩　春冰未泮湖，春氣已昭蘇。仙木吉祥御，音迓。綺屏瑞靄扶。獲金不殊地，浮玉宛成圖。是處室宇肖金山行宫爲之。比似新豐市，胡寬底藉乎？

乾隆二十五年御製漪瀾堂詩　湖堂北向號漪瀾，太液秋風正好看。月朗雅宜常對鏡，桂香那藉更薰蘭。金山圖畫張京國，是處規倣金山爲樓觀。白帝權衡御水官。陡憶下河重平聲。被潦，民艱戚戚倩誰寬！

乾隆二十七年御製雪中漪瀾堂詩　昨吟瓊島兆佳陰，喜罩祥霙塔影森。太液漪瀾雖遲去聲。待，金山消息已侵尋。是處肖浮玉爲之，向有詩。千巖素鏤玲瓏竅，萬木葩生清淨林。一詠江天游目句，先期浮玉此登臨。

乾隆三十八年御製邀山亭口號　構亭恰似邀山至，坐看山疑亭所邀。兩下主賓定誰是，南華齊物繼逍遥。

乾隆三十九年御製酣古堂詠古詩　堂中貯古書，酣書因酣古。酣古詎虚言，殷鑒不遠夏。叶殷夏亦遥哉，金元明近睹。爾時萬歲山，又曰瓊華島。叶山巔廣寒殿，今已爲窣堵。擇勝或構築，即因其柱礎。坐堂翻書篇，寧不惕然懼。叶懼當思良方，方在無逸所。

〔臣等謹按〕漪瀾堂諸處御製詩，謹繹有關紀述事實者恭載卷内，餘不備録。

漪瀾堂正中北向有碧照樓，長廊六十楹，左右環繞俱有樓，東盡倚晴樓，西盡分涼樓。國朝宮史

〔臣等謹按〕碧照樓門額曰湖天浮玉，樓上聯曰：空明愛天水；飛躍任魚鳶。

乾隆二十四年御製雪後登碧照樓吟望　昨已宣傳瓊島游，詰朝積雪景偏幽。卽看冰影銀揩鏡，更勝波光碧照樓。古木揚猗梅破蕚，小山煥采玉成邱。向來粉壁無題句，似爲今番清賞留。

乾隆二十七年御製題倚晴樓　高樓今歲原初到，所喜憑闌恰倚晴。雲不稱閒緣盡斂，日雖焚暑已饒晶。黍田卽漸添黃色，梧砌分明遞颯聲。兩月愁霖詩句減，撚鬚頓覺掞毫生。

〔臣等謹按〕碧照樓、倚晴樓御製詩，皆恭載首見之篇，餘不備録。

碧照樓之左爲遠帆閣。國朝宮史

〔臣等謹按〕遠帆閣北向與碧照樓分峙，閣上聯曰：水光山色澹容與；雲帆月舫常留連。又曰：湧金何事稱圖畫；浮玉端知在户庭。閣下南向額曰層觀上躋，東室額曰卽事多美。聯曰：雲卧天游無不可；風清月白致多佳。

乾隆二十五年御製遠帆閣詩　浮玉樓臺似，瓊華島山陰樓臺皆規金山之制爲之。江天入企情。雖殊石簰側，亦

有布帆横。頗覺宜風月，而非爲利名。遥瞻無恙者，疑過潤州城。

〔臣等謹按〕遠帆閣御製詩，恭載首見之篇，餘不備録。

遠帆閣後爲道寧齋。國朝宫史

〔臣等謹按〕道寧齋内聯曰：風自涼經松越峭；月原明映水逾清。西室聯曰：静參倪筦禽魚適；悦可襟懷翰墨憑。閣上聯曰：石古泉清，軒窗爽且静；風恬露潤，花竹秀而鮮。

乾隆十八年御製道寧齋詩　仲舒對制策，道者治所繇。諸葛戒中郎，寧静匪外求。是皆述公奭，至論昭千秋。虚齋顔道寧，以道寧能不？雕繪詎足尚，澹泊有餘休。無益不可作，自問殊難酬。

〔臣等謹按〕道寧齋御製詩，恭載首見之篇，餘不備録。

漪瀾堂之右有堂額曰晴欄花韻，前有臺與堂相對，堂右爲紫翠房。國朝宫史

〔臣等謹按〕晴欄花韻聯曰：樹將暖旭輕籠牖；花與香風並入簾。西室額曰壺天，東室額曰宜雪。紫翠房三楹，即順山房也。

乾隆二十五年御製紫翠房詩　漪瀾堂畔室，假山圍倩峭。傑池互羅落，嶙峋入窅窱。紫翠幻萬狀，朗朗延曦照。生色畫屏張，誰能觀徼妙。

乾隆二十八年御製賦得晴欄花韻　淡蕩風情惠，晏温旭色鮮。催開無紊候，弄影有餘妍。對埭真佳矣，憑欄屬偶焉。渾成羣玉府，詎祇養花天？香染荀郎袖，韻宜謝客編。春臺予有志，寧獨錦藹然。

〔臣等謹按〕紫翠房、晴欄花韻御製詩，皆恭載首見之篇，餘不備録。

紫翠房之東爲蓮華室，相對有小室，額曰真如。國朝宮史

〔臣等謹按〕蓮華室内聯曰：相於明月清風際；只在高山流水間。真如室内供梵王像，聯曰：黄花翠竹常住相；仙露明珠自在心。

乾隆二十三年御製蓮華室詩　玉芙蓉上置精舍，樞樣都摹君子花。偶至不妨結清習，炷香閲妙法蓮華。

〔臣等謹按〕蓮華室御製詩，恭載首見之篇，餘不備録。

漪瀾堂後石洞出山頂有亭爲摺扇形，額曰延南薫，其東上有亭，額曰一壺天地。國朝宮史

〔臣等謹按〕延南薫在漪瀾堂後，亭内聯曰：五明招得薫風奏；七寶修成璧月清。一壺天地聯曰：望宜銀漢月；清擬玉壺冰。

乾隆二十五年御製賦得一壺天地　十笏無餘地，一壺有别天。虚窗足攬結，詰逕偶延緣。寥落四禪表，希夷萬景全。神襟唯妙達，俗慮不期蠲。領要契元始，入微得自然。

張申如驀遇，那擬問金編？

〔臣等謹按〕一壺天地御製詩，恭載首見之篇，餘不備録。

一壺天地之東爲環碧樓，樓前有小石平臺。國朝宫史

〔臣等謹按〕環碧樓上下四楹北向，樓後接宇三楹南向，在石壁之下者爲盤嵐精舍。環碧樓聯曰：西山翠色生巖腹；北渚清漣漲岸隈。樓上聯曰：雲斂琳霄目因迥；水澄蘭沼意俱深。盤嵐精舍聯曰：無礙搜奇披谷靄；有時延賞愛巖風。室内聯曰：林亭雨過峯巒秀；花徑風迴錦繡香。又曰：嵐飛生翠常疑雨；峯有真姿不藉春。

乾隆二十一年御製環碧樓詩　窈窕迴廊宛轉通，到來層構聳壺中。討源每以初艱致，得趣因之轉不窮。座挹山光將水態，窗延秋月與春風。憑高望遠真空闊，正藉巖枝護鬱葱。

〔臣等謹按〕環碧樓御製詩，恭載首見之篇，餘不備録。

環碧樓繞廊而下，爲嵌巖室。國朝宫史

〔臣等謹按〕嵌巖室聯曰：澗築松濤相問答；峯容波態總氤氲。

乾隆二十一年御製嵌巖室詩　林壑入奇觀，烟雲足佳致。嵌巖擬陶穴，峭蒨饒清閟。棟宇既不藉，藻繪安容試。門唯一洞幽，席可十笏置。俯仰託遥會，棲遲得近憩。堪躅五

蓋累，以受萬物備。縱匪木石居，時復有此意。

延南薰西渡石橋有亭曰小崑邱，亭西南上有平臺石柱，爲銅仙承露。國朝宮史

〔臣等謹按〕嵌巖室御製詩，恭載首見之篇，餘不備録。

〔臣等謹按〕承露臺後垣額曰碧虛，西南小樓三楹，額曰得性樓。聯曰：俯臨常似披圖畫；得契宛堪悦性靈。又曰：拂座涼生高梧籟；入簾波漾白蘋秋。樓下額曰延佳精舍。聯曰：滿窗松石無非古；一屋雲烟總是清。北小室額曰抱沖室。樓之左右翼以山廊，歷磴而下，小宇一間，顔曰鄰山書屋。聯曰：境因徑曲詩情遠；山爲林稀畫檻開。又曰：樹色碧無礙；山光静有餘。屋之前卽爲道寧齋矣。自漪瀾堂至此爲塔山北面之景。

乾隆三十五年御製得性樓詩 就迴爲高築小樓，展窗萬景畢來投。静觀物物契真性，云得豈因自外求？

又御製延佳精舍詩 上爲得性樓，下卽延佳舍。構屋寧在多，其楹本一架。攬景致不同，會心原互藉。譬如春氣囘，萬物含和化。斯乃佳之最，亦豈資延迓？

又御製抱沖室詩 示謙謝莊賦，訓虛張華詩。二義均切我，静室則何知。然我處室中，夫豈無所思？受益玩易象，戒盈體書辭。十笏亦淵然，游息欣相宜。

又御製鄰山書屋詩　假山數百餘年久，久假烏知非故有？書屋倚巖不計寬，忘筌真似居林藪。行將蹕駐避暑莊，玉岑精舍山莊内書屋名。當憑牖。忽然自笑失拘墟，真假評量有是否。

〔臣等謹按〕得性樓諸處御製詩，皆恭載首見之篇，餘不備録。

由白塔東下至山足爲智珠殿，殿後緣山徑折而北爲交翠庭。國朝宫史

〔臣等謹按〕智珠殿三楹東向供文殊佛像，恭懸皇上御書額曰般若香臺。聯曰：塔影迥懸霄漢上；佛光常現水雲間。交翠庭二楹聯曰：波光入窗淡；草色護階新。

乾隆二十三年御製交翠庭詩　擇向開庭更向山，縈青攢黛鎖孱顔。春陰瓊島疑迷路，只在碧琳天地間。

〔臣等謹按〕交翠庭御製詩，恭載首見之篇，餘不備録。

交翠庭北迴廊環繞而下爲看畫廊。下有石室，中涵巖洞，洞内供大士像，別有小樓。國朝宫史

〔臣等謹按〕洞門上石刻真如二字，小樓内聯曰：天闊雲非繫；波空月自明。庭之下，廊之側，攀援石洞而出爲古遺堂，三楹，北向。聯曰：秋月春風常得句；山容水態自成圖。對之者爲巒影亭，門額曰梢雲，曰霏玉。古遺堂下爲見春亭。

〔又按〕由看畫廊折而東至山麓，有石碣恭刊御書瓊島春陰四字，爲燕山八景之一。

御製詩章已恭載形勝卷内，兹不複綴。

見春亭在瓊島春陰石碣之南。自智珠殿至此爲塔山東面之景。

乾隆二十年御製看畫廊詩　迴廊詰曲稱看畫，看者原爲畫裏人。步步景移朗朗照，故知倪范鮮精神。

乾隆三十五年御製古遺堂詩　明之瓊華島，元之萬歲山。簣土自弗移，稱謂從改删。古殿變滄桑，今堂枕孱顔。而山猶古遺，額堂興偶關。後視今猶昔，不改者本閒。

又御製巒影亭詩　山陰一笠亭，恰與山相向。山南液池北，流峙景殊狀。取之無不宜，契矣胥增暢。山容與水態，交映如揖讓。巒影訝在檐，諦視漪瀾漾。

乾隆三十四年御製見春亭詩　瓊島猶餘積素皴，波光樹色已因循。山亭何繫人來往，八柱依然見此春。

〔臣等謹按〕看畫廊諸處御製詩，皆恭載首見之篇，餘不備録。

承光殿之東，與蕉園門相對者爲桑園門。入門循池東岸而北數百步，過陟山門諺門，路西有水殿，以藏御舟。路東門三間西向，入門循廊躡山而北，有堂據山巔北向者曰雲岫，西向者曰崇椒。國朝宫史

〔臣等謹按〕水殿十有一間，卽船塢也，雲岫厂聯曰：風月清華贏四季，水天朗澈繞

三洲。

乾隆二十四年御製雲岫厂詩　坐來怪底濕衣襟，却見英英出碧岑。一縷欲飛何處去，定知瓊島作春陰。是處近白塔山永安寺，舊傳所謂瓊華島也。

乾隆三十一年御製崇椒室詩　假山雖積簣，亦自有高卑。因迴築書室，憑窗堪目馳。名之曰崇椒，亦何不可爲。譬如泰岱巖，其上空居之。拘墟無一是，契神那弗宜？

〔臣等謹按〕雲岫厂、崇椒室御製詩，皆恭載首見之篇，餘不備録。

崇椒室長廊曲折北下，有軒臨池，曰濠濮間。國朝宮史

〔臣等謹按〕濠濮間額曰壺中雲石。聯曰：眄林木清幽，會心不遠；對禽魚翔泳，樂意相關。又曰：畫意詩情景無盡；春風秋月趣常殊。軒北石梁曲折，池面北接石坊，坊上石刻横書，南向曰：山色波光相罨畫，北向曰：汀蘭岸芷吐芳馨。又石刻聯二，南向曰：日永亭臺爽且静；雨餘花木秀而鮮。北向曰：蘅皋蔚雨生機滿；松嶂横雲畫意迎。

由石門而北，門三楹。入門爲春雨林塘。國朝宮史

〔臣等謹按〕春雨林塘殿内額曰動静交養。聯曰：烟景入疏簾，圖書带潤；波光縈曲岸，水木餘清。東室聯曰：迴如碧宇吟懷曠；閒寄白雲幽興長。後軒額曰空水澄

鮮。聯曰：雨餘山色深於黛；風定波光正可人。

乾隆二十五年御製賦得春雨林塘　靄靄纔彌谷，淒淒遂灑春。論時真及節，稱德乃爲仁。林暗輕烟合，塘明細浪皴。微寒夫豈礙，嘉澤更希均。接上連枝杪，入虛起藴淪。情知緑野外，明日出耕人。

〔臣等謹按〕春雨林塘御製詩，恭載首見之篇，餘不備録。

池北相對爲畫舫齋。國朝宮史

〔臣等謹按〕畫舫齋額曰竹風梧月。東室聯曰：詩句全從畫裏得，雲山常在鏡中留。又聯曰：於澹泊中尋理趣；不空色際忘言詮。又曰：常借青山作屏幛；由來大塊假文章。西室門額曰浴德，曰汲古。聯曰：布席只疑天上坐；憑欄何異鏡中游。室内聯曰：雲容水態不相厭；畫意詩情分與投。又曰：窗近春洲，宛爾棹波聞欸乃；簾開秋水，恍然載月漾空明。

乾隆二十四年御製題畫舫齋　畫舫乘來畫舫齋，是同是異費安排。虛舟若悟南華旨，所遇欣之總大佳。

乾隆二十八年御製題畫舫齋　北岸輕輿復轉東，偷閒一带攬烟宫。春光九十勾消盡。是日三月晦。逝水如斯晝夜空。游不解愁思麥雨，坐疑徐進静帆風。每當適意多慚面，爲有民艱默忖中。

乾隆三十三年御製畫舫齋詩　冰牀用異冬夏，畫舫名自古今。愛倣歐陽室趣，不學周砥醉吟。周砥詩：邀我醉眠書畫舫。青雀笑他侈意，白鷗底藉盟心。比似清河張丑，相資猶欠書林。

乾隆三十四年御製題畫舫齋　齋似江南彩畫舟，坐來軒檻鏡光流。蘭槳桂棹用無藉，海闊天空興有投。原是不行何礙凍，可知常住亦如浮。商書十二篇曾讀，却復難形夢寐求。嘗謂高宗傅説之事非闢門籲俊之正，效而行之難矣。

〔臣等謹按〕畫舫齋御製詩，謹繹有關紀述事實者恭載卷内，餘不備録。

池上兩廊各有室，東曰鏡香，西曰觀妙。國朝宫史

〔臣等謹按〕鏡香室聯曰：静與心謀寧有色；香生鼻觀亦無空。又曰：露湑花遞馥；風度水生紋。

乾隆二十五年御製鏡香室詩　灑然書室俯琳塘，鑑古欣披瀲灧光。淨植真成佛土卉，風前時散鏡中香。

乾隆三十五年御製鏡香室詩　齋正室則廂，原臨一池上。曉日照芙蓉，其香鏡中颺。露葉珠光擎，風葩霞影漾。鼻根既已清，心所因亦暢。設擬對齋展，畫是周昉障。畫禪室所藏名畫蓄珍册有周昉紈扇圖，寫蓮塘景特妙。

〔臣等謹按〕鏡香室御製詩，謹繹有關紀述事實者恭載卷内，餘不備録。

畫舫齋左水石間有古槐一柯，構亭其間，顔曰古柯。國朝宫史

〔臣等謹按〕古柯庭聯曰：金波長漾中秋月；玉鏡平分明聖湖。庭東廊宇接一小廈，額曰緑意廊，與古槐相對。聯曰：雖是境蹊畧行轉；果然松竹不尋常。廊之北曰得性軒。

乾隆二十四年御製古柯庭詩　庭宇老槐下，因之名古柯。若尋嘉樹傳，當去聲。賦角弓歌。閲歲三百久，成陰數畝多。底須向王粲，工拙較如何。

乾隆二十五年御製古柯庭詩　古槐五百年，幾度荆凡閲。春明蹟已邈，淳于夢亦歇。閒庭構其側，几榻皆清絶。樹古庭因古，偶憩輒怡悦。滿院緑瓊陰，一窗黄夾纈。顧竹如得朋，比榆自多潔。壁間逸史畫，室中懸姚綬畫雲根，老樹槎枒，正與古柯寫照。雲東逸史，綬所自號也。早爲傳神設。

〔臣等謹按〕古柯庭御製詩，謹繹有關紀述事實者恭載卷内，餘不備録。

古柯庭後有室西向，額曰奥曠。國朝宫史

〔臣等謹按〕奥曠室聯曰：山參常静雲參動；躍有潛魚飛有鳶。

乾隆二十四年御製奥曠室詩　月廊通曲奥，雲牖含虚曠。得概既不一，會趣亦殊狀。清音憑暗泉，静寄對奇嶂。位置信遠俗，俯仰堪生暢。而何每慊然，未敢吾心放。

〔臣等謹按〕奧曠室御製詩，恭載首見之篇，餘不備録。

畫舫齋之右池上架石梁，構廊其上，曲折達於西室，曰小玲瓏。國朝宫史

〔臣等謹按〕小玲瓏室内額曰真趣。聯曰：有懷虚以静；無俗窈而深。又曰：雨後峯姿都渥若；風前竹韻特悠然。

乾隆二十四年御製賦得小玲瓏　洞房通窈窕，虚牖納嶙峋。於小偏得趣，唯清不受塵。光含月湉湉，質擬玉璘璘。驀遇蘇公買，仇池可結鄰。

〔臣等謹按〕小玲瓏御製詩，恭載首見之篇，餘不備録。

欽定日下舊聞考卷二十八

國朝宮室 西苑八

水殿之北有龍王廟，廟後小渠亘之，自太液池注水入春雨林塘者也。上有橋，橋南北坊各一。國朝宮史

〔臣等謹按〕二坊在南者榜曰貯月，曰擒錦，在北者榜曰軼雲，曰延春。渡橋卽蠶壇也。

先蠶壇在西苑東北隅。國朝宮史

〔臣等謹按〕先蠶壇乾隆七年建，垣周百六十丈，南面稍西正門三楹，左右門各一。入門爲壇一成，方四丈，高四尺，陛四出，各十級。三面皆樹桑柘。西北爲瘞坎。我朝自聖祖仁皇帝設蠶舍於豐澤園之左，世宗憲皇帝復建先蠶祠於北郊，嗣以北郊無浴蠶所，因議建於此。

壇東爲觀桑臺。臺前爲桑園，臺後爲親蠶門，入門爲親蠶殿。國朝宮史

〔臣等謹按〕觀桑臺高一尺四寸，廣一丈四尺，陛三出。親蠶殿内恭懸皇上御書額曰葛覃遺意。聯曰：視履六宮基化本；授衣萬國佐皇猷。

親蠶殿後爲浴蠶池，池北爲後殿。國朝宮史

〔臣等謹按〕後殿恭懸皇上御書額曰化先無斁。聯曰：三宮春曉覘鳩雨；十畝新陰映鞠衣。屏間俱繪蠶織圖，規制如前殿。

宮左爲蠶婦浴蠶河。南北木橋二，南橋之東爲先蠶神殿，北橋之東爲蠶所。國朝宮史

〔臣等謹按〕浴蠶河自外垣之北流入，由南垣出，設牐啓閉。先蠶神殿西向，左右牲亭一，井亭一，北爲神庫，南爲神廚。垣左爲蠶署三間。蠶所亦西向，爲屋二十有七間。

由蠶壇沿堤西北爲鏡清齋。國朝宮史

〔臣等謹按〕鏡清齋正門三楹，南向，俯臨太液。入門爲荷沼，沼北爲堂五楹。齋内額曰不爲物先。聯曰：照檻淨無塵，風來水面；開簾光有象，月印波心。又曰：憑觀悟有術；妙理契無爲。西壁聯曰：庭餘松竹足消夏；架有詩書藉討源。東室聯曰：圖書左右怡情久；翡翠蘭苕浴浪鮮。後軒聯曰：峯姿擢翠入澄照；鏡影涵虚愜曠懷。

乾隆二十三年御製鏡清齋詩　臨池構屋如臨鏡，那藉旃摩亦謝模。不示物形妍醜露，每因憑切奉三無。

又御製鏡清齋即目詩　依依冷節過藏烟，咫尺壽皇展謁旋。景物雖憑有餘慕，色空都幻若爲緣。底須遂過修穹塔？擬向知非種福田。是處近大西天佛宇，向建報恩塔，近燬於火，因罷勿爲，而有誌過之作。流水行雲何住著，犂然澄動會當前。

〔臣等謹按〕鏡清齋御製詩，謹繹有關紀述事實者恭載卷内，餘不備録。

鏡清齋之東，臨池有室，爲抱素書屋。國朝宫史

〔臣等謹按〕抱素書屋聯曰：地學蓬瀛塵自遠；身依泉石興偏幽。

乾隆二十三年御製題抱素書屋　書齋顔抱素，瀟灑得天然。窗畫森疏竹，階琴滴暗泉。每因悟禮後，還與慎幾先。略識葆光義，南華齊物篇。

乾隆三十四年御製抱素書屋詩　書屋冰池上，真稱在玉壺。詩宜王昌齡氏句，畫是李家圖。李成寒谷先春雪景爲石渠寶笈上等。意足愜懷抱，法寧論有無。尼山標妙旨，津逮祇瞠吾。

〔臣等謹按〕抱素書屋御製詩，謹繹有關紀述事實者恭載卷内，餘不備録。

抱素書屋東廊下爲韻琴齋。國朝宫史

〔臣等謹按〕韻琴齋二楹，西向，其南接廈臨於外，額曰碧鮮，廊下爲過水處也。齋

内聯曰：賞心樂事無倫比；妙色真聲兼占之。又曰：爽澄蘭沼波吹細；風渡松林籟泛輕。

乾隆二十三年御製韻琴齋詩 調軫拭徽都謝，春温廉折自呈。惟是角徵關意，未須雲海移情。

乾隆三十四年御製韻琴齋詩 階下引溪水，雨後聲益壯。不鼓而自鳴，猿鶴雙清（近世琴譜中有猿鶴雙清之曲。）暢。泠泠溶溶間，宜聽復宜望。石即鍾期同，泉可伯牙況。亦弗言知音，此意實高曠。

〔臣等謹按〕韻琴齋御製詩，謹繹有關紀述事實者恭載卷内，餘不備録。

鏡清齋之西有山池石梁，築室其上，榜曰畫峯室。（國朝宫史）

〔臣等謹按〕畫峯室聯曰：花香鳥語無邊樂；水色山光取次拈。

乾隆二十三年御製畫峯室詩 紫邏青縈户外山，畫情憑足悦幾閒。若於藝苑尋名氏，只在倪黄伯仲間。

〔臣等謹按〕畫峯室御製詩，恭載首見之篇，餘不備録。

鏡清齋之後北臨山池，上爲沁泉廊。廊西有巖，巖上爲枕巒亭。（國朝宫史）

乾隆二十四年御製沁泉廊詩 回回百道泉，其上三間屋。漾影惟雲霞，品聲定絲竹。却憶夏月旱，瓶罄罍亦恧。今來弄汜光，滃瀠清可掬。流爲太液波，潛飛任魚鳶。於此悟探源，一足無不足。

又御製枕巒亭詩　小山結構儼三嵏，俯視如臨大壑瀧。著箇笠亭嵂崒頂，祇疑蓮朶湧珠宮。

〔臣等謹按〕沁泉廊、枕巒亭御製詩，皆恭載首見之篇，餘不備録。

沁泉廊東有石橋，橋北繞池，由石磴而上爲罨畫軒。國朝宮史

〔臣等謹按〕罨畫軒東室聯曰：一室之中觀四海；千秋以上驗平生。西室額曰標青。

乾隆二十三年御製罨畫軒題句　適步讀畫廊，高軒見罨畫。來憑罨畫窗，讀畫隔岸對。彼此誰主賓，一例供清會。景納春秋佳，格突倪黄派。想像軒有言，却不勞行邁。

〔臣等謹按〕罨畫軒御製詩，恭載首見之篇，餘不備録。

循軒東廊而南，有屋兩楹，北俯清沘，榜曰焙茶塢。國朝宮史

〔臣等謹按〕焙茶塢聯曰：巖泉澄碧生秋色；林樹蕭森帶曙霞。

乾隆二十三年御製焙茶塢詩　石上泉依松下風，竹鑪製與惠山同。蔡襄不止工其法，因事還思善納忠。

〔臣等謹按〕焙茶塢御製詩，恭載首見之篇，餘不備録。

鏡清齋沿堤西南爲西天梵境。國朝宮史

〔臣等謹按〕西天梵境有琉璃牌坊，南臨太液池，南向榜曰華藏界，北向榜曰須彌春。坊北山門榜曰西天梵境。入門爲天王殿，左右石幢二，左刻金剛經，右刻藥師經。殿後爲大慈真如殿，殿内恭懸皇上御書額曰恒河演乘。聯曰：無住蔭慈雲，葱嶺祇林開法界；真常揚慧日，鷲峯鹿苑在當前。又北向聯曰：日月輪高，眄七寶城如依舍衛；金銀界净，湧千華相正現優曇。殿後歷級而登，有大琉璃寶殿。殿二層，榜曰華嚴清界。聯曰：七寶同莊，金界普成具足相；三輪共轉，玉毫齊放大圓光。又曰：現法化報身，分湧真常蓮葉；攝聞思修教，並拈微妙曇華。皆御書。殿四面迴廊六十七楹，四隅各有樓相接。西天梵境之西有琉璃牆，牆北爲真諦門。門内爲大圓鏡智寶殿。殿内額曰法界真常。聯曰：歡喜普人天，增五福德；莊嚴護龍象，現八吉祥。殿後有亭曰寶網雲亭。亭北及左右屋宇四十三楹，皆貯四藏經板之所也。

太液池之北有亭五所，謂五龍亭也，其北爲闡福寺。國朝宮史

〔臣等謹按〕五龍亭中曰龍澤，左曰澄祥，曰滋香，右曰湧瑞，曰浮翠。亭建水中，面臨北海。亭後石坊二，南向額曰性海，北向額曰福田。闡福寺乾隆十一年建。入

寺門爲天王殿，殿後額曰宗乘圓鏡。聯曰：妙華普觀無窮境；慧日常懸自在天。再後爲大佛殿，規制仿正定隆興寺。重宇三層，上層恭懸御書額曰大雄寶殿，中曰極樂世界，下曰福田花雨。殿内聯曰真諦别傳，趨妙莊嚴路；能仁權應，現常清淨身。又額曰有大威德。聯曰：放百寶無畏光明，歷刼智珠常朗；入三昧甚深微妙，諸方心印同圓。極樂世界前駕白石橋，環流爲坊四座，南曰證功德水，曰現歡喜園，北曰法輪高勝，曰妙境莊嚴。東曰震旦香林，曰神洲寶地，西曰仁壽普緣，曰安養示諦。四面各有方樓一，正中爲佛殿，殿内聯曰：於萬斯年，香林沾法雨；大千世界，福地湧祥雲。佛殿之北爲普慶門，入門南北置坊二座，南曰大千輪置，曰滿萬曇霏，北曰聚諸福德，曰現大吉祥。左右浮圖二，中爲萬佛樓，樓三層。左樹寶幡竿，右立石幢，恭鐫御製庚寅萬佛樓瞻禮詩。樓下聯曰：十住引千光，佛力不可思議；一成該萬有，我聞如是吉祥。中樓聯曰：香海觀皆融，法流永滙；曇花趺遍結，壽世同持。樓上額曰華藏恒春。聯曰：龍象護莊嚴，滿多寶藏；人天洽歡喜，遍恒河沙。樓之東曰寶積樓，西曰鬘輝樓。左右各有門，東門内爲澄性堂，堂後方亭曰湛碧亭，西達致爽樓。北爲鏡藻軒，南爲澄碧亭。亭北廊曰清約池，軒西曰澹吟室。西門内構八方亭，樹石塔，鐫刻貫休畫十六應真像，並恭勒御製贊語其上。再後有殿，額曰真實般若。聯曰：正法眼長明，慧燈不滅；無漏身自在，性海遥通。皆御書。

御製闡福寺碑文 太液池之北有亭五，翼然臨於水裔。玉蝀前横，瓊島東抱。波光塔影，淪漣映帶。亭之北綴以閒館，爽塏軒豁，蓋仍前明之舊。康熙中皇祖臨駐西苑，常奉太皇太后避暑於此，後以其地奉安仙馭几筵，遂相沿爲内廷遷次之所。越乾隆七年，肇先蠶壇於液池東北隅，相距甚邇。聖母皇太后以繭館盛儀，宜致蠲潔，命改建佛宇。朕遵懿旨，爰出内帑，勅將作葺其舊址，略爲崇飾。寶坊傑豎，香刹雙標，用如幻金剛三昧造大法像，高丈六者三倍之而贏。具慈愍性，有大威神，構層簷以覆之。珠網璇題，金碧照耀，冠於禁城諸刹。上爲慈聖祝釐，下爲海宇蒼生祈祐。始事於乾隆乙丑三月，越明年八月告成，因名之曰闡福。思自無始刼來，生人生物，凡諸福德，各各具有，亦各具足，而彼衆生芸芸冥冥，惟以各得所欲爲福。未得求得，已得求益，無有饜足，爲嗔爲忮，爲丐爲敓，窮刼相尋，輾轉纏縛。時惟因陀羅秉南面權，廓紘恢綱，約以皇度，馭以禁憲，沐以膏澤，浸以醇醲，敷錫多福於有生衆。厥有生衆善根深固，一心信嚮，正知正見，屏諸邪雜，咸得福慶，安樂老壽，滿所願欲。如其弗祇弗延，迺背而馳，式抵大戾，備諸苦惱，亦其自取。大悲氏發洪誓願，施無畏力，拯諸厄難，隨聲赴感，一時普度，拔去孽根，頓生福慧，孽緣淨盡，福應備臻。於其本來了無欠缺。要知法王非以己福施彼衆生，亦非别能於彼衆生有所增益。凡此諸福，衆生自有，亦各具足能仁慈悲，遂得普度。古聖帝明王斂福錫福，其亦有同於此也耶！乃闡其義而説頌言：一切有爲法，不能造諸福。能受諸福者，皈依法王力。譬坐暗室中，迷悶不得出。忽遇大力人，闢門開四牖，因得大光明。此大光明相，非藉他目見。又如沈巨海，飄泊無邊底。忽遇大慈航，脱離惡濁浪。及登彼岸已，乃適得本來。告爾種福因，衆生性具足。迷惑不自知，種種成顛倒。願依法王力，恒河沙衆生，乃至未來刧，自性悉清淨，各各受諸福。恒河沙衆生，所受諸福德，同一清淨性，是爲福德聚。

乾隆十二年御製闡福寺大佛詩用去歲真定隆興寺禮大佛詩韻　我聞如來超過一切圓覺與聲聞，天上天下稱獨尊。弟子萬二千人俱，孰登其堂孰入門？三身四智定何有？如水印月空寫雲。四十九年未曾説一字，文殊大士何乃請再轉法輪？乃今巍巍蕩蕩現實相，横遍沙界其高傑豎窮蒼旻。圍繞提婆那伽與其眷屬，各肅肅蹴踏閃多伽耶及諸異類駪紜紜。儵忽纔鑿七竅混沌死，異哉千手千眼誰與爲疏分？憶我去年巡冀野，時則十月星乃辰。隆興古寺問象教，佛香高閣瞻金神。屏息不能一詞贊，倚闌聊息塵中身。歸來落成值此寺，是一是二徒云云。久欲成詩頌相好，其如萬慮常縈塵。穿池曾未聚衞士，督工奚用命將軍。翼然五亭臨水裔，勝國遺蹟今猶存。薄伽演梵五乘具，慈寧祝釐一念真。其旁瀟灑築書室，研席清事還堪論。徘徊得句賡舊韻，所欣俯仰蹟成陳。黏壁聊復記時日，歲惟丁卯月小春。

〔臣等謹按〕闡福寺御製詩，恭載首見之篇，餘不備録。

御製貫休畫十六應真像贊 第一阿迎阿機達尊者：衣披百衲，杖扶一筇。梵書貝葉，注目横胸。阿利吒迦，（此云數珠）若有所記。記則不無，而非文字。第二阿資答尊者：抱膝獨坐，嗒然若忘。心是菩薩，貌是鬼王。左栴檀塗，右利刀割。何怨何恩？平等解脱。第三拔納拔西尊者：閉目巖中，入無生忍。流水行雲，事理俱泯。聊復爾爾，起心則那？威音賢刼，一瞬而過。第四嘎禮嘎尊者：攄石側膝，於焉以息。惟是上人，非語非默。眉毛拖地，以手挽之。詎云揀擇，示此絲絲。第五拔雜哩逋答答喇尊者：顤顟其面，𣧑殑其身。中有相好，孰識此因。以經擲地，參學事訖。佛尚不居，而況非佛。第六拔哈達喇尊者：灌頂豐頤，著水田衣。七佛説偈，都得聞之。目窮色空，任其蚌鷸。趺坐盤陀，行脚事畢。第七嘎納嘎巴薩尊者：前身飲光，後身慧理。西竺靈鷲，識飛來此。芒鞵幾兩，竹杖一根。可放下著，永住聖因。第八嘎納嘎拔哈喇鏺雜尊者：五蘊六識，真幻異同。豎此一指，非彼天龍。與木石居，毛生手足。何不翦之？誰翦豕鹿？

第九拔嘎沽拉尊者：軒鼻响口，數珠在手。萬法皈一，一法不受。娑羅樹下，兀然忘形。演無聲偈，有童子聽。第十喇乎拉尊者：亢眉瞪目，若有所怒。借問佛子，怒生何處？喜爲怒對，怒亦喜因。畫師著筆，任其傳神。第十一租查巴納答嘎尊者：倚槎枒樹，憩傴僂身。誰爲觸背，誰爲主賓？示其兩指，以扇拂之。捉摸不得，擬議卽非。第十二畢那楂拉拔哈喇錣雜尊者：有台其背，有龐其眉。經横于膝，無慮無思。稽首尊者，壽復何若？侍燃燈筵，待彌勒閣。第十三巴那塔嘎尊者：了一切法，參如是經。水流石冷，風過花馨。示囫圇地，示光明藏。立意掃除，是謂理障。第十四納阿噶塞納尊者：曉目突額，若鬼臾區。見者莫怖，大慈真如。呿呥偃仰，合掌雙手。不聖不凡，非無非有。第十五鍋巴嘎尊者：扇取祛熱，衣取蔽寒。云無寒熱，是外道禪。熱卽熱中，寒離寒裏。金不復礦，冰仍是水。第十六阿必達尊者：以沉水香，炷折脚鼎。三藏靈文，轉彈指頃。法尚不住，何像可留？問誰多事？曰此貫休。

乾隆三十五年御製萬佛樓成是日瞻禮得句　六旬慶延沐慈恩，發帑範成兩足尊。數（去聲）計萬因資衆舉，（建樓範佛以紀慶典，内外王公大臣亦有請鑄佛像爲祝者，統以萬計，並奉樓中，因以萬佛名樓。）層看三此建樓騫。香花卜日瞻禮始，福德被民願力存。設曰遐齡祈壽算，肫誠還以祝徽萱。

又御製題澄性堂　萬佛樓旁精舍新，渟泓碧水面前陳。迎眸何礙風和月，澄性都蠲根與塵。兜率不殊八功德，阿伽全泯萬緣因。箇中本是無一物，試問高樓誰主賓。

又御製湛碧亭詩 前後皆帶水，左右復襟山。雖云假施設，所喜如天然。秋月與春風，暮靄還朝烟。小亭正對樓，平臨省躋攀。於樓不見亭，爲去聲。在青葱間。

又御製致爽樓詩 牆背夕陽檻倚池，漪波翻影上檐楣。不須石級重登陟，已喜披襟致爽颸。

又御製鏡藻軒詩 階前俯平池，朗朗鋪鏡影。鏡中寫何形，交横有藻荇。是乃爲真乎，東坡終幻境。用東坡承天寺冬月夜游事。

又御製清約池詩 小池半畝湛虚明，澹淹軒前約且清。卽景偶然題兩字，非關知否致詳評。

又御製澹吟室詩 兩間築精舍，咫尺近祇園。静納空和色，動標風與旛。澹懷惟寂寂，吟緒亦源源。把筆微嫌處，未能戒綺言。

〔臣等謹按〕萬佛樓諸處御製詩，皆恭載首見之篇，餘不備録。

闡福寺東爲澄觀堂。國朝宫史

〔臣等謹按〕澄觀堂内恭懸御書額曰水天清永。聯曰：青未了時山障合；白初生處月窗虚。堂後有殿，額曰寄清淨心。聯曰：雲移峯影天常静；風蹙波紋水不知。皆御書。

乾隆二十五年御製澄觀堂詩闡福寺旁書室名。五龍亭久液池堧，闡福重修種福田。大抵舊聞增日下，何妨新額揭簷前。春風秋月隨時會，後樂先憂與物甄。澄到無澄觀始得，心期擬似水同然。

〔臣等謹按〕澄觀堂御製詩，恭載首見之篇，餘不備録。

〔又按〕闡福寺之西有門，外爲通衢，即陽澤門道也。

欽定日下舊聞考卷二十九

宫室 金遼

〔臣等謹按〕燕京累朝宫室，自遼以前，紀載無多。惟西苑之太液池、瓊華島爲金明昌中萬寧宫西園遺蹟，乃當時别館所在。至金時大内，以地理揆之，當在今廣寧、右安門外，其遺址皆無可考。元代宫室，考之昭儉録及析津志、北京志，大内在太液池東，隆福、興聖二宫在太液池西。今西苑及旁近之大高玄殿、光明殿諸處應即其地。明永樂間改建宫城，又在元大内迤東。我朝開國以來，宫廷制度不過量爲修葺，而大概多仍勝朝之舊。朱彝尊原書裒集諸家，記録頗詳，足資甄綜，惟間有舛互者。至其類序之中，年代先後，間多攙越，今謹加以釐正，餘不復繁引云。

原 遼以幽州爲南京，宫之扁曰永興，曰積慶，曰延昌，曰彰愍，曰長寧，曰崇德，曰興聖，曰敦睦，曰永昌，曰延慶，曰長春，曰太和，曰延和。殿之扁曰清涼，曰元和，曰嘉寧。堂之扁曰天膳。樓之扁曰五花，曰五鳳，曰迎月。閣之扁曰乾文。門之扁曰元

和，曰南端，曰萬春，曰千秋，曰鳳凰。園曰柳園。禁扁

〔朱彝尊原按〕遼以天顯三年升東平郡爲南京，本治遼陽。至會同元年，始以幽州爲南京。

〔臣等謹按〕金史地理志，中都有仁政殿。又世宗紀，仁政殿遼時所建。則仁政實遼南京之殿也。王士點禁扁於遼宮室缺載仁政殿，附識以備考。

原 南京大内在西南隅，皇城内有景宗、聖宗御容殿，殿東曰宣和，南曰大内，内門曰宣教，外三門曰南端、左掖、右掖。門有樓閣。毬場在其南，東爲永平館。皇城西門曰顯西，設而不開。北曰子北，西城巔有涼殿，東北隅有燕角樓。遼史地理志

原 南京宮衛曰弘義宮，曰長寧宮，曰永興宮，曰積慶宮，曰延昌宮，曰彰愍宮，曰崇德宮，曰興聖宮，曰延慶宮，曰敦睦宮，曰文忠王府，各置提轄司。遼史

〔臣等謹按〕據遼史兵衛志，南京尚有太和、永昌二宮，與興聖、延慶等宮同置提轄司，舊史失載。

原 太宗會同元年十一月，詔升幽州爲南京。三年四月庚子，至燕，駕入自拱辰門，御元和殿，行入閤禮。十二月，詔燕京皇城西南堞建涼殿。統和七年二月，幸長春宮。十三年正月，如長春宮。十五年二月朔，如長春宮。遼史

〔臣等謹按〕據遼史太宗本紀，會同三年四月壬戌，御昭慶殿，宴南京羣臣。昭慶殿原書未見，今謹附識。

〔又按〕遼史本紀，聖宗統和十三年正月壬子幸延芳淀，庚午如長春宮。又十五年正月庚午，幸延芳淀，二月丙申朔，如長春宮。按：延芳淀在東京，其地與上京之長春宮較近。此二條似是指上京之長春宮而言，非南京也。原書以宮名本同，牽連誤引耳。

原 遼有二長春宮，一在南京，一在長春州。若五年三月朔幸長春宮賞花釣魚，十二年三月如長春宮觀牡丹，十七年正月朔如長春宮，則非南京之長春宮也。北平古今記

〔臣等謹按〕遼史本紀，聖宗統和十二年三月戊午幸南京，壬申如長春宮。按戊午距壬申僅十五日，不應卽至上京之長春宮，似應仍指南京而言。

原 景宗保寧五年春正月，御五鳳樓觀燈。聖宗統和二十四年八月，改南京宮宣教門爲元和，外三門爲南端，左掖門爲萬春，右掖門爲千秋。開泰五年，駐蹕南京，幸内果園宴，京民聚觀，求進士得七十二人，命賦詩，第其工拙，以張昱等一十四人爲太子校書郎，韓亦士等五十八人爲崇文館校書郎。燕民以車駕臨幸，爭以土物來獻，上賜酺飲。至夕，六街燈火如晝，士庶嬉游，上亦微行觀之。興宗重熙五年，詔修南京宮闕府署。

九月，獵黄花山，獲熊三十六。冬十月，幸南京，御元和殿，以日射三十六熊賦幸燕詩試進士於廷。道宗清寧五年十月朔，幸南京，祭興宗於嘉寧殿。道宗大康五年八月，命有司撰太宗神功碑，立於南京。遼史

增乾統四年十月己未，幸南京。十一月乙亥，御迎月樓，賜貧民錢。同上

原金以幽州爲中都，汴爲南京。宫之扁曰啓慶，曰衍慶，曰聖壽，曰翠微，曰慶寧，曰景明，曰坤寧，曰光春，曰萬寧，曰磐寧，曰壽康，曰仁壽，曰隆慶，曰壽安，曰長春，曰建春，曰興德，曰慶元，曰光興，曰孝寧，曰壽聖，曰集慶，曰坤儀，曰會聖。苑之扁曰瓊林。園之扁曰慶樂，曰熙春，曰同樂，曰東明，曰東翠。院之扁曰蓬萊，曰宣徽。殿之扁曰長樂，曰長生，曰浮玉，曰仁安，曰仁智，曰仁政，曰保安，曰保成，曰洪政，曰大安，曰大慶，曰崇慶，曰廣寒，曰廣德，曰廣仁，曰瓊光，曰隆德，曰瀛洲，曰重光，曰厚德，曰天興，曰樞光，曰光德，曰光興，曰集英，曰明俊，曰熙春，曰集賢，曰明揚，曰慶春，曰泰和，曰純和，曰慶和，曰太和，曰德和，曰元和，曰魚藻，曰德昌，曰福寧，曰燕壽，曰德壽，曰福壽，曰端儀，曰德儀，曰徽音，曰常武，曰揚武，曰閲武，曰臨武，曰聖武，曰皇武，曰文明，曰芳明，曰承明，曰文昭，曰乾元，曰承華，曰臨芳，曰貞元，曰宣華，曰慈訓，曰絳霄，曰蓬萊，曰睿思，曰翠霄，

曰寧福，曰紫宸，曰奉慈，曰湧金，曰儀宸，曰孝慈，曰玉清，曰神龍，曰丕承，曰景祥，曰清暉，曰辰居。亭之扁曰雪香，曰瓊香，曰臨漪。樓之扁曰嘉福，曰嘉瑞，曰丹鳳，曰瑞雲，曰瑞光。閣之扁曰芳華，曰景福，曰燕昌，曰光昭，曰清徽，曰翠微，曰蓬萊，曰瓊華。館之扁曰會同，曰歸仁，曰同文，曰思華，曰粲文，曰來寧，曰來同，曰懷德，曰肅儀。司之扁曰侍儀。嶼曰瀛嶼。島曰瓊花。池曰龍游，曰浮碧。門之扁曰宣和，曰啓夏，曰豐宜，曰丹鳳，曰大慶，曰承天，曰日精，曰月華，曰左右昇平，曰左右昇龍，曰隆德，曰嚴祗，曰繁禧，曰安泰，曰祗肅，曰安貞，曰南薰，曰大興，曰大安，曰南順，曰順陽，曰四會，曰仁安，曰德和，曰德昌，曰文明，曰光興，曰啓慶，曰明昌，曰徽音，曰光翼，曰宣陽，曰光牒，曰宣華，曰玉華，曰應天，曰嘉會，曰宣曜，曰陽春，曰施仁，曰灝華，曰麗澤，曰彰義，曰景風，曰端禮，曰通元，曰會城，曰崇智。觀之扁曰西涼，曰黄興。禁扁

〔臣等謹按〕王士點禁扁所載金代幽州、汴京宮殿園亭池館門觀各名，據金史本紀及地理志，間有與上京、東京、西京等處名目相同者。如皇武、光德、德元、辰居等殿，興德、慶元、光興等宮，史係之上京，保安殿系之西京，孝寧宮系之東京，景明宮、揚武殿在桓州，樞光殿在撫州之柔遠縣，長春行宮在灤州之石城縣，光泰宮在遂

州之遂城縣。凡此之類，或當時建置異地同名，皆未可定，不妨並存以俟考。

補亮欲都燕，遣畫工寫京師宮室制度、闊狹修短，盡以授之左相張浩輩，按圖修之。城之四圍九里三十步。自天津橋之門北曰宣陽門。門分三，中繪一龍，兩偏繪一鳳，用金鍍銅實之。中門常不開，惟車駕出入，兩邊分雙隻日開。兩樓曰文曰武。自文轉東曰來寧館，自武轉西曰會同館，二館皆爲本朝使設也。正北曰千步廊，東西對，兩廊之半各有偏門，向東曰太廟，向西曰尚書省。通天門觀高八丈，朱門五，飾以金釘。東西相去里餘，又設一門，左曰左掖，右曰右掖。南城之正東曰宣華，正西曰玉華，北曰拱辰門。內殿凡九重，殿三十有六，門閣倍之。正中位曰皇帝正位，後曰皇后正位。位之東曰內省，西曰十六位，乃妃嬪所居之地也。西出玉華門爲同樂園，瑶池、蓬瀛、杏林盡在是。金圖經

原宮城四圍凡九里三十步。自天津橋之北曰宣陽門，內城之南門也。中門繪龍，兩偏繪鳳，用金釘釘之。上有重樓，制度宏大。三門並立，中門惟車駕出入乃開，兩偏分雙隻日開一門。大金國志

補天眷元年，析津放第，於廣陽門西一僧寺門上唱名。至遷都後，命宣陽門上唱名，後爲定例。玉堂嘉話

【原】泰和四年三月，大風毀宣陽門鴟尾。金史五行志

【原】宮城之前廊東西各二百餘間，分爲三節，節爲一門。金史志

【原】循東西御廊北行，將至宮城，廊即東轉，又百許間。其西亦有三門，門中馳道甚闊，兩旁有溝，上植柳。廊脊背覆以青琉璃瓦，宮闕門户即純用之。攬轡録

【原】貞元初，海陵遷燕，乃增廣舊廟，奉遷祖宗神主於新都。三年十一月，奉安於太廟。大定十一年十一月，郊祀前一日，享太廟。有司議薦新禮，正月鮪明昌間用牛魚，無則鯉代。二月雁，三月韭以卵以葑，四月薦冰，五月笋蒲，羞以含桃，六月彘肉、小麥仁，七月嘗雛雞以黍，羞以瓜，八月羞以芡、以菱、以栗，九月嘗粟與稷，羞以棗以梨，十月嘗麻與稻，羞以兔，十一月羞以麕，十二月羞以魚。金史禮志

【補】金本無宗廟，不修祭祀。自平遼後，所用執政大臣多漢人，往往説天子之孝在尊祖，尊祖在建宗廟，金主方開悟。遂築室於内之東南隅，廟貌雖具，制極簡略。迨亮徙燕，乃築巨闕於南城之南，千步廊之東，曰太廟。標名曰衍慶之宫。金圖經

【原】端門十一間，曰應天之門。攬轡録

【原】應天門，内城之正南門也。樓高八丈，四角皆垜樓，瓦皆琉璃。金釘朱户，五門列焉，常扃，惟大禮祫享則由之。東西相去一里許，又各設一門。左曰左掖，右曰右掖，

各有武夫守衛。城之正東曰宣華門，正西曰玉華門。殿九重，凡三十有六，樓閣倍之。正中位曰皇帝正位，後曰皇后正位，位之東曰内省，西曰十六位，乃妃嬪居之。大金國志

原 應天門舊名通天門，大定五年更。金史志

原 大定七年四月朔，日食，伐鼓應天門内。九年八月朔，日當食，以雨不見，伐鼓於社，用幣於應天門内。金史天文志

原 明昌六年二月，震應天門右鴟尾。泰和八年四月，宋獻韓侂胄等首於元帥府；五月丁未，御應天門，備黄麾，立仗受之。金史章宗紀

原 貞祐元年十二月朔，上御應天門詔諭軍士。金史宣宗紀

原 鑾駕出宫前一日，有司設大駕鹵簿於應天門外，尚輦進玉輅於應天門内，受尊號。羣臣次於大安門外，奉迎册寶，至應天門。宣赦日於應天門外設香案。金史禮志

原 門内有左右翔龍門及日華、月華門。金史志

原 皇太后册立，乘輿至翔龍門。金史禮志

原 前殿曰大安，左右掖門，内殿東廊曰敷德門。金史志

原 大定五年六月，大安殿楹産芝，其色如玉。金史五行志

原 大定七年正月，上服袞冕御大安殿受尊號册寶禮。二十七年三月，御大安殿受皇太孫

冊寶。（金史世宗紀）

原 世宗遺詔，移梓宮壽安宮。章宗詔百官議，皆謂當如遺詔移。拉里獨曰：非禮也。天子七月而葬，同軌畢至，其可使萬國之臣朝大行於離宮乎？上曰：朕日夜思之，舍正殿而奠於別宮，情有所不忍，且於禮未安。遂殯於大安殿。（金史本傳　按：拉里，滿洲語爽利也，舊作剌履。今譯改。）

原 明昌四年九月朔，天壽節，御大安殿受朝賀。（金史章宗紀）

原 凡受尊號，百官習儀於大安殿庭。皇太子冊立，設御座於大安殿。（金史禮志）

增 趙秉文甲子元日大安早朝詩　闕角蒼龍建斗杓，衣冠萬國大安朝。使臣未入分班立，殿陛先陛按笏招。彩仗中間瞻北極，丹墀側畔聽簫韶。太初甲子天元朔，萬歲常瞻玉燭調。滏水集

原 大安殿基今爲酒家壽安樓。（金臺集）

〔臣等謹按〕壽安樓在燕京金皇城內東華門之西街，見析津志。

原 果囉洛納延詩　夢斷朝元閣，來尋賣酒樓。野花迷輦路，落葉滿宮溝。風雨青城暮，河山紫塞愁。老人頭雪白，扶杖話幽州。金臺集　按：果囉洛舊作葛邏祿，今從八旗姓譜改正。納延，蒙古語八十數也，舊作迺賢。今譯改。

原 大安殿之東北爲東宮。（金史志）

原 大定七年七月，幸東宮視皇太子疾。十月，勅有司於東宮涼樓前增建殿位，孟浩諫曰：皇太子雖爲儲貳，宜示以儉德，不當與至尊宮室相侔。乃罷之。（金史世宗紀）

原 十一月，皇太子生日，宴羣臣於東宮。（金史列傳）

原 明昌五年，復以隆慶宮爲東宮，慈訓殿爲承華殿。承華殿者，皇太子所居之東宮也。金史注

〔臣等謹按〕金史世宗紀，大定二十九年正月，名太后宮曰仁壽，二月更名隆慶。至章宗明昌五年，禮官言宜易隆慶宮爲東宮，慈訓殿爲承華殿，從之。

原 赫舍哩執中以皇太后儀仗迎莊獻太子入居東宮。金史本傳 按：赫舍哩舊作紇石烈，今從八旗姓譜改正。

原 正北列三門，中曰粹英，爲壽康宮，母后所居也。金史志

原 貞元三年十月，皇太后至中都，居壽康宮。十一月，上朝太后於壽康宮。金史海陵紀

原 西曰會通門，門北曰承明門，又北曰昭慶門，東曰集禧門，尚書省在其外。其東西門，左右嘉會門也。門有二樓，大安殿後門之後也。其北曰宣明門，則常朝後殿門也。北曰仁政門，内有仁政殿，常朝之所也。金史志

原 由會通門承明門入左嘉會門，趨而南，至幕次。少頃，鳴鐘，鐘罷，衛士山呼。百官裹見有曳玉帶者五人先出，後知爲東宮親王平章令公也。頃之，入宣明門，次仁政門，於隔門上面序立，三節自東入，拜於大氊上。上有一品至七品黑漆黄字牌子，蓋其朝序也。一氊可容數百人，遍地製成龍鳳。殿九楹，前設露臺，柱以文繡。兩廊各三十間，中有鐘鼓樓，廊外垂金漆簾額，飾以繡。廊之西，馬有韝紅繡鞍者數匹，乃高麗所進。

殿門外衛士二三百人分兩旁立，盡戴金花帽錦袍。宣明門外直至外廊，皆甲士，青縚甲居左，旗執黄龍，紅縚甲居右，旗執紅龍。外廊皆銀槍，左掖門入皆金槍，人依一柱以立。凡門屋下皆青隊，執弓矢人數各有差。北宮營繕之制，初雖取則東都，終殫土木之費。瓦悉覆以琉璃，役兵民一百二十萬，數年方就。北轅録

原入嘉會門，至幕次，黑布拂廬侍班。有頃，入宣明門，門内庭中列衛士二百許人，貼金雙鳳幞頭，團花紅錦衫，散手立。入至仁政殿下，團鳳大花氊可半庭。殿兩旁有朶殿，朶殿上兩高樓，曰東西上閤門。兩廊悉有簾幙。中有甲士。東西御廊循簷各列甲士：東立者紅茸甲，金纏竿槍，黄旗，畫青龍；西立者碧茸甲，金纏竿槍，白旗，畫黄龍；至殿下皆然。惟立於門下者錦袍持弓矢。殿兩階雜列儀物幢節之屬，如道家醮壇威儀之類。使人由殿下東行，上東階，郤轉南，由露臺北行入殿閾，謂之欄子。金主幞頭，紅袍，玉帶，坐七寶榻，背有龍水大屏風。四壁帟幕皆紅繡龍，拱斗皆有繡衣。兩楹間各有大出香金獅蠻，地鋪禮佛毯可一殿。兩旁玉帶金魚或金帶者十四五人相對列立，遥望前後殿屋崛起甚多，制度不經，工巧無遺力。煬王亮始營此都，規摹出於孔彦舟，役民八十萬，兵夫四十萬，作治數年，死者不可勝計。金朝北宮營制宮殿，其屏扆窗牖皆破汴都輦致於此。汴中宮匠有名燕用者，製作精巧，凡所造下刻其名；及用之於

燕，而名已先兆。（攬轡録）

原 天會四年正月，始朝日於乾元殿。天眷二年，定朔望朝日儀，帝南向拜。大定十五年，有司上言：宜遵古制東向拜。十八年，帝拜日於仁政殿，始行東向之禮。（金史禮志）

原 世宗謂宰臣曰：宫殿制度苟務華飾，必不堅固。今仁政殿遼時所建，全無華飾，但見他處歲歲修完，惟此殿如舊，以此見虚華無實者不能經久也。（金史世宗紀）

原 貞祐元年閏月，拜日於仁政殿。（金史宣宗紀）

〔臣等謹按〕明昌四年八月，國史院進世宗實録，上服袍帶御仁政殿降座受之。見金史章宗紀。

原 貞元三年十一月，宴百官於泰和殿。（金史海陵紀）

原 大定二年正月，御泰和殿，宴百官宗戚命婦。（金史世宗紀）

原 承安四年五月朔，奏事於泰和殿。（金史章宗紀）

原 泰和殿，泰和二年，更名慶寧殿。（金史）

原 泰和四年四月，張行信召見於泰和殿。（金史本傳）

〔臣等謹按〕金章宗有泰和殿五月牡丹詩，見中州集。

原 魚藻池瑶池殿位，貞元元年建。有神龍殿，又有觀會亭，又有安仁殿、隆德殿、臨芳

殿。皇統元年有元和殿。金史志

原泰和三年五月，以重五拜天射柳，上三發三中。四品以上官侍宴魚藻殿。金史章宗紀

原大定二年，宮人稱心等於十六位放火，延燒泰和、神龍殿。金史列傳

原大定二年閏月，神龍殿十六位焚，延及泰和、厚德殿。金史志

原有司乞罷修神龍殿涼位工役，上卽日使趙興祥傳詔罷之。金史本傳

原大定二十八年三月朔，宴於神龍殿，諸王公主以次捧觴上壽。金史世宗紀

原泰和二年八月，元妃生皇子特哩，宴五品以上於神龍殿，六品以下宴於東廡下。金史后妃傳 按：特哩，蒙古語齊整也，舊作忒鄰。今譯改。

原光英生日，宴百官於神龍殿。金史海陵諸子傳

原金史禮志，受尊號儀，帝服衮冕御元和殿。按：此當卽遼之元和殿，非魚藻池之元和殿也。北平古今記

原常武殿、廣武殿爲擊毬習射之所。金史志

原金因遼舊俗，以重五、中元、重九日行拜天禮。重五於鞠場，中元於内殿，重九於都城外。其制刳木爲盤，如舟狀，赤爲質，畫雲鶴文，爲架高五六尺，置盤其上，薦食物其中，聚宗族拜之。若至尊則於常武殿築臺爲拜天所。金史禮志

原大定三年五月，以重五幸廣樂園射柳，皇太子、親王、百官皆射，勝者賜物有差。上復御常武殿賜宴擊毬。自是歲以爲常。（金史世宗紀）

原泰和元年五月，擊毬於臨武殿。八年十一月，御臨武殿試護衛。（金史章宗紀）

原正隆元年二月，御宣華門觀迎佛。（金史海陵紀）

原承安四年二月，御宣華門觀迎佛。（金史章宗紀）

原凡受尊號，導引册寶牀由宣華門入。（金史禮志）

原知近侍局副使圖克坦張僧遣人召平章，已到宣華門外。（金史后妃傳　按：圖克坦舊作徒單，今從八旗姓譜改正。）

原蕭裕執布達出宣華門。（金史本傳　按：布達，滿洲語飯也，舊作白荅。今譯改。）

原拱辰，内城正北門也，又曰後朝門。制度守衛一與宣華、玉華等。金碧翬飛，規模宏麗。（大金國志）

原崇慶元年七月，有風自東來，吹帛一段，高數十丈，飛動如龍，墜於拱辰門内。（金史衛紹王紀）

原西至玉華門曰同樂園，若瑶池、蓬瀛、柳莊、杏村盡在於是。（大金國志）

補大定十年，燕羣臣於同樂園之瑶池，語及古帝王成敗之蹟，大率以不嗜殺人爲本。數年休兵，民力稍蘇，獨貪殘之吏去行朝稍遠，恐爲百姓蠹，宜時加稽察。知中書省貝勒稽首曰：陛下言及此，社稷之福也。同上　按：貝勒義見前，舊作孛詰烈。今譯改。

原 師拓同樂園詩　晴日明華構，繁陰蕩緑波。蓬邱滄海近，春色上林多。流水時雖逝，遷鶯暖自歌。可憐歡樂地，鉦鼓散雲和。中州集　歸潛志作尹無忌詩。

原 趙秉文同樂園詩　春歸空苑不成妍，柳影毿毿水底天。過卻清明游客少，晚風吹動釣魚船。滏水集

原 京城北離宮有大寧宮，大定十九年建。後更爲壽寧，又更爲壽安。明昌二年，更爲萬寧宮。金史志

原 大定十九年五月，幸大寧宮。二十年四月，大寧宮火。金史世宗紀

原 張僅言護作大寧宮，引宮左流泉溉田，歲穫稻萬斛。金史本傳

原 明昌六年五月，命減萬寧宮陳設九十四所。泰和四年四月，萬寧宮端門災。金史章宗紀

原 舒穆嚕明安攻萬寧宮克之，取富昌、豐宜二關。元史本傳　按：舒穆嚕舊作石抹，今從八旗姓譜改正。

〔臣等謹按〕金趙秉文有扈蹕萬寧宮詩，見滏水集。

原 瓊林苑有横翠殿、寧德宮，西園有瑶光臺，又有瓊華島，又有瑶光樓。皇統元年有宣和門。正隆二年有宣華門，又有薩哈門。金史志

補 壽寧宮有瓊華島，絶頂廣寒殿，近爲黄冠輩所毁。遺山集

原 郝經瓊華島賦　歲癸丑夏，經入於燕。五月初吉，由萬寧故宮登瓊華島。徜徉延佇，臨風肆矚，想見大定之治與有金百年之盛，慨然有懷，乃作賦焉。其辭曰：楛矢飛燕，遼傾宋奔。中夏壯觀，萃於金源。鬱天居之宏麗，開陸地之海山。忽陵飛而阜走，見虎踞而龍蟠。建瓴水於河朔，浩不知其波瀾。沉沉覃覃，旋坤轉乾。赤城紫府，幻出塵寰。粤惟瓊華之一島，突兀乎其間。崑崙之顛，海風怒掀。劈濤頭而迸落，結水面之青蓮。巖巖磐磐，儷立孱顔。疑

如鼇頭，冠日觀而卻走；傴如鱷背，負月窟而橫高寒。其頂有廣寒殿，故云。瑤光樓起，金碧鈎連。斷霓飲海，頡地頏天。華陽九州之塵，遼海百年之蘊，烽湧烟填。慶雲佳氣，郁郁芊芊。時屬清平，天下宴然。倒淮南之戈而荆楚帖，崩統萬之角而安西安。神武不殺而日趨於平泰，信誓既結而無事乎開邊。明珠白雉不召而麇至，蒲梢騄耳無用而復還。一人高拱於其上，無所爲而樂穆清之燕。大臣優游於其下，無所爲而興禮樂之盛。萬物鈞化而無間，四海被澤而不偏。風俗既厚，綱紀日完。財不聚而富，刑不用而措，政不更張而治，士不作聰明而賢。民日遷善而不知其所以然而然。嶷嶷乎魏孝文，駸駸乎漢孝宣。宜乎於此樂天下之樂，軼邁往而追羲軒。收萬方之瑰詭，盡九土之纖妍。紆青雲之環珮，奏鈞天之管絃。御長風於絶頂，訪蓬壺之飛仙。開八荒之壽域，正一氣之陶甄。躋斯民於仁壽，而君臣與焉。挈斯民於遂樂，而君臣享焉。涵浸醲郁，上格於天。舒愉粹暢，下達於泉。濟濟洋洋，殆三十年，見始終之全。倐九龍之飛去，墮神鼎於羽淵。宗沉社償，而乃屢遷。雖則屢遷，竟不能永其傳。功如是，德如是，不克負荷，一舉而棄捐。孰爲之司而使之然？涸金源於汴蔡，卧一島於蒼烟。悲風射闕，謂居庸也。枯石荒殘。瓊花樹死，太液池乾。游子目之而興嘆，故老思之而淚潸。蓋餘恩遺烈，膏於骨髓，著於肺肝。雖死而若生，雖亡而若存。有與析津同沛箕尾共騫者，雖曰假山而實德山也。彼虐政虐世，昏君暴主，以萬人之力，肆一己之欲，刳吾乾坤，穢吾山川。雖曰石山，而實血山。民欲與之俱亡，卒聚而殲旃。寧不愧於茲焉？陵川集

補王惲燕城書事詩　都會盤盤控北陲，當年宮闕五雲飛。峥嶸實氣沉箕尾，慘憺陰風貯朔威。審勢有人觀督亢，封章無地論王畿。荒寒照破龍山月，依舊中原半落暉。秋澗集

補又西苑懷古和劉懷州韻　彩鳳簫聲徹曉聞，宮牆烟柳接龍津。月邊橫吹非清夜，鏡裏瓊華總好春。行殿基存焦作土，踏錐舞歇草留茵。野花豈解興亡恨，猶學宮妝一色匀。同上

補又同劉懷州過西園懷古作　錦擒西苑正隆修，大定明昌事讌游。海露恩波鼇抃首，花翻瑤艷雪迷樓。三千歌舞繁華歇，一片風烟慘憺愁。興廢算來無五紀，至今靈沼詠西周。同上

補劉景融西園懷古詩　瓊苑韶華自昔聞，杜鵑聲裏過天津。殿空魚藻山猶碧，水涸龍池草自春。民樂尚歌身後曲，月彎不見舞時茵。絳桃誰植宮牆外，露濕胭脂恨未匀。秋澗集附録

〔朱昆田原按〕四詩皆有感金故宮而作。

原史學宮詞　寶帶香褠水府仙，黃旗綵扇九龍船。薰風十里瓊華島，一派歌聲唱采蓮。中州集

補劉秉忠游瓊華島江城子詞　瓊華昔日賀新成。與蒼生，樂昇平。西望長山，東顧限滄溟。翠輦不來人換世，天上月，自虛盈。樹分殘照水邊明。雨初晴，氣還清。醉卻興亡，惟有酒多情。收取晉人腮上淚。千載後，幾新亭。藏春詩集

原 西華潭，金之太液池也。金臺集

原 朱瀾宮詞 太液芙蓉上下天，秋波澹澹白生烟。采蓮宮女分花了，笑把蘭篙學刺船。中州集

原 果囉洛納延詩 秋水清無底，涼風起緑波。錦帆非昨夢，玉樹憶清歌。帝子吹笙絶，漁郎把釣多。磯頭浣紗女，猶恐是宮娥。金臺集

原 妝臺，李妃所築，今在昭明觀後。妃嘗與章宗露坐，上曰：二人土上坐。妃應聲曰：一月日邊明。上大悦。同上

〔臣等謹按〕據析津志，妝臺在金故宮之西，壽安酒樓之北。

原 章宗爲李宸妃建梳妝臺於都城東北隅，今禁中瓊華島妝臺，本金故物也。目爲遼蕭后梳妝樓，誤。堯山堂外紀

原 章宗元妃李氏師兒，大定末以監户女子入宮。是時宮教張建教宮人，師兒與諸宮女從之學。故事，宮教以青紗隔障蔽内外不得面見，有問自障内映紗指字以請，宮教自障外口説教之。諸女子中惟師兒易爲領解，建不知其誰，但識其音聲清亮。章宗問建，女子誰可教者。建對曰：就中音聲清亮者爲最。章宗以建言求得之。宦者梁道譽師兒才美，勸章宗納之。章宗好文詞，妃性慧黠，能作字，知文義，尤善伺候顔色，迎合意旨，遂大愛幸。明昌四年，封昭容，明年，進封淑妃，已，進封元妃。金史后妃傳

原 果囉洛納延妝臺詩 廢苑鶯花盡，荒臺燕麥生。韶華如逝水，粉黛憶傾城。野菊金鈿小，秋潭玉鏡清。誰憐舊時月，曾向日邊明？金臺集

〔朱彝尊原按〕妝臺相傳俱云遼蕭后遺蹟，易之去金不遠，其謂李元妃所築，可正其謁。

原大定元年十二月，至中都，御貞元殿受羣臣朝。二年四月，宴夏使貞元殿。金史世宗紀

補燕京城内地大半入宮禁，百姓絶少。其宮闕壯麗，延亘阡陌，上切霄漢，雖秦阿房、漢建章不過如是。予奉使至燕山，朝見之日，見金主儀衛華整，過於中國。其御榻以七寶爲飾。夾坐有狻猊二，高丈餘。金主亮面黧黑，目下視，長鬣，於貞元殿見其狀。海陵集

原自此以後卽無貞元殿之稱，或以海陵年號爲嫌而改之也。北平古今記

補大定十六年春正月，國主御正隆殿受印寶：一曰承天休延萬億永無極，二曰受命於天既壽永昌，三曰天子之寶，四曰天子行寶，五曰天子信寶，六曰皇帝之寶，七曰天子神寶，八曰御書之寶，九曰皇帝恭膺天命之寶，十曰天下同文之寶。置符寶郎，隸門下省，大朝會則陳之。同上

原承安元年七月，天壽節，御紫宸殿受賀。金史章宗紀

原大定八年十月，進幣，宴百官於慶和殿。金史列傳

原二十五年十月朔，宰相以下朝見世宗於慶和殿。金史顯宗紀

原十一月，立皇太孫，賜六品以上宴於慶和殿。金史列傳

原大定二十六年，皇曾孫生滿三月，宴於慶和殿，賜曾孫金鼎，金香合，重綵二十端，骨都犀吐鶻玉山子兔兒垂頭一副，名馬二匹。章宗進玉雙馳鎮紙、玉琵琶撥玉鳳駒骨都犀具佩刀，衣服一襲，世宗御酒，歡歌一夜，方罷。同上

原二十八年十二月，上不豫，詔皇太孫璟攝政，居慶和殿東廡。金史世宗紀

原泰和二年十二月，御慶和殿浴皇子。金史后妃傳

原七年正月，詔御史大夫崇肅等十有四人同對於慶和殿。金史章宗紀

原召布薩揆赴闕，戒以師期，宴於慶和殿。金史本傳 按：布薩舊作僕散，今從八旗姓譜改正。

原宴內族襄於慶和殿，上親舉酒飲，解所服玉貝佩刀以賜。金史本傳

原泰和七年正月，詔百官同對於廣仁殿。金史章宗紀

原大定十四年四月，上御垂拱殿。金史世宗紀

原路鐸召對於崇政殿。金史本傳

原世宗召皇太子諸王侍食於清輝殿。金史太祖諸子傳

原完顏守道懇求致仕，特賜宴於慶春殿。金史本傳

原完顏匡朝京師，賜宴於天香殿。同上

原承安二年六月，詔罷瑶光殿工作。金史章宗紀

原大定二十五年十一月，宰相入見於香閣，既退，圖克坦克寧請屏左右，奏立皇太孫。金史本傳

原承安四年三月，户部尚書孫鐸、郎中李仲略、國子祭酒趙帆始轉對香閣。金史章宗紀

原泰和三年十月，右丞布薩揆至自北邊。丙辰，召至香閣慰勞之。上同

原八年，以吏部尚書賈益謙等十三員，分路同本路按察司官一員，推排民户物力，上召至香閣親諭之。金史食貨志

原大定二十九年正月，名皇太后宫曰仁壽。二月，更名隆慶宫。金史章宗紀

原正隆六年六月，大風毁承天門鴟尾。金史五行志

原大軍發大砲擊碎西承天門樓。大金國志

原受尊號儀，恭謝祖廟，還御宣和門。金史禮志

原貞元三年，登寶昌門觀角觝。金史海陵紀

原海陵登寶昌門樓，殺昭媛徹伯爾。金史后妃傳 按：徹伯爾，蒙古語廉潔也，舊作察八。今譯改。

原海陵御寶昌門，臨軒觀試。金史列傳

原中都圍急，詔於東華門置招賢所，内外士庶皆得言事。上同

原赫舍哩執中命聚薪焚東華門。金史本傳

原大安三年十二月，大軍攻南順門。完顔天驥設拒馬於南柳街，縱其入，以槊禦之，且縱火燒兩行民屋，街狹屋倒，大軍死傷甚衆。大金國志

原至寧元年八月，呼沙呼殺知大興府圖克坦南平、刑部侍郎圖克坦穆延於廣陽門西。金史衛紹王紀 按：呼沙呼，滿州語鴟鴞也，舊作胡沙虎。今譯改。穆延舊作没撚，今從八旗姓譜改正。

原圖克坦南平行至廣陽門西寓義坊，馬上與赫舍哩執中相見，執中手槍刺殺之。金史本傳

原崇慶元年，大軍至城下，一城中乏薪，拆絳綃殿、翠霄殿、瓊華閣材分給四城。大金國志

原大定十三年四月，上御睿思殿，命歌者歌女直詞。顧謂皇太子諸王曰：朕思先朝所行之事，未嘗暫忘，故時聽此詞，亦欲令汝輩知之。金史世宗紀

原海陵登瑞雲樓納涼，命楊伯雄賦詩。金史本傳

原道陵中秋賞月瑞光樓，召趙渢文孺對御賦詩，以清字爲韻。渢詩云：秋氣平分月正明，蘂珠宫闕對蓬瀛。已驅急雨銷殘暑，不遣微雲點太清。簾外輕風飄桂子，夜深涼露滴金莖。聖朝不奏霓裳曲，四海歌謳卽樂聲。道陵讀至落句，大加賞異。手酌金鍾以賜，且字之曰：文孺！以此鍾賜汝作酒直。士林榮之。中州集

原承安三年春，國主幸蓬萊院，陳玉器及諸玩好，視其款識多宣和物，惻然動色。宸妃

進曰：作者未必用，用者未必作，宣和作此以爲陛下用耳。宸妃嘗與主同輦過御龍橋，見石白如雪愛之，歸白國主，於蘇山輦至，築巖洞於芳華閣，用工二萬人，牛馬七百乘，道路相望。會是冬賞菊於東明園，見屏間畫宣和艮嶽，問内侍余琬，對曰：宣和帝運東南花石築艮嶽，致亡其國，先帝命圖之以爲戒。宸妃怒曰：宣和之亡不緣此石，乃用童貫、梁師成故爾。蓋譏琬也。宸妃鄭氏，南宋華原郡王居中之曾孫。大金國志

原大定七年，建社稷壇於中都，社爲制，其外四周爲垣，南向開一神門，門三間。内又四周爲垣，東西南北各開一神門，門三間，各列二十四戟。四隅連飾罘罳無屋，於中稍南爲壇位，令三方廣闊一級四陛，以五色土各飾其方，中央覆以黄土。其廣五丈，高五尺。其主用白石，下廣二尺，剡其上，形如鍾，埋其半，壇南栽栗以表之。近西爲稷壇，如社壇之制，而無石主。四壝門各五間，兩塾三門，門列十二戟，壝有角樓，樓之面皆隨方色飾之。饌幔四楹，在北壝門西，北向。神廚在西壝門外，南向。廨在南圍牆内，東西向。有望祭堂三楹在其北，雨則於是堂望拜。堂之南北各爲屋二楹，三獻及司徒致齋幕次也。堂下南北相向有齋舍二十楹，外門止一間，不施鴟尾，祭用春秋二仲月上戊日。金史禮志

原天德四年，於燕京所建原廟，名其宫曰衍慶，殿曰聖武，門曰崇聖。同上

〔臣等謹按〕衍慶宮薦含桃，見金紀貞元二年。

原大定十四年十月，詔圖畫功臣二十人於衍慶宮聖武殿左右廡。十七年正月，詔於衍慶宮聖武殿西建世祖神御殿，東建太宗、睿宗神御殿。金史禮志

原禮官率太廟署官等詣崇聖閣奉世祖御容，導太宗御容於聖武殿行禮畢，以次奉安於丕承殿，睿宗御容奉安於天慶殿。上同

原大定二十一年閏月，昭祖、景祖奉安燕昌閣上，肅宗、穆宗、康宗奉安閣下，明肅皇帝奉安崇聖閣下。上同

原泰和七年五月，幸東園射柳。金史章宗紀

原顯宗殯於南園熙春殿，世宗至自上京，未入國門，先至熙春殿致奠。金史顯宗紀

原明昌三年，幸熙春園。金史章宗紀

原南苑有唐舊碑，書貞元十年御史大夫劉怦葬。上見之曰：苑中不宜有墓，以劉頍家本怦後，詔賜頍錢三百貫改葬之。金史本傳

原明昌元年三月，擊毬於西苑。五月，拜天於西苑，射柳、擊毬。金史章宗紀

原承安二年三月，幸西園閱軍器。上同

原明昌五年四月朔，幸北苑。上同

〔臣等謹按〕金趙秉文有北苑詩，見滏水集。又金紀是年四月乙卯幸景明宮。景明宮名已見前禁扁條下，今并識以備參考。

原 六年十二月，幸後園，閱軍器。金史章宗紀

原 大定三年五月，以重五幸廣樂園，射柳。金史世宗紀

原 大定二十三年正月，廣樂園燈山焚，延及熙春殿。金史五行志

〔臣等謹按〕金史世宗紀，大定二十六年四月己未幸永安宮。永安宮名，禁扁諸書未載。

原 泰和二年正月，幸芳苑觀燈。金史章宗紀

原 承安元年六月，幸環秀亭觀稼。二年閏月，出西横門觀稼。上同

原 大興有建春宮。金史地理志

原 承安元年二月，幸都南行宮春水。三年正月，如城南春水，名行宮曰建春。四年，如建春宮。上諭點檢司曰：自蒲河至長河及細河以東，朕常所經行，官爲和買其地，命百姓耕之，仍免其租税。金史章宗紀

〔臣等謹按〕金史章宗紀，明昌五年正月丁亥，幸城南別宮。所謂別宮者，卽承安時之建春宮也。明昌在承安改元之前，是時尚未有建春之名，故或稱別宮，或稱行

宮，無定名焉。

原 舒穆嚕明安駐軍於京南建春宮。元史本傳

補 端平甲午九月初一日抵燕京，守將保喇巴圖出迎，館人使於王檝宅堂。重九日，宴人使，女樂俳優畢集。十二日，同王檝謁宣聖廟，即是金密院。因就看亡金宮室，瓦礫填塞，荆棘成林。使蒙日録 按：保喇，蒙古語雄駝也，巴圖，堅固也，舊作布吾剌拔都。今譯改。

原 章宗宮中絶句 五雲金碧拱朝霞，樓閣峥嶸帝子家。三十六宮簾盡捲，東風無處不楊花。歸潛志

補 元好問出都作 漢宮曾動伯鸞歌，事去英雄可奈何。但見觚稜上金爵，豈知荆棘卧銅駝。神仙不到秋風客，富貴空悲春夢婆。行過盧溝重迴首，鳳城平日五雲多。歷歷興亡敗局棋，登臨疑夢復疑非。斷霞落日天無盡，老樹遺臺秋更悲。滄海忽驚龍穴露，廣寒猶想鳳笙歸。從教盡剗瓊華了，留住西山儘淚垂。遺山集

補 遼之正殿曰洪武，元之正殿曰大明，後之國號、年號先見於此，誰謂非定數也？春明夢餘録

（朱昆田原按）遼以大安名殿，而金以之紀年，亦兆之先見者。

補 遼主得其臣所獻黄菊賦，題其後云：昨日得卿黄菊賦，細翦金英題作句。袖中猶覺有餘香，冷落西風吹不去。元張肎繼孟檃括其辭寄蝶戀花曰：昨日得卿黄菊賦。細剪金英，題作多情句。冷落西風吹不去。袖中猶有餘香度。滄海塵生秋日暮。玉砌雕闌，落葉鳴疏雨。江總白頭心更苦。索琴猶寫幽蘭譜。繼孟手書於卷，予嘗見之。蒓魰詞話

欽定日下舊聞考卷三十

宮室 元一

〔臣等謹按〕元代宮室一毁於明徐達改築都城之初，再撤於永樂遷都之歲。禁扁僅存其名。永樂大典所採元宮室製作一書，第詳其制，其地分方位惟昭儉、輟耕二録載之最晰。而若清寧、睿安、九龍等殿，缺載者甚多。明初蕭洵以毁元宮室，遍閲内禁，爲故宮遺録一卷，較爲該備。然其地分方位多與諸書不合。大都宮殿考本蕭洵之説而推廣之，尤難藉據。今謹就朱彝尊原書各條，凡與他書紀載異同者，略爲疏證。其有疑者則闕以俟考焉。

原 大都宮之扁曰慶福，曰興以下闕。殿之扁正曰大明，西曰紫檀，東曰文思，北曰寶雲，四殿大内前位也。延春閣東曰慈福，西曰明仁，二殿大内後位也。清顥門西曰玉德，後曰宸慶，二殿大内後位也。興聖宮正曰興聖，西曰寶慈，東曰嘉德。隆福宮正曰光天，東曰壽昌，西曰嘉禧，西位曰文德，東位曰睿安。萬歲山下曰仁智，山上曰廣寒，方壺亭南曰荷葉，仁智東北曰介福，西北曰延和。太液池南圓殿曰儀天，延春閣後曰咸寧。堂之扁，曰芳潤，曰拱宸。亭之扁曰碧芳，曰徽清，延華，閣曰芳碧。廣寒西南曰玉虹，又西南曰瀛洲，廣寒東南曰金露，又東南曰方壺。樓之扁，興聖東廂曰凝暉，西廂曰延顥，東曰驂龍，西曰翥鳳。閣之扁，大内後宫正殿曰延春，興聖殿後曰徽儀，其北曰延華、宣則，北門曰奎章。門之扁，宫城正南曰崇天，左曰星拱，右曰雲從，東有東華，西有西華，北曰厚載。大内前宫正門曰大明，左曰日精，右曰月華，西有麟瑞，東有鳳儀、寶雲，東北向曰嘉慶，西北向曰景福。大内後宫，延春在寶雲之後，左曰懿範，南對嘉慶，右曰嘉則，南對景福，東曰景曜，西曰清顥。興聖宫正門曰興聖，左曰明華，右曰肅章，宣則在延顥之北，弘慶在凝暉之北。隆福宫正門曰光天，左曰崇華，右曰膺福，青陽在翥鳳之北，明暉在驂龍之北。山曰萬歲，巖曰翠巖，壑曰雲龍。峯曰叢玉，在奎章閣前；曰仁壽，在萬歲山下。石曰瑞雲、曰丹霞，洞天曰銀漢飛星，池曰太液。

禁扁

補元建國曰大元，取大哉乾元之義也。建元曰至元，取至哉坤元之義也。殿曰大明，曰咸寧。門曰文明，曰健德，曰雲從，曰順承，曰安貞，曰厚載，皆取諸乾坤二卦之辭也。其建國號詔曰：誕膺景命，奄四海以宅尊；必有美名，紹百王而繼統。肇從隆古，匪獨我家。且唐之爲言蕩也，堯以之而著稱；虞之爲言樂也，舜因之而作號。馴致禹興而湯造，亦名夏大以殷中。世降以還，事殊非古。雖乘時而有國，不以義而制稱。爲秦、爲漢者，蓋因初起之地名。曰隋、曰唐者，又卽始封之爵邑。是皆徇百姓見聞之狃習，要一時制作之權宜。概以至公，得毋少貶！我太祖聖武皇帝握乾符而起朔土，以神武而膺帝圖。肆振天聲，大恢土宇。輿圖之廣，歷古所無。頃者耆宿詣庭，奏章申請，謂既成於大業，宜早定夫鴻名。在古制以當然，於朕心乎何有？可建國號曰大元。大冶流形於庶品，孰名資始之初？一人底寧於萬邦，尤切體仁之要。事從因革，道協天人。於獻！稱義而名，固匪爲之溢美；孚休惟永，尚不負於投艱！嘉與敷天，並隆大號。咨爾有衆，體予至懷。至元八年十一月日。西濛野話

〔朱昆田原按〕元之建國、建元以及宮門之名，多取易乾坤之文，顧於二卦之外，若屯、蒙、師、剥、離、困、睽、革、漸、升、无妄、大小過，禁羣臣箋表不得用，用則駁之。應迴避者凡一百七十九字，載諸典章。然如仙靈、歸化、泉陵等字皆在所禁，而州縣名犯此極多，不知當日作何迴避也。

原南麗正門內千步廊可七百步，建靈星門，門建蕭牆，周迴可二十里。俗呼紅門闌馬牆。內二十步有河，上建白石橋三座，名周橋。橋四石白龍擎載，旁盡高柳，鬱鬱萬

株，遠與城内海子西宫相望。度橋可二百步爲崇天門。大都宫殿考

〔臣等謹按〕析津志：周橋，義或本於詩造舟爲梁，故曰周橋。考之宋、金，咸以周橋爲名，據此則周橋之名不始於元也。

【增】果囉洛納延雪霽紅門偶成詩　雪擁紅門没馬韉，樓臺歷歷在藍田。風迴闕閣瑶華亂，水溜觚稜玉筯懸。龍管忽聞天上曲，霓裳空憶月中仙。何當唤起王摩詰，乞與人間作畫傳。金臺集

【原】宫城周迴九里三十步，東西四百八十步，南北六百十五步，高三十五尺，甎甃。至元八年八月十七日申時動工，明年三月十五日訖工。分六門，正南曰崇天，十二間五門，東西一百八十七尺，深五十五尺，高八十五尺。左右趓樓二，趓樓登門，兩斜廡十，門闕上兩觀皆三趓樓，連趓樓東西廡各五間。西趓樓之西有塗金銅幡竿，附宫城，南面有宿衛直廬。凡諸宫門，金鋪朱户，丹楹藻繪，彤壁琉璃，瓦飾簷脊。輟耕録

【增】宋褧崇天門唱名詩　三月吉日當十三，紫霧氤氳閶闔南。天子龍飛坐霄漢，儒生鵠立耀冠簪。黄麾仗内清風細，丹鳳樓頭曉日酣。獨愛玉階階下草，解將袍色染成藍。燕石集

【增】薩都拉丁卯及第謝恩崇天門詩　禁柳青青白玉橋，無端春色上宫袍。卿雲五彩中天見，聖澤千年此日遭。虎榜姓名書勅旨，羽林冠帶竪旌旄。承恩朝罷頻回首，午漏花深紫殿高。薩天錫詩集　按：薩都拉，滿洲語結親也，舊作薩都剌。今譯改。

【原】車駕出宫，凡祭祀前一日，所司備儀從内外仗，侍祠官兩行序立於崇天門外，太僕寺控御馬立於大明門外。車駕還宫，駕入崇天門，至大明門外降馬升輿。元史祭祀志

〔臣等謹按〕元史祭祀志儀注節目凡十條，朱彝尊原書所引，凡祭祀前一日至立於大

明門外數語，乃第三條車駕還宮之儀，駕入崇天門以下十四字乃第十條車駕還宮之儀。原書失載出宮還宮字，遂致前後牽混，文理難解，今謹據史志增入，並辨正之。

原至元二十四年，田忠良請建太社於廟右。元史本傳

原大德元年正月，建五福太乙神壇時。元史祭祀志

原至元三十一年五月，祭紫微星於雲仙臺。元史成宗紀

原雲仙臺今之望月臺。金臺集

原果囉洛納延詩 臺殿青冥外，團團海月涼。隔簾聞鳳管，秉燭奏霓裳。銅爵晨霞眩，金盤夕露瀼。仙人不復返，愁殺海生桑。同上

原至元二十八年二月，建宮城南面周廬以居宿衛之士。元史世祖紀

原元貞二年十月，樞密院臣言：昔大朝會時皇城外皆無牆垣，故用軍環繞以備圍宿；今牆垣已成，南北西三畔皆可置軍，獨御酒庫西地窄不能容。臣等與丞相鄂勒哲議，各城門以蒙古軍列衛，及於周橋南置戍樓以警昏旦。從之。元史兵志 按：鄂勒哲，蒙古語壽也，舊作完澤。今譯改。

原至治元年八月，東內皇城建宿衛屋二十五楹，命五衛內摘軍二百五十人居之，以備禁衛。同上

原崇天之左曰星拱，三間一門，東西五十五尺，深四十五尺，高五十尺。崇天之右曰雲

從，制度如星拱。東曰東華，七間三門，東西一百十尺，深四十五尺，高八十尺。西曰西華，制度如東華。北曰厚載，五間一門，東西八十七尺，深高如西華。角樓四，據宮城之四隅，皆三趓樓，琉璃瓦飾簷脊。直崇天門有白玉石橋三虹，上分三道，中爲御道，鐫百花蟠龍。星拱南有御膳亭，亭東有拱宸堂，蓋百官會集之所，名曰掃鄰。東南角樓東差北有生料庫，庫東爲柴場，夾垣東北隅有羊圈。輟耕録

原 至正元年九月，賜文臣宴於拱辰堂。元史

原 生料庫在學士院南，又南爲鞍轡庫，又南爲軍器庫，又南爲庖人、牧人宿衛之室。藏珍庫在宮垣西南隅，制度並如酒室，惟多鹿頂半屋三間，庖室三間。輟耕録

原 釋來復燕京雜詠 秋滿龍沙草已霜，射鵰風急朔雲長。內官連日無宣喚，獵取黃羊進尚方。蒲菴集

原 南角樓南紅門外，留守司在焉。西華南有儀鸞局。輟耕録

〔臣等謹按〕至元十九年五月乙酉，宮城初建東西華左右掖門，見元史世祖本紀。

原 留守司在宮城西南角樓之南，專掌宮禁工役者。輟耕録

原 達爾瑪除大都留守，帝命修七星堂。先是，修繕必用赤緑金銀裝飾。達爾瑪獨務樸素，令畫工圖山林景物。車駕自上京還入觀之，乃大喜，以手撫壁歎曰：有心哉留守也！元史本傳 按：達爾瑪，梵語法也，舊作荅里麻。今譯改。

增西華門在延春閣西，蕭牆外卽門也，門內有內府諸庫、鹿苑、天閑。析津志

原至元十一年二月，初立儀鸞局，掌宮門管鑰供帳燈燭。元史世祖紀

原西有鷹房。輟耕錄

原至大元年二月，立鷹坊爲仁虞院。元史武宗紀

原至大四年二月，罷仁虞院，改置鷹坊總管府。元史仁宗紀

原國制自御位及諸王皆有錫寶齊，蓋鷹人也。及一天下，又設捕獵户，俾致鮮食以薦宗廟，供天庖齒革羽毛以備用，而立制加詳。地有禁，取有時，違者罪之。冬春之交，天子或親幸近郊，縱鷹隼搏擊，以爲游豫之度，曰飛放。仁廟以穀不熟民困，曰朕不飛放。且勅諸王位錫寶齊皆不聽出。經世大典序錄 按：錫寶齊，蒙古語養禽鳥人也，舊作昔寶赤。今譯改。

原柯九思宮詞 元戎承命獵郊坰，勅賜新羅白海青。得雋歸來如奏凱，天鵝馳道入宮庭。玉山雅集

原張昱輦下曲 天朝習俗樂從禽，爲按名鷹出朗陰。立馬萬夫齊指望，平空鵝影雪沉沉。張光弼詩集

原大明門在崇天門內，大明殿之正門也。七間三門，東西一百二十尺，深四十四尺，重簷。輟耕錄

原大明門旁建掖門，繞爲長廡，中抱丹墀之半，左右爲文武樓，與廡相連。大都宮殿考

原上尊號受朝賀，前期二日，儀鸞司設大次於大明門外。元史禮樂志

【原】日精門在大明門左，月華門在大明門右，皆三間一門。輟耕錄

〔臣等謹按〕元代日精、月華門在正殿門左右，今制日精、月華二門在乾清宮左右兩廡。蓋自明以來雖久沿其名，而其地則互異也。

【原】元正受朝，尚引引殿前班皆公服，分左右入日精、月華門，就起居位。管旗分立大明門南楹，典引引丞相以下皆公服，入日精、月華門就起居位。四品以上賜酒殿上，典引引五品以下賜酒於日精、月華二門之下。册立皇后，前期二日，儀鸞司設發册寶案於大明殿，捧册官由月華門入，捧寶官由日精門入。元史禮樂志

【補】永嘉王振鵬畫，妙在界畫，運筆和墨，毫分縷析，左右高下，俯仰曲折，方圓平直，曲盡其體，而神氣飛動，不爲法拘。嘗爲大明宮圖以獻，世稱妙絶。研北雜志

【原】大明殿乃登極、正旦、壽節、會朝之正衙也。十一間，東西二百尺，深一百二十尺，高九十尺。柱廊七間，深二百四十尺，廣四十四尺，高五十尺。寢室五間，東西夾六間，後連香閣三間，東西一百四十尺，深五十尺，高七十尺。青石花礎，白玉石圓碣，文石甃地，上藉重茵，丹楹金飾，龍繞其上，四面朱瑣窗，藻井間金繪飾，燕石重陛，朱闌塗金銅飛雕冒。中設七寶雲龍御榻，白蓋金縷縟，并設后位。諸王百寮集賽官元史：集賽者，言番直宿衛也。侍宴，坐牀重列左右。前置燈漏貯水運機小偶人，當時刻捧牌而出。木質銀裹漆

甕一，金雲龍蜿繞之，高一丈七尺，貯酒可五十餘石。雕象酒卓一，長八尺，闊七尺二寸。玉甕一，玉編磬一，巨笙一，玉笙玉箜篌咸備於前。前懸繡緣朱簾，至冬月，大殿則黃猫皮壁幛，黑貂褥，香閣則銀鼠皮壁幛，黑貂暖帳。凡諸宮殿，乘輿所臨御者，皆丹楹朱瑣窗，間金藻繪，設御榻，裀褥咸備。屋之簷脊皆飾琉璃瓦。輟耕録 按：集賽，蒙古語輪流值班之謂也，舊作怯薛。今譯改。

原 至元十年十月，初建正殿、寢殿、香閣、周廡兩翼室。十一年正月朔，宮闕告成，帝始御正殿受皇太子諸王百官朝賀。十一月，起閣南大殿及東西殿。元史世祖紀

原 至元十六年秋，高興入朝，侍燕大明殿，悉獻江南所得珍寶。元史本傳

原 至元十八年二月，發侍衛軍四千完正殿。二十一年正月，帝御大明殿。右丞相和爾果斯率百官奉玉册、玉寶，上尊號，諸王百官朝賀如朔旦儀。元史世祖紀 按：和爾果斯，蒙古語牧地遺矢也，舊作和禮霍孫。今譯改。

原 世祖建大內，移沙漠莎草於丹墀，示子孫無忘草地也。玉山雅集

原 元世祖思創業艱難，故所居之地青草植于大內丹墀之前，謂之誓儉草。草木子

原 柯九思宮詞 黑河萬里金沙漠，世祖深思創業難。數尺闌干護青草，丹墀留與子孫看。玉山雅集

原 卽位上尊號，受朝賀，升大明殿。元史禮樂志

原仁宗將卽位，廷臣用皇太后旨，行大禮於隆福宮。法駕已陳矣，張珪言當御大明殿。帝悟，移仗大明。元史本傳

增至治元年三月丁丑，御大明殿受緬國使者朝貢。元史英宗紀

原仁宗正位宸極，欲用陰陽家言卽位光天殿，卽東宮也。王約言於太保齊蘇曰：正名定分，當御大內。太保入奏，遂卽位於大明殿。元史本傳 按：齊蘇，蒙古語血也，舊作曲樞。今譯改。

原元正受朝儀，大昕，侍儀使引導從護尉各服其服，入至寢殿前報外辦。皇帝出閣升輦，鳴鞭三，侍儀使并通事舍人分左右引擎執護尉，劈正斧中行，導至大明殿外。劈正斧直正門北向立，導從倒卷序立，惟扇置於錡。侍儀使導駕時，引進使同內侍官引宮人擎執導從入皇后宮庭報外辦。皇后出閣升輦，引進使引導從導至殿東門外，引進使分退，押直至堊塗之次，引導從倒卷出。俟兩宮升御榻，鳴鞭三，劈正斧退立於露階東。司晨報時，雞唱畢，尚引引殿前班皆公服，分左右入日精、月華門，就起居位。朝畢，宴饗殿上。預宴之服，衣服同制，謂之濟遜。元史禮樂志 按：濟遜，蒙古語。濟遜卽濟蘇，顏色也，舊作質孫。今譯改。

原濟遜，華言一色衣也，濟遜宴俗呼曰詐馬宴。近光集

原濟遜宴服者，貴臣見饗於天子則服之，今所賜絳衣是也。貫大珠以飾其肩背間，膺首服亦如之。輟耕録

原元親王及功臣侍宴者別賜冠衣，謂之濟遜。今儀從所服團花濟遜當是也。與輟耕録所載制飾不同。（近峯紀聞略）

〔朱彝尊原案〕前代未有帝后並臨朝者，惟元則然。周憲王宮詞：大安樓閣聳雲霄，列坐三宮御早朝。大安閣在上都，然則帝巡上都，后亦從朝，必並御也。

原劈正斧，以蒼水玉碾造，高二尺有奇，廣半之。徧地文藻粲然，或曰自殷時流傳至今者。如天子登極，正旦、天壽節御大明殿會朝時，則一人執之，立於陛下酒海之前，蓋所以正人不正之意。（輟耕録）

補劈正斧，斲蒼玉爲之，長徑九寸有奇，戚之刃滿六寸，頦上略齟齬之，中堅厚二寸强，龍首呀吻，刃嗞於口，作兩段，呑荅腦與刃通以柯貫之，上以雙蟠螭冒其端，下以玉束琯承其竅。華潤緻密，無微疵可摘，真秘寶也。天子正衙朝會，命冕者執之中立，古人納君於正，去邪勿疑之義也。（秋澗集）

原宣和殿所藏殷玉鉞，長三尺餘，一段美玉，文藻精甚，三代之寶也。後歸於金，今入元。每大朝會必設於外庭。（志雅堂雜抄）

原興隆笙在大明殿下。其制，植象管於柔葦，以象大匏，土鼓二韋橐，按其管，則簧鳴。簨首爲二孔雀，笙鳴機動則應而舞。凡燕會之日，此笙一鳴，衆樂皆作，笙止樂亦

止。輟耕録

【原】果囉洛納延宮詞　千官鵠立五雲間，玉斧參差擁畫闌。今日君王西内去，安排天仗趣儀鸞。金臺集

【原】柯九思宮詞　萬里名王盡入朝，法宮置酒奏簫韶。千官一色真珠襖，寶帶攢裝穩稱腰。玉山雅集

【原】張昱輦下曲　静鞭約鬧殿西東，頒宴宗王禮數隆。中使巡觴宣上旨，儘教滿酌大金鍾。張光弼詩集

【原】周憲王元宮詞　雨潤風調四海寧，丹墀大樂列優伶。年年正旦將朝會，殿内先觀玉海青。健兒千隊足如飛，隨從南郊露未晞。鼓吹聲中春日曉，御前咸著只孫衣。誠齋新録

【原】柳貫元日朝回書事詩　九賓陳仗建朱干，六譯傳聲贊白環。法部清商初按樂，宮闈重翟已趨班。雪華遥映龍旗動，日色纔臨鳳蓋開。萬歲玉杯誰刻字，忽聞送喜入天顔。柳待制集

【補】王褘興隆笙頌并序　惟世祖皇帝統一函夏，功成治定，乃肇置大樂以用諸朝廷。其器有曰興隆笙者，實上所自作。或曰西域之所獻，而天子加損益焉者也。其制爲管九十，列爲十五行，每行縱列六管，其管下植於匱中，而匱後鼓之以鞴。自匱足至管端，約高五尺，仍鏤版鳳形，繪以金采，以圍管之三面，約廣三尺，加文飾焉。凡大朝會，則列諸軒陛之間，與衆樂並奏，每用樂工二人，一以按管，一以鼓鞴，以達氣出聲，以叶衆音，而樂之奏成矣。其制之宏鉅，歷古所無，誠足以章顯功德，垂示永世。而學士大夫顧未嘗摛藻掞辭以形容盛美，非闕典歟！臣愚不揣微賤，輒爲之頌，雖不敢儗諸時邁執競桓賚之列，蓋庶幾漢世樂府之遺意焉。其詞曰：巍巍聖元，龍興朔土。於皇世皇，誕統區宇。南詣北變，東賓西旅。聿昭聖文，丕布神武。寶歷是膺，玉燭爰撫。德龐功隆，超軼今古。乃章功德，乃立樂府。乃作雅笙，厥制爲鉅。嶰谷掄材，后夔審矩。列管九十，如簫斯竪。管以匱植，匱由鞴鼓。鞴動氣應，手按聲吐。挹納撅揄，牽連絡組。高五尺餘，廣三尺許。黄鐘本宮，蕤賓叶吕。清不過商，細不逾羽。變聲振厲，鳳韻紆紆。妙音之達，蕭寥容與。有如臣子，仰事君父。巨聲之暢，雄渾包溥。有如圓穹，覆冒海寓。抑揚合調，開闔諧譜。唱和章夏，凜揚韶濩。大音斯完，神人樂胥。王會之辰，穆穆帝所。天臨黼座，雲映華纛。仙仗既班，大樂爰舉。朱干玉戚，崇牙龍虡。鐘鏞琴瑟，亦有柷敔。於維兹笙，獨貫樂部。鈞天普奏，九成咸序。四靈畢來，百獸率舞。陋哉新制，哇俚淫蠱。箜篌箏篥，於律何取？俟今之制，孰盛敢伍。微臣作頌，式配有瞽。於萬斯年，仰憲皇祖。王忠文集

【補】無名氏興隆引　龍馬負圖，鴛鸞篷羽。後從揚戈，前驅負弩。平秦下隴，收吴定楚。握乾符，撫安中土。疆宇大，過前古。中和樂章

〔朱昆田原案〕謹按此曲疑即興隆笙所奏樂章也。

原大明殿燈漏之制，高丈有七尺，架以金爲之。其曲梁之上，中設雲珠，左日右月，雲珠之下，復懸一珠。梁之兩端飾以龍首，張吻轉目，可以審平水之緩急。中梁之上有戲珠龍二，隨珠俯仰，又可察準水之均調。燈毬雜以金寶爲之，内分四層，上環布四神，旋當日月參辰之所在，左轉日一週。次爲龍虎鳥龜之象，各居其方，依刻跳躍，鐃鳴以應於内。又次週分百刻，上列十二辰，各執時牌，至其時四門通報。又一人當門内，常以手指其刻數下，四隅鐘鼓鉦鐃各一人，一刻鳴鐘，二刻鼓，三鉦，四鐃，初、正皆如是。其機發隱於櫃中，以水激之。元史志

原郭公守敬於世祖朝進七寶燈漏，今大明殿每朝會張設之，其中鐘鼓皆應時自鳴。元文類

補洪武元年冬十月，碎元水晶宮漏。徵吾録

補司天監進元主所製水晶宮漏，備極機巧。中設二木偶人，能按時自擊鉦鼓。上覽之，謂侍臣曰：廢萬幾之務而用心於此，所謂作無益害有益也。使移此心以治天下，何至滅亡？命左右碎之。明卓異記

原姚燧漏刻鐘銘　靈臺設簴巍以尊，元間大吕非其曩。摯曠善鼓手自煩，宮商良諧等釜盆。請無以聲以功論，一日之中兩昕昏。一鳴一刻有度存，九圍一圍折柳樊。黔首時作時饔飧，日月如是相告敦。三辰聽命循軌垣，四序不忒迭寒暄。萬物生翕盈乾坤，何獨治歷逌此源。凝熙帝績高羲軒，積世而運會而元。吉金之舌慎莫捫，輟響誰其代天言？牧庵集

原大明殿後連爲柱廊十二楹，四周金紅瑣窗，連建後宮，廣三十步，殿半之。後有寢

宮，俗呼爲拏頭殿，東西相向。至冬則自殿外一周皆籠護皮帳，夏則黃油絹幕。内寢屏幛重複，帷幄而後裏以銀鼠。席地皆編細簟，上架深紅厚氈，後露茸單。宮後連抱長廡以通前門，以貯妃嬪。而每院間必建三楹，東西相向，爲繡榻。廡後橫亘道以入延春宮。丹墀皆植青松，即萬年枝也。置金酒海，前後列紅蓮牀，其上爲延春閣。大都宮殿考

原 寶雲殿在寢殿後，五間，東西五十六尺，深六十三尺，高三十尺。鳳儀門在東廡，中三間，一門，東西一百尺，深六十尺，高如其深。門之外有庖人之室，稍南有酒人之室。麟瑞門在西廡中，制度如鳳儀，門之外有内藏庫二十所，所爲七間。鐘樓又名文樓，在鳳儀南，鼓樓又名武樓，在麟瑞南，皆五間，高七十五尺。嘉慶門在後廡寶雲殿東，景福門在後廡寶雲殿西，皆三間，一門。周廡一百二十間，高三十五尺。四隅角樓四間，重簷。凡諸宮周廡並用丹楹壁藻繪，琉璃瓦飾簷脊。延春門在寶雲殿後，延春閣之正門也。五間三門，東西七十七尺，重簷。輟耕録

〔臣等謹按〕昭儉録：鳳儀、麟瑞二門在大明殿東西廡。今考陶宗儀輟耕録及元宮闕制度，所載相符。此條所稱鳳儀在東廡，麟瑞在西廡，嘉慶、景福在後廡者，蓋皆指大明殿而言，與寶雲殿無涉。朱彝尊原書徵引此條，未經分晰，附辨於此。

原 成宗崩，安西王阿南達謀繼大統，即位有日。李孟曰：事急矣，不可不早圖之。仁宗

召卜人入筮，遇乾之睽。孟曰：筮不違人，是爲大同，時不可以失。仁宗喜，振袖而起，乃共扶上馬。孟及諸臣皆步從，入自延春門，收首謀及同惡者送都獄，奉御璽北迎武宗。元史本傳 按：阿南達，梵語阿難也，舊作阿難答。今譯改。

原 懿範門在延春左，嘉則門在延春右，皆三間一門。延春閣九間，東西一百五十尺，深九十尺，高一百尺，三簷重屋。柱廊七間，廣四十五尺，深一百四十尺，高五十尺。寢殿七間，東西夾四間，後香閣一間，東西一百四十尺，深七十五尺，高如其深。重簷，文石甃地，藉花毳裀，簷帷咸備。白玉石重陛，朱闌銅冒楯，塗金雕翔其上，閣上御榻二，柱廊中設小山。屏牀皆楠木爲之，而飾以金。寢殿楠木御榻，東夾紫檀御榻，壁皆張素畫飛龍舞鳳，西夾事佛像。香閣楠木寢牀，金縷褥，黑貂壁幛。輟耕録

原 大德十一年十二月，命留守司以來歲正月十五日起燈山於大明殿後、延春閣前。元史武宗紀

原 延祐七年十二月，作延春閣後殿。元史英宗紀

原 至治三年十二月，塑瑪哈噶拉佛像於延春閣之徽清亭。元史泰定帝紀 按：瑪哈噶拉，梵語大黑神也，舊作馬哈吃剌。今譯改。

〔臣等謹按〕徽清亭，據禁扁註在延華閣。昭儉録，延華閣在興聖宮後，徽清亭在延華閣後，圓亭之東與芳碧亭相對。析津志，繡女房牆外南牆內，是圓殿一，直板房

前，即延華閣。西有娑羅樹，徽清亭。據此，則徽清亭在延華閣後無疑。又考延春閣下爲延春宫，東爲慈福，西爲明仁，後爲后宫寢殿香閣，又後爲清寧宫。禁扁、昭儉録、故宫遺録諸書載之頗詳，俱無及徽清亭者。泰定紀蓋訛華作春，朱彝尊原書未訂其誤，兹謹辨正如右。

原帝宴大臣於延春閣，特賜達爾瑪白鷹以表其貞廉。元史本傳

原至正十七年，將大赦天下，宣歐陽原功赴内府。原功久病不能步履，丞相傳旨，肩輿至延春閣下。元史本傳

原張翥直延春閣詩　蓬萊海上第三山，仙掌雲間十二槃。雞樹烟深殊窅窱，鳳樓天近自高寒。銅壺傳漏聲相應，紫詔封泥墨未乾。願祝君王千萬壽，坐施雄斷濟艱難。蜕菴集

原延春閣後仍爲柱廊，東有文思小殿，西有紫檀小殿。大都宫殿考

〔臣等謹按〕文思、紫檀二殿，輟耕録謂在大明寢殿之東西。昭儉録所載與輟耕録同。惟蕭洵故宫遺録謂在延春閣後，與二書不合。考禁扁註，大明西曰紫檀，東曰文思，北曰寶雲，此四殿爲大内前位，則當以輟耕録爲是。大都宫殿考蓋沿故宫遺録之誤也。

原文思殿在大明寢殿東，三間，前後軒，東西三十五尺，深七十二尺。輟耕録

原紫檀殿在大明寢殿西，制度如文思，皆以紫檀香木爲之。縷花龍涎香間，白玉飾壁，

草色髹緑，其皮爲地衣。同上

原至元二十八年三月，發侍衛兵，營紫檀殿。元史世祖紀

原至治二年閏月，作紫檀殿。元史英宗紀

補高麗忠烈王十八年八月，遣郎將秦良弼押呪人巫女如元，帝召之也。九月，帝御紫檀殿引見，世子令呪人巫女等入殿執帝手足呪之，帝笑。高麗史世家

補高麗世子如元謁帝便殿，問讀何書，對曰：有師儒鄭可臣、閔漬從行，宿衛之暇時從質問孝經、論語。帝悦，命世子，引與俱入，賜坐，問本國世代相傳之序，理亂之蹟，風俗之宜，聽之不倦。其後命公卿議征交趾，又召與同議二人對稱旨，於是授可臣翰林學士，漬直學士。東國史略

補帝召見世子於紫檀殿，可臣從，帝使之坐，仍命脱笠，曰：秀才不須編髮，宜著巾。御案前有物，大圓小鋭，色潔而貞，高尺有五寸，內可受酒數斗，云摩訶鉢國所獻駱駝鳥卵也。帝命世子觀之，仍賜世子及從臣酒，命可臣賦詩。可臣獻詩云：有卵大如甕，中藏不老春。願將千歲壽，醺及海東人。帝嘉之，輟賜御羹。高麗史列傳

〔朱昆田原按〕高麗世子卽忠宣王璋，嘗構萬卷堂於京師者。可臣在東國撰千秋金鏡録，漬增修之曰世代編年節要七卷，又撰本國編年綱目四十二卷。惜其書不可得見也。

原至治間，燕人史騾兒善琵琶，蒙上愛幸。上使酒，無敢諫者。御紫檀殿，一日飲，騾

兒歌殿前歡曲，有酒神仙之句。上怒，叱左右殺之。後悔曰：騾以酒諷我也。席帽山人集

原 慈福殿又曰東暖殿，在寢殿東，三間，前後軒，東西三十五尺，深七十二尺。輟耕録

原 元統二年，王結召拜翰林學士，中宮命僧尼於慈福殿作佛事。已而殿災，結言僧尼褻瀆，當坐罪。元史本傳

原 明仁殿又曰西暖殿，在寢殿西，制度如慈福。輟耕録

原 上謂順帝也作二小璽，一曰明仁殿寶，一曰洪禧，命楊瑀篆文。洪禧璞純白，而龜紐墨色。同上

原 至正初，許有壬進講明仁殿，帝悅，賜酒宣文閣中。元史

原 貢師泰明仁殿進講詩　春日君王出殿遲，千官簾外立多時。觚稜雪轉寒無奈，先許儒臣列講帷。黃綾寫本奏經筵，正是虞書第二篇。聖主從容聽講罷，許教留在御牀邊。殿前冠佩儼成行，玉椀金瓶進早湯。自愧平生飯藜藿，朝來得食大官羊。黃金爲帶玉爲簪，劍戟如林衛紫髯。也愛儒臣勤講讀，向前輕揭虎皮簾。奏對歸來日已西，獨騎官馬踏春泥。行從海子橋邊過，猶望宮城柳色齊。玩齋集

原 景耀門在左廡中，三間一門，高三十尺。清顥門在右廡中，制度如景耀。鐘樓在景耀南，鼓樓在清顥南，各高七十五尺。周廡一百七十二間，四隅角樓四間。玉德殿在清顥外，七間，東西一百尺，深四十九尺，高四十尺，飾以白玉，甃以文石，中設佛像。輟耕録

原 延祐七年十二月，鑄銅爲佛像，置玉德殿。元史英宗紀

原東香殿在玉德殿東，西香殿在玉德殿西，宸慶殿在玉德殿後，九間，東西一百三十尺，深四十尺，高如其深。中設御榻，簾帷裀褥咸備。前列朱闌，左右闢二紅門後山字門三間，東更衣殿在宸慶殿東，五間，高三十尺。西更衣殿在宸慶殿西，制度如東殿。輟耕録

補大德五年，嘉興張樞以官本船浮海至西洋，遇其王合贊所遣使臣那懷等如京師，遂載之以來。那懷等朝貢事畢，請仍以樞護送西還。丞相哈喇哈斯達爾罕如其請，奏授忠顯校尉海運副千户，佩金符，與俱行。以八年發京師，十一年仍至其登陸處。用私錢市其土物白馬、黑犬、琥珀、蒲萄酒、蕃鹽之屬以進。平章政事察納等引見於宸慶殿。黄文獻集

按：哈喇，蒙古語黑色也，哈斯，玉也，達爾罕，凡有勤勞者免其差役之稱也，舊作哈喇哈孫荅剌罕。察納，蒙古語，那邊也，舊作察那。今俱譯改。

原延春宮後爲清寧宮，後引抱長廡，遠連長春宮，其中皆以處嬖幸。大都宮殿考

〔臣等謹按〕蕭洵故宮遺録，延春閣又後爲清寧宮，引抱長廡，遠連延春宮，蓋后宮之正殿也。禁扁作咸寧，註在延春閣後，而載清寧宮爲上都殿名。今考析津志所載游皇城一則云：自東華門内經十一室，皇后鄂爾多前轉首，清寧殿後，出厚載門。據此則大都亦有清寧宮也。大都宮殿考蓋沿蕭洵之説訛寧作寒，今謹改訂其誤。按：鄂爾多，滿州語宮也，舊作斡耳朵。今譯改。

原太宗詔學士十八人，即長春宫教之，俾楊中書惟中督。牧庵集

原至正十一年正月，京師清寧殿災，焚寶玩萬計，由宦官薰鼠故也。草木子

原皇太子常坐清寧殿，分布長席，列坐西番、高麗諸僧。元史順帝紀

原厚載北爲御苑，外周垣紅門十有五，内苑紅門五，御苑紅門四，此兩垣之内也。輟耕録

原厚載門乃禁中之苑囿也。内有水碾，引水自玄武池灌溉，種花木，自有熟地八頃。内有小殿五所，上曾執耒耜以耕，擬于藉田也。析津志

欽定日下舊聞考卷三十一

宮室 元二

原 隆福殿在大内之西，興聖之前，南紅門三，東西紅門宮各一，繚以甎垣，南紅門一，東紅門一，後紅門一。輟耕録

〔臣等謹按〕昭儉録，儀天殿西爲木橋，長百七十尺，通興聖宮之夾垣。而隆福宮、光天、壽昌、嘉禧等殿皆在興聖之前，奎章、延華等閣在興聖之後，其制度亦如大内。其地當並屬太液西岸之西。孫承澤春明夢餘録，燕邸因元故宮，卽今之西苑開朝門於前。承澤所謂元故宮者，未載其名。今考昭儉録，假山在隆福宮西。嚴嵩鈐山集，假山在仁壽宮西。仁壽爲成祖潛邸。據此，則春明夢餘録所稱元故宮當卽隆福、興聖諸宮無疑矣。

原 隆福宮左右後三向皆爲寢殿，殿東有沉香殿，長廡環抱。大都宮殿考

增 至元三十一年五月，改皇太后所居舊太子府爲隆福宮。元史成宗紀

原至元三十一年十一月，帝朝皇太后於隆福宫，上玉册、玉寳。上同

原鄭滁孫、陶孫兄弟最號博洽，隆福宫以其兄弟前朝士，乃製衣親賜，人以爲異遇焉。元史本傳

原卜天璋遷刑部郎中，仁宗召入見，以中書刑部印章付之。既視事，入覲，賜酒隆福宫。上同

原光天門，光天殿正門也。五間三門，高三十二尺，重簷。輟耕録

原國史院進先朝實録。是日大昕，諸司官具公服立於光天門外，侍儀使引實録案以入，監修國史以下奉隨至光天殿前分班立。元史禮樂志

原范梈光天門進三朝實録詩　儀鸞簇仗滿雲端，玉鑰初開衆樂攢。三后龍光周典册，羣臣鵠立漢衣冠。爐香著日浮晴靄，宫樹班春試曉寒。千騎前頭都不避，衹傳學士拜金鑾。范德機詩集

原崇華門在光天門左，膺福門在光天門右，各三間一門。光天殿七間，東西九十八尺，深五十五尺，高七十尺。柱廊七間，深九十八尺，高五十尺。寢殿五間，兩夾四間，東西一百三十尺，高五十八尺五寸。重簷藻井，瑣窗，文石甃地，藉花毳裀，懸朱簾，重陛朱闌塗金雕冒楯。正殿縷金雲龍樟木御榻，從臣坐牀重列，前兩旁寢殿亦設御榻，裀褥咸備。青陽門在左廡中，明暉門在右廡中，各三間一門。輟耕録

原至正七年三月，修光天殿。元史順帝紀

補皇太后命改隆福宮名，他學士擬光被，趙公孟頫擬光天。他學士曰：光天二字出陳後主詩，不祥。公曰：帝光天之下，出虞書，何名不祥？於是各書所擬以進，卒用光天。楊仲宏集

原翥鳳樓在青陽南，三門，高四十五尺。駿龍樓在明暉南，制度如翥鳳。後有牧人宿衛之室。壽昌殿又曰東暖殿，在寢殿東，三間，前後軒，重簷。嘉禧殿又曰西暖殿，在寢殿西，制度如壽昌。中位佛像，旁設御榻。輟耕録

補延祐五年四月二十七日，上御嘉禧殿。集賢大学士臣邦寧大司徒臣源進呈農桑圖。上披覽再三，問：作詩者何人？對曰：翰林承旨趙孟頫。作圖者何人？對曰：諸色人匠提舉臣楊叔謙。上嘉賞久之，人賜文綺一段，絹一段。松雪齋集

補仁宗卽位，授王壽衍靈妙真常崇教真人，召詣闕，賜見嘉禧殿。固辭不敢稱真人。延祐甲寅，改授宏文輔道粹德真人，給銀印章，視二品。陛辭日，上御嘉禧殿賜坐，與語移時，以字稱之曰眉叟。王忠文集

補趙孟頫宮詞二首　日照黃金寶殿開，雕闌玉砌擁層臺。一時侍衛回身立，天步將臨玉斧來。殿西小殿號嘉禧，玉座中央静不移。讀罷經書香一炷，太平天子政無爲。松雪齋集

原伊嚕布哈拜江南行御史臺中丞，陛辭之日，帝御嘉禧殿慰勞之。元史本傳　按：伊嚕，蒙古語淨也。布哈，犍牛也，舊作月魯不花。今譯改。

原 針線殿在寢殿後，周廡一百七十二間，四隅角樓四間。侍女直廬五所，在針線殿後。又有侍女室七十二間，在直廬後，及左右浴室一區，在宮垣東北隅。文德殿在明暉外，又曰楠木殿，皆楠木爲之，三間，前後軒一間。輟耕録

原 泰定元年七月，作楠木殿。元史泰定帝紀

原 鹿頂殿五間，在睿安東北，光天殿西北，角樓西，後有鹿頂小殿。輟耕録

〔臣等謹按〕禁扁註，光天殿西位爲文德，東位爲睿安。今考諸書，祇詳文德，而睿安缺載。昭儉録，鹿頂殿五間在睿安東北，光天殿西北，角樓西，後有鹿頂小殿。蓋東西二鹿頂也。輟耕録脱載睿安東北四字，遂混二鹿頂殿爲一，誤矣。今謹增入而附辨之。

原 延祐五年二月，建鹿頂殿於文德殿後。元史仁宗紀

〔臣等謹按〕昭儉録，光天殿之周廡四隅皆有角樓四間，而其西廡中爲明暉門，門外卽文德殿，其所載西北角樓西後有鹿頂小殿，蓋卽延祐所建。其地正當西位文德殿之後，與東位睿安殿後五間相配也。元史作文治殿後，當是文德之訛。

〔又按〕元史仁宗紀，皇慶三年改元延祐，是皇慶無五年也。朱彝尊原書誤作皇慶五年，今謹訂正。

原至治二年八月，詔畫蠶麥圖於鹿頂殿壁，以時觀之。元史英宗紀

原周憲王元宮詞 鹿頂殿中逢七夕，遥瞻牛女列珍羞。明朝看巧開金合，喜得蛛絲笑未休。誠齋新録

原香殿在宮垣西北隅，三間，前軒一間，前寢殿三間，柱廊三間，後寢殿三間，東西夾各二間。輟耕録

原至元十二年正月二日，帝御香殿，以大軍南征，使久不至，命楊恭懿筮之。元史本傳

原至大元年八月，李邦寧以建香殿成，賜金五十兩，銀四百五十兩。元史武宗紀

原至治元年三月，寶集寺金書西番波若經成，置大内香殿。元史英宗紀

原文宸庫在宮垣西南隅，酒房在宮垣東南隅，内庖在酒房之北。興聖宮在大内之西北，萬壽山之正西，周以甎垣，南闢紅門三，東西紅門各一，北紅門一。南紅門外兩旁附垣有宿衛直廬，凡四十間，東西門外各三間。南門前夾垣内有省院臺百司宮侍直板屋。北門外有窨花室五間，東夾垣外有宦人之室十七間，凌室六間，酒房六間。南北西門外棋置衛士直宿之舍二十一所，所爲一間。外夾垣東紅門三，直儀天門弔橋，西紅門一達徽政院。門内差北有鹿頂房二，各三間，又北有屋二所，各三間，差南有庫一所，及屋三間。北紅門外有臨街門一所三間，此夾垣之北門也。興聖門，興聖殿之北門也。五間，三門，重簷，東西七十四尺，明華門在興聖門左，肅章門在興聖門右，各三間一門。興聖

殿七間，東西一百尺，深九十七尺，柱廊六間，深九十四尺，寢殿五間，兩夾各三間，後香閣三間，深七十七尺。正殿四面懸朱簾瑣䆫，文石甃地，藉以氊裀，中設扆屏，榻張白蓋，簾帷皆錦繡爲之。諸王百寮宿衛官侍宴，坐牀重列左右，其柱廊寢殿亦各設御榻，裀褥咸備。白玉石重陛，朱闌塗金冒楯，覆以白磁瓦，碧琉璃飾其簷脊。弘慶門在東廡中，宣則門在西廡中，各三間一門。輟耕録

增 興聖宫丹墀内多桃李。析津志

原 興聖宫中建小直殿，引遼河分流其下，甃以白石，翼爲仙橋，四起瑣窗而抱綵樓。樓後東西爲日月殿，後又有禮天臺，高跨殿上。少東有流杯亭，又少東出便門。大都宫殿考

原 至大元年二月，建興聖宫。二年五月，以通政院使哈喇果勒知樞密院事，董建興聖宫。三年十月，帝率皇太子諸王羣臣朝興聖宫，上皇太后尊號册寶。元史武宗紀 按：哈喇義見前。果勒，蒙古語河也，舊作憨剌合兒。今譯改。

原 劉德温監建興聖宫。元史本傳

原 天歷元年十月，帝御興聖殿，齊王伊嚕特穆爾等奉上皇帝寶。元史文宗紀 按：伊嚕義見前。特穆爾，蒙古語鐵也，舊作月魯帖木兒。今譯改。

補 袁桷興聖宫上梁文　旭日蒼龍，聳帝京之積翠；層霄彩鳳，流阿閣之霏烟。巍成少廣之居，盛極東朝之禮。陛下孝嚴温清，敬謹膳羞，謂神游泰初，當廣鬱儀之宇；而養以天下，益新長樂之宫。庶民子來，百堵皆作。彩宇周遭

於禁雉，寶華流曳於驂鸞。匠石繕完，蓍龜告吉。舉修梁於地上，川嶽無譁；成巨構於城中，雲霞得色。敢伸善頌，庸贊昌辰。清容居士集

原黃清老興聖殿進史作　瑶編初進侍明光，日麗龍池晝刻長。堤柳染成春水色，宮花併入御爐香。金壺灑露層階滑，玉椀分冰廣殿涼。曚瞍似知天意喜，鳳笙新奏五雲章。樵川集

原馬祖常奏對興聖殿後詩　萬花簇錦寶簾垂，化日舒舒漏下遲。馬酒金盤流沆瀣，凌人玉井出琉璃。侍臣槖筆皆鵷鳳，御士櫜弓盡虎貔。他日滄洲應夢想，紫宸端御放朝時。石田集

原至順二年，爲雅克特穆爾建第於興聖宮之西南。元史本傳　按：雅克，蒙古語結實也，特穆爾義見前，舊作燕帖木兒。今譯改。

原皇后鴻吉哩氏，後至元二年二月立，性節儉，不妬忌，動以禮法自持。第二皇后奇氏素有寵，居興聖西宮，帝希幸東内。左右以爲言，后無幾微怨望意。輟耕録　按：鴻吉哩舊作宏吉剌，今從八旗姓譜改正。

原宦者朴布哈，高麗人。皇后奇氏微時與布哈同鄉里，及選爲宮人，有寵，遂爲第二皇后，居興聖宮。生皇太子阿裕爾錫哩達喇。元史本傳　按：阿裕爾，梵語長壽佛也，錫哩，威也，達喇，救度也。舊作愛猷識理達臘。今譯改。

補李宮人善琵琶，至元十九年以良家子入宮得幸，比之王昭君。至大中入事興聖宮，緣有足疾，乃得賜歸侍母，給内俸如故。秋宜集

補琵琶形製不同，唐裴神符趙璧所彈五絃，史盛六絃，鄭喜子七絃，北齊李愔、李德忱所造八絃，郭侃破西戎得七十二絃琵琶，然運撥之工初不係絃之多寡也。昔人工此者數呂阿。或作荷。香楊太真、段師善本、裴興奴。元世祖時有李宮人最善此技。揭曼碩、袁伯長、王繼學皆爲作詩。繼學所謂一曲六幺天上譜者，當屬四絃舊製。楊廉夫元宮詞云：

北幸和林幄殿寬，句麗女侍倢仔官。君王自賦昭君曲，勅賜琵琶馬上彈。按鄭仁趾高麗史樂志所載樂品，琵琶絃五，則倢仔所彈斯五絃矣。元制，歲責高麗貢美女。故張光弼輦下曲云：宮衣新尚高麗樣，方領過腰半臂裁。竊疑明初猶沿元制未改，此孝陵有碩妃長陵有權妃也。韞光樓雜志

補 袁桷李宮人琵琶行　先皇金輿時駐蹕，李氏琵琶稱第一。素指推却春風生，行雲停空駐晴日。居庸舊流水。浩浩湯湯亂人耳。龍岡古松聲。寂寂歷歷不足聽。天鵞夜度孤雁響，露鶴唳月哀猨驚。鵾絃水晶絲，龍柱珊瑚枝。願上千萬壽，復言長相思。廣寒殿冷芙蕖秋，簇金雕袍香不留。望瀛風翻浪波急，興聖宮前斂容立。花枝羞啼蝶旋舞。別調分明如欲語。憶昔從駕三十年，宮壺法錦紅茸氈。駝峯馬湩不知數，前部聲催檀板傳。長樂晝濃雲五色，侍宴那嫌頭漸白。禁柳慈烏飛復翾，爲言返哺明當還。朝進霞觴辭輦道，母子相對猶朱顏。君不聞出塞明妃恨難贖，請君換譜迴鄉曲。清容居士集

補 王士熙李宮人琵琶引　瓊華春島百花香，太液池邊夜色凉。一曲六幺天上譜，君王曾進紫霞觴。一入深宮歲月長，承恩曾得侍昭陽。檀槽按得新翻曲，五色雲中落鳳凰。宋元詩會

補 揭傒斯李宮人琵琶行　茫茫青冢春風裏，歲歲寒風吹不起。傳得琵琶馬上聲，古今只有王與李。李氏昔在至元中，少小辭家來入宮。一見世皇稱絕藝，珠歌翠舞忽如空。君王豈爲紅顔惜？自是衆人彈不得。玉觴未舉樂未停，一曲便覺千金值。廣寒殿裏月流輝，太液池頭花發時。舊曲未終新解譜，新聲萬變總相宜。三十六年如一日，長得君王賜顔色。形容漸改病相尋，獨抱琵琶空歎息。興慶宮中愛更深，承恩始得遂歸心。時時尚被宮中召，强理琵琶絃上音。琵琶調終聲轉澀，堂上慈親還泞立。回看舊賜滿牀頭，落花飛絮春風急。秋宜集

補 天曆初政，收攬賢能。丞相高昌王以都護舉陳思謙，時年四十矣，召見興聖宮。元史本傳

原 周憲王元宮詞　興聖宮中侍太皇，十三初到捧爐香。如今白髮成衰老，四十年如夢一場。奇氏家居鴨綠東，盛年纔得位中宮。翰林昨日新裁詔，三代蒙恩爵禄崇。白酒新篘進玉壺，水亭深處暑全無。君王笑向奇妃問：何似西涼打剌蘇？誠齋新録

原 凝暉樓在宏慶南，五間，東西六十七尺。延顥樓在宣則南，制度如凝暉。嘉德殿在寢

殿東，三間，前後軒各三間，重簷。寶慈殿在寢殿西，制度同嘉德。山字門在興聖宮後，延華閣之正門也。正一門，兩夾各一間，重簷一門，脊置金寶瓶。又獨脚門二，周閣以紅版垣。延華閣五間，方七十九尺二寸，重阿十字脊，白琉璃瓦覆青琉璃瓦飾，其簷脊立金寶瓶。丹陛御榻從臣坐牀咸具。東西殿在延華閣西，左右各五間，前軒一間。圓亭在延華閣後，芳碧亭在延華閣後。圓亭東三間，重簷，十字脊，覆以青琉璃瓦，飾以綠琉璃瓦，脊置金寶瓶。徽清亭在圓亭西，制度同芳碧亭。浴室在延華閣東南隅東殿後，旁有鹿頂井亭二間，又有鹿頂房三間。輝和爾殿在延華閣右六間，旁有窨花半屋八間。木香亭在輝和爾殿後。東鹿頂殿在延華閣東版垣外。正殿五間，前軒三間，東西六十五尺，深三十九尺。柱廊二間，深二十六尺。寢殿三間，東西四十八尺。前宛轉置花朱闌八十五扇，殿之傍有鹿頂房三間，庖室二間，面陽鹿頂房三間，妃嬪庫房一間，縫紉女庫房三間，紅門一。鹿頂之制，三椽其頂若笥之平，故名。西鹿頂殿在延華閣西版垣之外，制度同東殿。東殿之旁有庖室三間，好事房二各三間，獨脚門二。紅門一，妃嬪院四，二在東鹿頂殿後，二在西鹿頂殿後。各正室三間，東西夾四間，前軒三間，後有三椽半屋二間，侍女室八十三間，半在東妃嬪院左，西向，半在西妃嬪院右，東向。室後各有三椽半屋二十五間。東鹿頂殿紅門外有屋三間，鹿頂軒一間，後鹿頂房一間，庖室一區，在凝暉樓後，正屋五間，前軒一間，後披屋三間，又有鹿頂房一間，鹿頂井亭一間，周以土垣，前闢紅門。酒房在宮垣東南隅，庖室南正屋五間，前鹿頂軒三間，南北房各三間，西北隅鹿頂房三間，紅門一，土垣四周之。學士院在奎章閣後西鹿頂殿之西偏三間。輟耕録 按：輝和爾，回部名也，舊作畏吾兒。今對音譯改。

原 文宗建奎章閣，蒐羅中外才俊置其中。元史謝端傳

〔臣等謹按〕奎章閣在興聖殿西廡宣則門北，見昭儉録。

原 天曆初，建奎章閣於西宮興聖殿之西廊，爲屋三間以藏物。中間諸官入直所，北間南嚮設御座，左右列珍玩，命羣玉内司掌之。閣官署銜初名奎章閣，隸東宮屬官。後文宗復位，乃陞爲奎章閣学士院，置大學士五員，並知經筵事，侍書學士二員，承制學士二員，供奉學士二員，並兼經筵官。屬官則有羣玉内司專掌秘玩古物，藝文監專掌書籍，鑒書博士司專一鑒辨書畫，授經郎專一訓教集賽官大臣子孫，藝林庫專一收貯書籍，廣成局專一印行祖宗聖訓及國制等書。特恩創製象齒小牌五十，上書奎章閣三字，一面篆字，一面蒙古字與輝和爾字，分散各官懸佩，出入宮門無禁。命侍讀學士虞集撰記，御書刻石閣中，今上皇帝改奎章曰宣文。輟耕録

補 上方嚮用文學，開奎章閣，置學士員，立藝文監以治書籍，設藝林等庫任摹印，將大

修聖賢經傳之説以爲成書。知名之士多見進用，自中朝至於外方，金石之錫，承詔撰作，幾無虚日。東山集

【補】仙居柯九思遇文宗於潛邸，及即位，置奎章閣，特授學士院鑒書博士。凡内府所藏法書名畫金石鼎彝之器，咸命鑒定，賜牙章得通籍禁署。稗史集傳

【原】文宗親祀天地、社稷、宗廟，富珠哩翀爲禮儀使。竣事上天曆大慶詩三章，帝命藏之奎章閣。元史本傳 按：富珠哩舊作孛朮魯，今從八旗姓譜改正。

【原】文宗在奎章閣，有旨取國史閲之，左右舁匱以往。院長貳無敢言，吕思誠在末僚，獨跪閣下争曰：國史紀當代人君善惡，自古天子無觀閲之者。事遂寢。同上

【補】天曆初，李泂以待制召，於是文宗方開奎章閣，延天下知名士充學士員。泂數進見，奏對稱旨，超遷翰林直學士。俄特授奎章閣承制學士。泂既爲帝所知遇，乃著書曰輔治篇以進，文宗嘉納之。同上

【原】文宗開奎章閣作二璽，一曰天曆之寶，一曰奎章閣寶，命虞集篆文。輟耕録

【原】天曆二年春，上肇開奎章閣，延登儒流入侍燕閒。萬幾之暇，親灑宸翰，書奎章閣記，刻置禁中。凡墨本悉識以天曆之寶，或加用奎章閣寶。應賜者必閣學士持詣榻前四復奏，然後予之。黄文獻集

【補】奎章閣壁有宋徽宗畫承平殿曲宴圖，并書自製曲宴記。研北雜志

【補】文宗開奎章閣自寫閣記，甚有晉人法度。雲漢昭回，非臣庶所能及也。書史會要

【補】揭傒斯，延祐元年以布衣入翰林爲國史院編修官。天曆二年，文宗聚勳戚大臣子孫於奎章閣教之，命學士院擇可爲之師者，無以易公，乃擢公授經。閣在興聖殿西。公早作必徒步先諸侍臣而至。諸貴游受業者合謀錢爲貰馬。公微聞之，乃自置一馬，尋復鬻之，示不欲以己爲人累也。黄文獻集

【補】揭傒斯在奎章時，上覽所撰秋官憲典，驚曰：兹非唐律乎！又覽所進太平政要四十九章，喜而呼其字以示臺臣曰：此授經郎揭曼碩所進，卿等試觀之。其本嘗置御榻側。圭齋集

【原】天曆三年　札實入爲應奉翰林，文宗召對奎章閣。元史本傳　按：札實，唐古特語吉祥也，舊作瞻思。今譯改。

【原】文宗御奎章日，學士虞集、博士柯九思常侍從，以討論法書名畫爲事。時授經郎揭傒斯亦在列，寵眷稍疏，因潛著一書曰奎章政要以進。輟耕録

【原】天子在奎章閣，有獻文石者，平直如砥，厚不及寸。其陽丹碧光彩，有雲氣人物山川屋邑之形狀。自然天成，非工巧所能摹擬。其陰漫理紫潤，可書可鐫，有勅命臣集記諸，而攻材製匡廓，植以爲屏焉。道園學古録

原 奎章閣有靈壁石，奇絶名世，御書其上曰奎章元玉。同上

原 魏郡宋知古工寫竹石，有進於明宗者。明宗語左右曰：此真士大夫之筆。天曆中，爲藝文監照磨，京師人名其竹爲勅賜士大夫竹。應庵隨録

原 朱萬初善製墨，純用松烟。蓋取三百年摧朽之餘精英不可泯者用之，非常松也。天曆乙巳，開奎章閣，選儒臣侍翰墨，榮公存初、喀喇公子山皆侍閣下，以萬初墨進，大稱旨，得禄食藝文館。堯山堂外紀 按：喀喇，蒙古語黑馬也，舊作康里。今譯改。

原 天子作奎章閣，萬幾之暇，觀書怡神，則恒御焉。臣集奉勅銘之曰：維皇穆清，中正無爲。翼翼其欽，聖性日熙。乃闢延閣，左圖右史。匪資燕娱，稽古之理。經緯有文，如日行天。爰刻貞玉，垂美萬年。道園學古録

原 虞集記 天曆二年三月，作奎章之閣，備閒燕之居，將以緝熙典學。乃置學士，俾頌祖宗之成訓，毋忘創業之艱難而守成之不易也。又俾陳夫内聖外王之道，興亡得失之故，而以自儆焉。其爲閣也，因便殿之西廡，擇高明而有容。不加飾乎采斵，不重勞於土木。不過啓户牖以順清燠，樹皮閣以棲圖書而已。至於器玩之陳，非古制作中法度者，不得在列。其爲處也，跬步户庭之間，而清嚴邃密，非有朝會祠享時巡之事，幾無一日而不御於斯。於是宰輔有所奏請，宥密有所圖維，争臣有所繩糾，侍從有所獻替，以次入對，從容密勿，蓋終日焉。而聲色狗馬不軌不物者無因而至前矣。同上

原 馬祖常御書奎章閣記贊序 皇帝卽位之明年，開奎章閣，布政四方，大臣公卿以次進對。少間則覽古文國書，綜覈古今，求其治亂之原，以施於天下，以戒於羣臣。迺製奎章閣記，俾百官鑱諸樂石。至順二年十一月，上遣内侍至臣祖常門，賜碑本一幅。臣既受賜，謹齋沐爲四言詩以贊於後，辭曰：皇帝明聖，受天之命。撫御四海，民物遂性。物性既遂，太和雍熙。雨暘咸宜，于于施施。清燕暇逸，不游不田。刻文垂訓，萬世是傳。賤臣荷寵，天光臨門。寶藏私家，以遺子孫。臣拜稽首，惟聖作憲。羲畫禹疇，法天行健。有義有文，於昭日星。豈惟修辭，大同於經。嗟臣螻蟺，待罪風紀。瘝官追罰，幸不訶鄙。乃重受賜，天德何報？糜軀銜忠，罔極覆燾。石田集

原 黃溍跋御書奎章閣記石刻 天曆二年春三月，上肇開奎章閣，延登儒流，入侍燕閒。冬十月，臣多爾濟作頌以獻。至順二年春正月，御製閣記成。秋七月某甲子，大學士泰禧宗禋使臣阿榮傳旨以刻本賜焉。臣多爾濟抃蹈而退，襲藏惟謹。以臣溍待罪太史屬，俾紀其歲月於下方。竊聞前侍書學士臣集爲臣言：皇上以萬幾之暇，親灑宸翰，書奎章閣寶刻置禁中，凡墨本悉識以天歷之寶，或加用奎章閣寶，應賜者必閣學士畫旨具成稾，特詣榻前四復奏，然後予

之。非文學侍從近臣爲上所知遇者，未嘗輕畀。臣多爾濟當上踐阼之初，以保寧等處萬户召對明仁殿，持詔發兵河東陝西。尋以前鋒迎敵，遂巡鎮拊安河南山東。又被旨督諸將平雲南。陛辭之日，既賜之弓矢及他服用貴珍之物以重其行，逮凱旋而復命也，顧以辭藝進而特預是賜。殊常之恩，夐絶前比。兹蓋時清主聖，弛武而隆文，示之意嚮，以風厲於四方。將使中林兔罝之士，莫不鼓舞變化於雲漢昭回之下，甚盛德也。一顰一笑，豈虚乎哉？臣多爾濟以周通之才，出入文武，動協上意，抑可謂不辱君賜矣。臣是用備著之。若夫天縱聖能，心畫超詣，有非疏賤下愚所得而窺測者，不敢贊一辭也。黄文獻集　按：多爾濟，唐古特語金剛也，舊作鐸爾直。今譯改。

原 陳旅羣玉内司華直題名記　天曆二年，作奎章閣於興聖殿西，於以稽古而怡神焉。故凡皇祖寶訓暨諸載籍與夫玩好之珍，率於是乎在。至順元年，置羣玉内司以掌之，司設監司一員、司尉一員、亞尉二員、僉司二員、司丞二員、典簿一員，又設給使八人、司膳四人。留守張金界奴作直舍於閣之旁，侍書學士虞集扁曰華直，監司庫庫請於上，詔臣旅爲記。安雅堂集　按：庫庫，蒙古語青色也，舊作巙巙。今譯改。

原 虞集詩　禹貢收浮磬，堯階望喬雲。自天承雨露，拔地起絪緼。擊拊磬音合，衡從玉兆分。巨鰲三島力，威鳳九苞文。辨位資乾坎，爲山塡幅員。固知興寶藏，不假運神斤。書帙侵春潤，香鑪借宿薰。烟光晴冉冉，波影晝沄沄。融結由元化，登崇荷聖君。瑞於龜出洛，重若鼎來汾。杜立尊王極，磐安廣帝勛。詎云陳秘玩？因顧獻前聞。道園學古録

原 薩都拉奎章閣感興詩　奎章三月文書静，花落春深鎖閣門。玉座不移天步遠，石碑空有御書存。薩天錫詩集

增 薩都拉奎章閣進皇朝經世大典詩　文章天子大一統，館閣詞臣日纂修。方丈奎光懸秘閣，九重春色滿龍樓。門開玉鑰芸香動，簾捲金鈎硯影浮。聖覽日長萬幾暇，墨光流出鳳池頭。同上

原 楊維楨宫詞　海内車書渾一時，奎章御筆寫烏絲。朝來中使傳宣急，南國宫娥拱鳳池。復古詩集

原 周憲王元宫詞　奎章閣下文章盛，太液池邊游幸多。南國女官能翰墨，外間抄得竹枝歌。海晏河清罷虎符，閒觀翰墨足歡娱。内中獨召王淵畫，倣得黄筌孔雀圖。誠齋新録

原 至正元年，改奎章閣爲宣文閣，藝文監爲崇文監。時周伯琦爲宣文閣授經郎，教戚里大臣子弟，每進講輒稱旨，日日備顧問。帝以伯琦工書法，命篆宣文閣寶，仍題扁宣文閣及摹王羲之所書蘭亭序、智永所書千文，刻石閣中。自是累轉官皆宣文、崇文之間，而眷遇益隆矣。元史本傳

〔臣等謹按〕析津志，崇文監在咸宜坊北一小巷内。本官署名也，原書以係奎章閣之屬司，故連類採入耳。

【補】大臣議罷先朝所置奎章閣學士院及藝文監諸屬官。喀喇庫庫進曰：民有千金之産，猶設家塾延館客，豈富有四海，一學房乃不能容耶？帝聞而深然之，卽日改奎章閣爲宣文閣，藝文監爲崇文監，存設如初，就命庫庫董治。元史本傳

【補】至正元年，制作宣文閣於大明殿之西北。萬幾之暇，御閣閲經史，以左右儒臣爲經筵官，日侍講讀。環谷集

【補】至元庚辰十有一月三日，建宣文閣。詔周伯琦篆題閣榜及閣寶。明年改元至正，正月廿日，特命爲授經郎。先是學舍在宫門外，隘陋弗稱，於是有旨以玉德宫之西殿爲學，宿衛官等二十五人行弟子禮。近光集

【原】至正間，初改奎章閣爲宣文，朝臣咸謂必命庫庫書榜。是時周伯琦雖在館閣精篆書，而未爲上所知。庫庫日令篆書宣文閣榜十數紙，周不識其意。一日有旨命庫庫書宣文閣榜。庫庫言：臣所能者真書不古，古莫如篆。朝廷宣文閣用篆書爲得體。周伯琦篆書今世無過之者。上如其言，召伯琦書，下筆稱旨，由是進用。前輩臨事明於大體，引拔人才，委曲成就之如此。天都載

補汪克寬宣文閣賦　鼇極立兮時雍，四海一人兮車書同。作神京於燕薊，貫北辰乎天中。懿聖王之御極，煥離明以當空。復至元之盛治，繩神武而丕隆。淳風沕穆，膏澤涵洪。文燄烜赫乎扶桑崦嵫之域，仁聲駁沓乎濮鉛祝栗之封。既而乾符昭陳，坤珍聿錫。文德誕敷，皇圖廣闢。建傑閣乎中霄，屹大明之西北。揭宣文之嘉名，示弘摹於萬億。爾乃準小臬，恢鴻基。公輸獻巧，匠石殫思。陶人運其埏埴，玉工效其雕幾。豫章松柏，剪十尋之夭矯，金璧銀鏤，致萬里之瓌奇。斧斤振鏗鍧之韻，礱斵極精緻之宜。四方子來，經之營之。羌不日而告成，儼崔嵬而峗巍。觀夫岧嶢嵯峨，崛岉瓌譎。搆複桷而重櫩，邈希世而特出。麗不踰奢，儉不及質。璇題翠甓，則繒綾而龍鱗；蛟吻踶甍，奐翬飛而跂翼。綺疏鏤列錢之玲瓏，藻井粲菱荷之繪飾。玉璫璧英，濯濩而凌亂；隨珠明月，照耀而恍惚。瓊户耀孚尹之璀錯，金鋪響連環之複疊。棁嶒嶸而星懸，栱衡縱而斗折。㡯掌㧗𢷎而斜據，芝栭攢羅而戢孴。曲折要紹而環句，層櫨嶸峞而岌嶪。交龍纏楣，横飛龍之梁棟；雙蜺蟠礎，聳擎天之柱石。朱楣結曲而縈迴，釦砌晶熒而煒燁。護垣流丹以周繚，翠柏樛枝而行立。於是聖王駕玉輅，張龍旗。展乎國容，輝乎皇儀。望舒陪夫左馭，屏翳道夫前馳。鳴和鸞之鏗鏘，服衮龍之陸離。御斯閣以問道，闡經幄之弘規。帝幕高懸，天顔孔怡。列儒紳而進讀，對黼扆之嚴威。舒緗帙之蟫蠹，擴六籍之精微。詠仁咀義，聆天語於羲昊；言温氣和，陳古道於臯夔。殫詞臣之忠藎，恢聖學之緝熙。內府頒奇珍於翠釜，上方瀉甘醴於玉巵。和氣春融，起天庭之黄色；文星環拱，映帝座之清輝。想夫聖躬聽講之餘，臨眺倚徙。接羲娥之耿光，納穹塄於無際。東望則延春之閣，崔巍崢嶸，横絕天半，窅邈觚稜。西瞰玉德秘殿，曨曜月朗。渺太液之輕漪，涵天光而滉瀁。北瞻則萬歲之山，嵲嶪嶕崒。庢洞谽谺，草木蒼鬱。南睎象魏峉嵡，朱闕巉嵒。媲黄道之啓途，列閶闔之九關。猗歟休哉！卓彼斯閣，曠古曷耦？奠億代之基圖，闢八紘之户牖。萃鴻碩以講劘，稽典墳於蝌蚪。於以廣睿朗之明，極乎有截之垓埏；廓聖聽之聰，達乎無垠之宇宙。思昔石渠天禄，徒以貯簡編之糟粕；麒麟凌烟，祇以圖羽翼之英雄。曷若聖王之制作，宣人文於萬代，致文治於無窮？彼弘文館聚四部之奧博，白虎觀辨五經之異同，又烏足與聖世而比隆也哉？迺舞蹈而歌之曰：於穆聖皇，亶聰明兮。雲漢昭回，照萬方兮。嘉惠兆人，臻羲唐兮。傑閣中天，討憲章兮。鵷鷺章逢，侍帝旁兮。載稽典訓，研籀倉兮。治功彌隆，追虞唐兮。人文宣朗，貽億萬世而無疆兮。環谷集

補周伯琦承詔篆題宣文閣榜作　詔題宮榜號宣文，延閣山儲盡典墳。自笑蟲魚箋爾雅，敢將蛇蚓擬凌雲。明經重席從今是，妙選登瀛在昔聞。比屋可封知有日，經天緯地屬吾君。近光集

補又奉詔以玉德殿西室爲宮學詩　學校尊崇盛典揚，詔遷玉德殿西廊。大官供帳調珍膳，內相傳宣飲御觴。授業慚無師道立，明倫喜見國家昌。皇風卽日還三代，杞梓楩柟盡棟梁。同上

增周伯琦宣文下直詩　亭亭翠柏倚朱闌，雲母窗扉逼暮寒。玉德殿前红杏樹，數花猶作去年看。同上

補金華張樞子長取三國時事撰漢本紀列傳，附以魏吴載記，爲續後漢書七十三卷。朝廷

取其書置宣文閣。元史隱逸傳

【補】多爾濟巴勒在經筵，采前賢遺言，類次爲書，凡四卷。帝覽而善之，賜名治原通訓，藏於宣文閣。元史本傳按：多爾濟義見前。巴勒，威也，舊作朶耳直班。今譯改。

【原】上得智永千文，命近臣摹勒，刻置宣文閣中。所拓墨本，從官之有文學者則識以宣文閣寶而賜之。圭齋集

【原】仁宗嘗命管夫人書千字文，勅玉工磨玉軸送秘書監裝池收藏。又命子昂書六體爲六卷，子雍亦命書一卷。且曰：令後世知我朝有善書婦人，且一家皆能書也。堯山堂外紀

【補】宣文閣勒石搨本，皇帝以賜文臣之在左右者。浦陽鄭深時爲授經郎，兼經筵譯文官，故得與焉。草書凡三百七十字，真書凡三百五十五字。黟南集

【原】宣文閣旁有秘密堂。大都宮殿考

【原】張昱輦下曲　似將慧日破愚昏，白晝如常下釣軒。男女傾城求受戒，法中秘密不能言。張光弼詩集

【原】周憲王元宮詞　安息薰壇建衆魔，聽傳秘密許宮娥。自從受得毘盧咒，日日持珠念那摩。誠齋新録

【補】至正九年冬，詔以皇子春秋日長，宜親師就傅以知學，拜諭德、贊善各一員，文學二員，仍命以翰林學士、直學士待制兼其職。復置正字、司經各二員。卽興聖宮西偏故宣文閣改曰端本堂，以爲肄學之所。迺十一月九日，皇子始就學。其禮，皇子坐於皇帝位

之右而左向，其左設師傅之位，論德以下以次左坐而右向，復置几其間，以奠裕宗皇帝所誦聖典。比授經，則別設授讀位，司經、正字執經，導皇子及諭德以下選爲伴讀者凡十人。王忠文集

補烏古孫良楨爲詹事院副詹事，每直端本堂，進正心誠意之説，親君子遠小人之道，皇太子嘉納焉。元史本傳

補順帝開端本堂，命皇太子入學。以右丞相托克托、大司徒雅克布哈知端本堂事，而命李好文以翰林學士兼諭德。好文取史傳及先儒論説關治體協經旨者，倣真德秀大學衍義之例，爲書十一卷，名曰端本堂經訓要義，奉表以進。詔付端本堂命太子習焉。元史本傳

按：雅克布哈義俱見前，舊作雅不花，今譯改。

補皇太子習大書端本堂，上命庋其所書，記之於籍，或以賜近侍，宮臣則録所賜人姓名而登載之。圭齋集

補王褘端本堂頌　興聖之宮，皇帝攸居。前殿後閣，東西萬廬。有翼者堂，在殿西廡。厥堂何爲？皇子來處。維時皇子，是爲國本。以承宗社，繼體維謹。輔養聖功，貴早有圖。猶本在木，必培其初。皇帝曰嘻，汝其就學。前謨往訓，用益汝覺。皇子敬恭，來處於堂。彝文曠典，以莫不彰。良傅碩師，左右挈提。吉人正士，前導後規。仁義之原，成敗之蹟。經史在列，式受敷繹。廣厦細旃，諷誦從容。狗馬聲色，靡接於躬。日就月將，遹觀緝熙。朝斯夕斯，聖敬並躋。前星有光，於以增之。少海既潤，於以凝之。國本既端，國本斯定。神器有歸，祗迓天命。乾健而正，離繼而明。規重矩疊，丕開太平。稽諸緜代，亦有遐則。博望之置，承華之闢。處有非地，厥效乃卑。維今端本，孰盛與夷？巍巍我元，葉萬年億。歷祚延洪，係在今日。於惟斯堂，擁休蓄靈。邦家之基，永永是徵。王忠文集

欽定日下舊聞考卷三十二

宮室

三元

原萬歲山在大内西北太液池之陽，金人名瓊花島。中統三年修繕之，至元八年賜今名。其山皆疊玲瓏石爲之，峯巒隱映，松檜隆鬱，秀若天成。引金水河至其後，轉機運㪺，汲水至山頂，出石龍口，注方池，伏流至仁智殿後，有石刻蟠龍，昂首噴水仰出，然後由東西流入於太液池。山前有白玉石橋，長二百餘尺，直儀天殿後。橋之北有玲瓏石，擁木門五，門皆爲石色。内有隙地，對立日月石。西有石棋枰，又有石坐牀。左右皆有登山之徑，縈紆萬石中，洞府出入，宛轉相迷。至一殿一亭各擅一景之妙。山之東有石橋，長七十六尺，闊四十一尺半，爲石渠以載金水而流於山後，以汲於山頂也。又東爲靈囿，奇獸珍禽在焉。車駕歲巡上都，先宴百官於此。浙省參政齊達勒嘗云：向任留守司都事時，聞故老言，國家起朔漠日，塞上有一山，形勢雄偉。金人望氣者謂此山有王氣非我之利。金人謀欲厭勝之，計無所出，時國已多事，乃求通好入貢。既而曰：他無所冀，願得某山以鎮厭我土耳。衆皆鄙笑而許之。金人乃大發卒，鑿掘輦運至幽州城北，積累成山，因開挑海子，栽植花木，營構宫殿，以爲游幸之所。未幾金亡，世皇徙都之。至元四年興築宫城，山適在禁中，遂賜今名云。輟耕録　按：齊建勒，蒙古語能也，舊作赤德爾。今譯改。

〔臣等謹按〕元萬壽山卽金之瓊華島，陶宗儀輟耕録及元史或稱萬歲山，蓋當日相沿互稱。至謂瓊華島土皆取自塞山，未免附會。恭讀御製古井記，並爲釐正其誤。詳見國朝宫室卷内。

原 中統四年三月，伊克德勒丹請修瓊華島，不從。至元元年三月，修瓊華島。元史世祖紀　按：伊克，蒙古語大也，德勒，衣也，丹，有也，舊作亦黑迭兒丁。今譯改。

原 至元十四年五月，以蒙古軍與漢軍相參，備都城内外及萬壽山宿衛，仍以伊蘇布哈領宿衛事。元史兵志　按：伊蘇，蒙古語九數也，布哈義見前，舊作也速不花。今譯改。

原 至元十七年，吴元珪從幸上都，受命取御藥於大都萬歲山。元珪乘傳，未盡一晝夜而至。帝奇其速，擢樞密都事。元史本傳

原 二十一年二月，立法輪竿於大内萬壽山，高百尺。元史世祖紀

原 劉秉忠搜訪舊教坊樂工，依律運譜，被諸樂歌。六月而成，音聲克諧，陳於萬壽山便殿。元史禮樂志

原張珪侍宴萬壽山，賜以玉帶。元史本傳

原按史自泰定以後作萬歲山，疑無兩地。北平古今記

原國朝每宴諸王大臣，謂之大聚會。是日盡出諸獸於萬歲山，若虎豹熊象之屬，一一列置訖，然後獅子至。身才短小，絶類人家所蓄金毛猱狗。諸獸見之，畏懼俯伏，不敢仰視，氣之相壓也如此。輟耕録

原武宗大宴萬歲山，圖喇醉起，解其腰帶擲諸地，瞋目謂帝曰：爾與我者止此爾！元史本傳

按：圖喇，滿洲語柱也，舊作秃剌。今譯改。

原泰定二年六月朔，葺萬歲山殿。四年十二月，植萬歲山花木八百七十本。元史泰定帝紀

原文宗居金陵潛邸時，命臣房大年畫京都萬歲山。大年辭以未嘗至其地。上索紙爲運筆布畫位置，令按稿圖上。大年得藁敬藏之，意匠經營，格法通整，雖積學專工所莫能及。輟耕録

原順帝爲英英起采芳館於瓊華島内。癸巳秋，乘龍船泛月池上，池起浮橋三處，每處分三洞，洞上結綵爲飛樓，樓上置女樂。橋以木爲質，飾以錦繡，九洞不相直達。元掖庭記

原果囉洛納延宫詞　瓊島岧嶤内苑西，斕斒綺石甃清漪。御牀不許紅塵到，黄幔長教窣地垂。金臺集

原丁鶴年題萬歲山玩月圖詩　金銀樓觀鬱嵯峨，琪樹風涼秋漸多。徙倚危闌倍惆悵，月中猶見舊山河。海巢集

【原】周憲王元宮詞　瑞氣氤氳萬歲山，碧池一帶水潺潺。殿旁種得青青豆，要識民生稼穡難。誠齋新録

【補】釋大訢萬歲山詩　蜿蜒金翠倚青冥，虛谷時傳萬歲聲。翠葆嵾嵳雲氣濕，玉龍鱗甲夜寒生。關河拱挹皇居壯，宮殿深嚴聖慮清。自愧山林麋鹿性，也隨鵷鷺到承明。蒲室集

【原】廣寒殿在山頂七間，東西一百二十尺，深六十二尺，高五十尺。重阿藻井，文石甃地，四面瑣窗，板密其裏，偏綴金紅雲而蟠龍矯蹇於丹楹之上。中有小玉殿，内設金嵌玉龍御榻，左右列從臣坐牀。前架黑玉酒甕一，玉有白章，隨其形刻爲魚獸出没於波濤之狀。其大可貯酒三十餘石。又有玉假山一峯，玉響鐵一，懸殿之後。有小石笋二，内出石龍首以噀所引金水。西北有側室一間。輟耕録

〔臣等謹按〕元好問遺山集，瓊華島絶頂有廣寒殿，近爲黄冠輩所毁。據此，則廣寒殿金末已毁，元時重建者也。

〔又按〕此條所稱黑玉酒甕，即元史世祖紀所載之大玉海也。後在西華門外真武廟中，見金鼇退食筆記。乾隆十年，上命移置承光殿前亭内，並蒙御製詩章。詳見國朝宮室卷内。

【補】高麗元宗五年九月，王至燕都謁帝，帝再親宴。冬十月，王辭於萬壽山殿。帝賜駱駝十頭。高麗史

【補】申思佺與倭人謁帝。帝大喜，賚予甚稠，勅令觀覽宮殿。既而又使徧觀燕京萬壽山玉

殿與諸城闕。同上

【補】忠烈王二十三年春正月，王與公主世子侍宴萬歲山廣寒殿。同上

【補】高麗恭愍王遣贊成事李公遂朝元，進陳情表。公遂，奇后外從兄也，太子以帝命召公遂上廣寒殿，指殿額及金玉柱問之，公遂對以諷語。太子以其言奏帝，帝曰：朕固知此老賢，汝外家唯此一人爾。東國史略

【原】至元二年十二月，瀆山大玉海成，敕置廣寒殿。元史世祖紀

【原】三年四月，五山珍御榻成，置瓊華島廣寒殿。同上

【原】四年九月，作玉殿於廣寒殿中。同上

【原】十年三月，帝御廣寒殿，遣攝太尉中書右丞相安圖授皇后恭吉哩氏玉册玉寶，遣攝太尉同知樞密院事巴延授皇太子真金玉册、金寶。同上 按：安圖，滿洲語山陽也，舊作安童。巴延，滿洲語富也，舊作伯顔。今俱譯改。

【原】今御用監院中有小亭，亭內一玉缸，色青碧，間以黑暈白章，體質頗潤，刻作雲濤蛟龍海馬諸形，第鏤刻有痕，未經細琢耳。口面隨其勢爲高低，延袤如荷葉樣，中有積水，外以朱闌障之，想卽元時廣寒殿中物也。燕都游覽志

【原】徐世隆廣寒殿上梁文 析木星躔，臨士馬雄强之地；瓊華仙島，營帝王游豫之宮。蓋因前代規模，便有內都氣象。金臺南峙，玉泉西流。北襟山勢，真龍虎之樞；東帶海濤，盡魚鹽之國。控河朔上流之上，居今日中原之中。是宜均貢賦於四方，定龜鼎於億載。況朝覲必有接見之所，凡宮室本非逸樂而爲。皇帝功塞兩間，德光五葉。明俊德以親九族，修文德而來遠人。以至治不世出之英姿，舉累朝未暇行之令典。既嚴先廟，當備行宮。念人疲飛輓而

尚未全蘇，雖躬在暴露而不自爲苦。逮至干戈之載戢，始令棟宇之量修。壯未央而襲秦風，鄙蕭相重威之設；葺九成而損隋制，慕唐皇去泰之心。卽廣寒之廢基，應清暑之故事。敬涓穀旦，爰舉栢梁。敢陳工誦之言，庸代子來之詠。伏願上梁之後，一人有慶，萬壽無疆。地儀厚配於長秋，天位普臨於諸夏。青宮朱邸，煜煜相輝；玉葉金枝，緜緜不絶。鸞臺鳳閣，咸登柱石之臣；象郡雞林，永作藩維之守。國無撓棟，民悉奠居。延及魚鳥之微生，亦遂池臺之同樂。

元文類

【補】劉彦昺燕城懷古詩　廣寒宮殿玉爲樓，萬歲鼇峯壓九州。番國梵僧青鼠帽，天魔宮女綵龍舟。鉤陳蒼闕山南拱，太液紅橋水北流。惟有盧溝溝上月，年年鴻雁不勝秋。春雨齋集

【原】果囉洛納延宮詞　廣寒宮殿近瑶池，千樹長楊緑影齊。報道夜來新雨過，御溝春水已平堤。金臺集

【原】周憲王元宮詞　月宮小殿賞中秋，玉宇銀蟾素色浮。宮裏猶思舊風俗，鷓鴣長笛序梁州。誠齋新録

【原】仁智殿在山之半，三間，高三十尺。金露亭在廣寒殿東，其制圓，九柱，高二十四尺，尖頂，上置琉璃珠。亭後有銅幡竿。玉虹亭在廣寒西，制度同金露。方壺亭在荷葉殿後，高三十尺，重屋八面。重屋無梯，自金露亭前複道登焉。又曰線珠亭。瀛洲亭在温石浴室後，制度同方壺。玉虹亭前仍有登重屋複道，亦曰線珠亭。荷葉殿在方壺前仁智西北，三間，高三十尺，方頂，中置琉璃珠。温石浴室在瀛洲前仁智西北，三間，高二十三尺，方頂，中置塗金寶瓶。圜亭又曰臙粉亭，在荷葉稍西，蓋后妃添妝之所也，八面。輟耕録

【原】張可久一半兒詞　花邊嬌月静妝樓，葉底滄波冷翠溝。池上好風閒御舟。可憐秋。一半兒芙蓉，一半兒柳。小山樂府

【原】方壺殿右爲吕公洞，洞上數十步爲金露殿，由東而上爲玉虹殿。前有石巖如屋，繞層

欄登廣寒殿。內列二十四楹，出爲露臺，繞以白石闌。道旁有鐵竿數丈，上置金葫蘆三，引鐵鍊以繫之，乃金章宗所立以鎮其下龍潭。（大都宮殿考）

原 介福殿在仁智東差北，三間，東西四十一尺，高二十五尺。延和殿在仁智西北，制度如介福。馬湩室在介福前三間，牧人之室在延和前三間，庖室在馬湩前，東浴室更衣殿在山東，平地三間兩夾。（輟耕録）

〔臣等謹按〕至元二十一年七月壬申，造温石浴室及更衣殿。見元史世祖紀。

原 太液池在大内西，周回若千里，植芙蓉。（輟耕録）

原 皇帝御極之初，卽命兩丞相與儒臣一月三進講。於是益優禮講官，既賜酒饌，又以高年疲於步趨也，命皆得乘舟太液池，徑西苑以歸。（安雅堂集）

原 己酉仲秋之夜，武宗與諸嬪妃泛月於禁苑太液池中，月色射波，池光映天，緑荷含香，魚鳥羣集。於是晝鷁中流，蓮舟夾持，往來便捷。帝乃開宴張樂，令宮女披羅曳縠前爲八展舞，歌賀新涼一曲。（元掖庭記）

原 長春真人浴於東溪。越二日，天大雷雨，太液池岸北水入東湖，聲聞數里，魚鼈盡去，池遂涸，而北口高岸亦崩。真人歎曰：山其摧乎，池其涸乎，吾將與之俱乎！遂卒。（元風慶會圖文説）

〔臣等謹按〕元世祖曾命邱處機居太液池之萬安宮。詳郊西白雲觀條下。

原 陳孚太液池詩 一鏡拭開秋萬頃，碧天倒浸琉璃影。寒飈夜捲雪波去，貝闕珠宮黛光冷。三千歌棹摇緑烟，濕鬢吹壓黄金蟬。琪樹颼颼紅鯉躍，衮龍正宴瑤池仙。（觀光集）

【原】果囉洛納延宮詞　太液池頭新月生，瑤階最喜晚來晴。貴人忽被西宮召，騎得驊騮欵欵行。金臺集

【原】薩都拉宮詞　清夜宮車出上陽，紫衣小隊兩三行。石闌干外銀燈過，照見芙蓉葉上霜。薩天錫詩集

【原】王蒙宮詞　南風吹斷采蓮歌，夜雨新添太液波。水殿雲廊三十六，不知何處月明多。國雅

〔朱彝尊原按〕是詩諸書皆作王蒙，獨郎氏七修類稿謂是王旬作。旬字子宣，詩中月明字作晚涼。

【原】周憲王元宮詞　合香殿倚翠峯頭，太液波澄暑雨收。兩岸垂楊千百尺，荷花深處戲龍舟。海子東頭暗緑槐，碧波新漲浩無涯。瑞蓮花落巡遊少，白首宮人掃殿階。誠齋新録

【原】儀天殿在池中圓坻上，當萬壽山。十一楹，高三十五尺，圍七十尺，重簷圓蓋頂圓。臺址甃以文石，藉以花茵，中設御榻，周闢瑣窗。東西門各一間，西北厠堂一間。臺西向列甃塼龕，以居宿衛之士。東爲木橋，長一百二十尺，闊二十二尺，通大内之夾垣。西爲木弔橋，長四百七十尺，闊如東橋。中闕之立柱架梁於二舟以當其空。至車駕行幸上都，留守官則移舟斷橋以禁往來。是橋通興聖宮前之夾垣，後有白玉石橋，乃萬壽山之道也。犀山臺在儀天殿前水中，上植木芍藥。輟耕録

〔臣等謹按〕元儀天殿明更名曰承光。甫田集，承光殿在太液池上一名圓殿。明宮殿額名，嘉靖三十一年更名乾光。本朝仍曰承光殿。

〔又按〕元儀天殿西木弔橋在萬壽山之南，興聖宮之東，瓊華島之北，見析津志。犀

山臺一名犀牛臺，見圖經志書。

補 帝御萬歲山圓殿，察罕入謝。帝曰：白雲病愈耶？帝賜茵以坐。顧李孟曰：知止不辱，今見其人。元史本傳

原 周憲王元宮詞 地寒不種芙蓉樹，土厚宜栽括子松。清曉內官呼綵艦，各宮分賜牡丹叢。誠齋新録

原 御苑在隆福宮西，后妃多居焉。香殿在石假山上，三間，兩夾二間，柱廊三間，龜頭屋三間。丹楹瑣窗，間金藻繪，玉石礎，琉璃瓦。殿後有石臺，山後闢紅門，門外有侍女之室二所，皆南向並列。又後直紅門並列紅門三。三門之外，有太子鄂爾多荷葉殿二，在香殿左右，各三間。圓殿在山前，圓頂上置塗金寶珠，重簷。後有流杯池，池東西流水圓亭二，圓殿有廡以連之。歇山殿在圓殿前，五間，柱廊二，各三間，東西亭二，在歇山後，左右十字脊。東西水心亭在歇山殿池中，直東西亭之南，九柱，重簷。亭之後各有侍女房三所，所爲三間，東房西向，西房東向。前闢紅門三門，內立石以屏內外，外築四垣以周之，池引金水注焉。棕毛殿在假山東偏，三間，後鹿頂殿三間，前啓紅門，立垣以區分之。儀鸞局在三紅門外西南隅，正屋三間，東西屋三間，前開一門。輟耕録

〔臣等謹按〕石假山，明圖經志書稱小山子，韓雍賜遊西苑記稱賽蓬萊。本朝詹事高

士奇金鼇退食筆記謂兔園山在瀛臺之西，殿曰清虚，池邊多立奇石曰小蓬萊，皆此地也。今廢。

原苑西有翠殿，又有花亭毬閣金殿。前有野果，名紅姑娘，外垂絳囊，中空如桃，子如丹珠。苑外重繞長廡，廡後出内牆，外連海子，以接厚載門。門上建高閣，東百步有觀臺，臺旁有雪柳萬株。大都宫殿考

原至元二十三年，侍御史程文海奉命搜賢江南。世祖諭之曰：此行必致葉李來。李既至京師，召見披香殿，勞問卿遠來良苦，賜坐賜宴。元史本傳

原至治元年四月，造象駕金脊殿。元史英宗紀

原泰定元年八月，作中宫金脊殿。元史泰定帝紀

原皇后恭吉哩氏居坤德殿，終日端坐，未嘗妄踰户閾。輟耕録

原至正十三年十月，撤世祖所立壇殿改建廂宇。元史順帝紀

原十四年四月，皇太子徙居宸德殿，命有司修葺之。同上

原泰定元年十二月，新作棕殿成。二年閏正月，作棕毛殿。元史泰定帝紀

原釋來復燕京雜詠　錦貂公子躍龍媒，不怕金吾夜漏催。阿剌聲高檀板急，棕毛別殿宴春回。蒲庵集

原周憲王元宫詞　棕殿巍巍西内中，御筵簫鼓奏薰風。諸王駙馬咸稱壽，滿酌葡萄獻玉鍾。誠齋新録

原棕殿少西出掖門爲慈仁殿。又後苑中爲金殿，四外盡植牡丹百餘本，高可五尺。大都宮殿考

原周憲王元宮詞 東風吹綻牡丹芽，漠漠輕陰護碧紗。向曉內園春色重，滿欄清露濕桃花。穀雨天時尚薄寒，梨花開謝杏花殘。內園張蓋三宮宴，細樂喧闐賞牡丹。誠齋新録

補至正八年，永寧禪師入覲，説法於龍光殿。續文獻通考

〔朱昆田原按〕龍光殿，輟耕録不載，見王氏禁扁。又有慈仁、慈德二殿。注云：三殿並巴延鄂爾多。考元史，太祖后妃有四，鄂爾多四十餘人，世祖鄂爾多四，武宗鄂爾多一，蓋后妃分居之地也。

原至正二年七月丁亥，帝御慈仁殿，拂郎國進天馬。庚寅，自龍光殿勅周朗貌以爲圖。壬辰，圖成，翰林學士承旨庫庫傳旨命揭傒斯爲贊。圭齋集

補丁鶴年題拂郎天馬圖詩 春明立仗氣如山，顧盼俄空十二閑。一去瑶池消息斷，西風吹影落人間。海巢集

原元肇建內殿，制度精巧，題頭刻螭形，以檀香爲之。螭頭向外，口中銜珠下垂珠皆五色，用綵金絲貫串，負柱融滾霞紗爲猊，怒目張牙，有欲動之狀。瓦滑琉璃，與天一色。朱砂塗壁，務窮一時之麗。殿上設水晶簾，階琢龜文，繞以曲檻，檻與階皆白玉石爲之。又有紫檀殿，以紫檀香木爲之，光天、玉德、七寶、瑶光、通雲、凝翠、廣寒等殿，不能一一數也。大內有德壽宮、興聖宮、翠華宮、擇勝宮、連天樓、紅鸞殿、入霄

殿、五華殿。又有迎涼之所曰清林閣，旁上二亭，東曰松聲，西曰竹風。又有温室曰春熙堂。曰九引臺者，七夕乞巧之所也。曰刺繡亭、緝衮堂者，冬至候日之所也。九龍墀、延香亭，春時宮女傳杯於此。拱璧亭又名夜光亭，探芳徑旁爲逍遥市。又有集賢臺、集寶臺、眺遠閣、留連館、萬年宮，並在禁苑。元掖庭記

原元至正十四年，順帝制龍舟於内苑。其船式長一百二十尺，高二十尺，用水手二十四人，皆衣金紫。自後宮至前宮山下海子内，往來游戲。行時龍首眼口爪尾皆動。又自制宮漏，高六七寸，廣半之。造木爲匱，藏壺其中，運水上下。匱上設三聖殿，匱腰立玉女，捧時刻籌，時至輒浮水而上。左右二金甲神，一懸鐘，一懸鉦。夜則神人自能按更而擊，無分毫差。鳴鐘鉦時，獅鳳在側者皆自翔舞。匱之東西有日月宮，飛仙六人立宮前，遇子午時，自能耦進，度仙橋達三聖殿，復退立如前。其精巧絶出人意，皆前所未有。續資治通鑑

原順帝荒於游宴，以宮女三聖奴、妙樂奴、文殊奴等一十六人按舞，名十六天魔。首垂髮數辮，戴象牙佛冠，身披纓絡，大紅銷金長短裙，金雜襖，雲肩合袖，天衣綬帶鞵襪，各執噶布喇盌之器。内一人執鈴杵奏樂。又宮女一十一人，練槌髻勒帕常服，或用唐帽窄衫，所奏樂用龍笛、頭管、小鼓、箏、琵琶、笙、胡琴、響板、拍板。以宦者察罕

岱布哈管領，遇宮中讚佛，則按舞奏樂。宮官授秘密戒者得入，餘不得預。元史　按：噶布喇盌，梵語盛水執舞之螺螄也。舊作加巴剌般。察罕，蒙古語白色也，岱有也，布哈義見前，舊作長安迭不花。今俱譯改。

原天魔舞唐時樂。王建宮詞：十六天魔舞袖長。不始元末也。少室山房筆叢

原張翥宮中舞隊詞　鑿海行龍舸，憑山起鵠臺。天池神馬出，月殿舞鸞來。六合妖氛靜，羣生壽域開。吾皇樂民樂，一願上萬年杯。十六天魔女，分行錦繡圍。千花織步障，百寶帖仙衣。回雪紛難定，行雲不肯歸。舞心挑轉急，一一欲空飛。白玉瑒釵燕，黃金鑿步蓮。簫吹鳳臺女，花獻蘂宮仙。香霧團銀燭，歌雲撲錦筵。請將供奉曲，同賀太平年。蛻庵集

原張昱輦下曲　西天法曲曼聲長，瓔珞垂衣稱艷妝。大宴殿中歌舞上，華嚴海會宴君王。西方舞女最娉婷，玉手曇花滿把青。舞唱天魔供奉曲，君王長在月宮聽。鑪香夾道湧祥風，梵輦游城女樂從。望拜綵樓呼萬歲，柘黃袍在半天中。張光弼詩集

原楊維楨詩　十六天魔教已成，背番蓮掌苦嫌生。夜深不管排場歇，尚向燈前踏影行。復古詩集

原釋來復燕京雜詠　鴨綠微生太液波，芙蓉楊柳受風多。日長供奉傳新譜，教舞天魔隊子歌。蒲庵集

原周憲王元宮詞　背番蓮掌舞天魔，二八華年賽月娥。本是河西參佛曲，把來宮苑席前歌。按舞嬋娟十六人，內園樂部每承恩。纏頭例是宮中賞，妙樂文殊錦最新。隊裏惟誇三聖奴，清歌妙舞世間無。御前供奉蒙深寵，賜得西洋塔納珠。誠齋新録

原楊子器元宮詞　練槌髽髻紫頭繩，金繡雲肩翠玉纓。學舞天魔纔罷隊，長安又領接番僧。柳塘遺稿

補葉之藩天魔詩　高戴牙冠翠袖長，錦纏珠絡艷生香。新翻十六天魔舞，閒倚三千月殿妝。曾是宴安懷鴆毒，祇緣秘密失苞桑。翠華冷落知何處，月暗塵昏到應昌。艾齋集

原瞿佑天魔舞歌　承平日久寰宇泰，選伎徵歌皆絕代。教坊不進胡旋女，內庭自試天魔隊。天魔隊子呈新番，似佛非佛蠻非蠻。司徒初傳秘密法，世外有樂超人間。珍珠纓絡黃金縷，十六妖娥出禁籞。滿圍香玉逞腰肢，一派歌雲隨掌股。飄飄初似雪回風，宛轉還同雁遵渚。桂香滿殿步月妃，花雨飛空降天女。瑤池日出會蟠桃，普陀烟消觀鸚鵡。新聲不與塵俗同，絕技頗動君王覷。重瞳一笑天顏春，賜錦捐金傾內府。中書右相內臺丞，袖無諫章有曲譜。

天魔舞，筵宴開，駝峯馬乳胡羊胎。水晶之盤素鱗出，玳瑁之席天鵝擡。彈胡琴，哈哈迴。吹胡笳，阿牢來。羣臣競獻葡萄杯，山呼萬歲聲如雷。天魔舞，不知危。高麗女，六宮妃。西番僧，萬乘師，回紇種類皆台司。漢人迴避南人疑。天魔舞，樂極悲。察罕死，博囉歸。鐵騎驟，金刀揮。九重城闕烟塵飛。一榻之外無可依。天魔舞，將奈何！多藏金叵羅。急駕白駱駝，陰山之北逃干戈。同上　按：博囉，蒙古語青色也，舊作孛羅。今譯改。

原世祖至元七年，以帝師帕克斯巴之言，於大明殿御座，上置白傘蓋一頂，用素段泥金書梵字於其上，謂鎮伏邪魔護安國利。自後每歲二月十五日於大殿啟建白傘蓋佛事，與衆祓除不祥。中書移文樞密院八衛撥傘鼓手一百二十人，殿後軍甲馬五百人擡舁，監壇漢關聖神轎軍及雜用五百人，宣政院所轄宮寺三百六十所，掌供應佛像壇面幢幡寶蓋車鼓頭旗，三百六十壇，每壇擎執擡舁二十六人，鈸鼓僧一十二人，大都路掌供各色金門大社一百二十隊，教坊司雲和署掌大樂鼓板杖鼓篳篥龍笛琵琶箏七色凡四百人，興和署掌妓女雜扮隊戲一百五十人，祥和署掌雜把戲男女一百五十人，儀鳳司掌漢人回回河西三色細樂每色各三隊凡三百二十四人。凡執役者皆官給鎧甲袍服器仗，俱以鮮麗整齊爲尚。珠玉錦繡，裝束奇巧。首尾排列三十餘里，都城士女聚觀。禮部官點視諸色隊仗，刑部官巡綽喧鬧，樞密院官分守城門，而中書省官一員總督視之。先二日，於西鎮國寺迎太子游四門，舁高塑像，具儀仗入城。十四日，帝師率梵僧五百人於大明殿內建佛事。至十五日，恭請傘蓋於御座奉置寶輿，諸儀衛隊仗立於殿前，諸色社直暨諸壇面列於崇天門外，迎引出宮，至慶壽寺，具素食。食罷起行，從西宮門外垣海子南岸入厚載紅門，由東華門過延春門而西。帝及后妃宮主於玉德殿門外搭金脊吾殿綵樓而觀覽焉。及諸隊仗社直送金傘還宮，復恭置御榻上，帝師僧衆作佛事至十六日罷散，歲以爲常，謂之游皇城。元史 按：帕克斯巴，唐古特語聖也，舊作八思巴。今譯改。

補袁桷皇城曲 堂堂瞿曇生王宮，幼年夙悟它心通。梵書未覩口已誦，底用城闕窮西東？淨居老人幻竟異，故作恐怖生愁容。世間習妄了莫喻，要以神化開盲聾。歲時相仍作游事，皇城集隊喧憧憧。吹螺擊鼓雜部伎，千優百戲羣追從。寶車瑰奇耀晴日，舞馬裝轡搖玲瓏。红衣飄裾火山聳，白傘撐空雲葉叢。王宮跪酒頭叩地，朱輪獨坐顏酡烘。蚩氓聚觀汗揮雨，士女簇坐屑搖風。人生有身要有患，百歲會盡顏誰童？西方之國道里通，至今生老病死與世同。清容居士集

原至元二十七年十二月，命帝師西僧遞作佛事於萬歲山厚載門。英宗即位之初，作佛事於寶慈殿。六月，修佛事於萬壽山。十月，作佛事於文德殿。十一月，作佛事於光天殿。十二月，鑄銅爲佛像，置玉德殿。是月作延春閣後殿，修秘密佛事。至治元年正月，復修佛事於文德殿。五月，修佛事於大安閣。十月，修佛事於大內。泰定帝即位初，修佛事於大明殿。泰定元年正月，命僧諷西番經於光天殿。四月，修佛事於壽昌殿。六月，修黑雅滿達噶佛事於水晶殿，帝受佛戒於帝師。十月，命帝師作佛事於延春閣。二年二月，命西僧作燒壇佛事於延華閣。三年二月，修佛事厭雷於崇天門。七月，皇后受雅滿達噶戒於水晶殿。九月，帝師還京，修灑淨佛事於大明、興聖、隆福三宮。致和元年三月，帝御興聖殿，受無量壽佛戒於帝師。天曆元年，分命諸僧於大明殿、延

春閣、興聖宮、隆福宮、萬歲山作佛事，又命高昌僧作佛事於寶慈殿，西僧百人作佛事於徽猷閣。二年五月，作佛事於玉德殿。九月，作佛事於大明殿、興聖、隆福諸宮。至順元年四月朔，命西僧作佛事於仁智殿。於是日始至十二月終罷。十二月，命西僧於興聖光天宮十六所作佛事。二年五月，命西僧於萬歲山作佛事。十月，命西僧作佛事於興聖宮。三年七月，命僧於鐵幡竿修佛事。至正七年二月，興聖宮作佛事。元史 按：雅滿達噶，梵語怖畏金剛也，舊作雅鑾苔哥。今譯改。

〔臣等謹按〕禁扁載，大安閣水晶殿俱在上都。元史世祖紀，至元二年建大安閣於上都，八月十一日上都大安閣成。蓋擬於大都之正殿。元文宗成宗即位皆在大安閣，其地並是上都。考析津志，每年四月駕幸上都，至八月內或九月初始還大都。泰定紀，元年四月幸上都，八月至自上都。而水晶殿修佛事在六月。三年二月幸上都，九月始至自上都。而受戒水晶殿在七月。是知殿屬上都，與日下無涉。朱彝尊原書採綴於此，誤矣。

原張昱輦下曲　守內番僧日念吽，御前酒肉按時供。組鈴扇鼓諸天樂，知在龍宮第幾重。張光弼詩集

原張可久閱金經曲　水月觀音相，海雲獅子牀。講下飛花古樹蒼涼。紫檀小殿香。天仙降，對騎金鳳凰。小山樂府

原元甲寅年，開科取士，九成殿上芝生。草木子

原至元十三年正月，重建穆清閣。（元史順帝紀）

〔臣等謹按〕穆清閣，禁扁注在上都。析津志：至正年間新蓋穆清閣，與大安相對。則是閣屬上都無疑。朱彝尊原書誤入耳。

原庫曰廣源，曰寶源，曰綺源，曰賦源，曰廣貯，曰生料，曰財用，曰輔用，曰器備，曰收支，曰平盈，曰壽武，曰利器，曰廣勝，曰資乘，曰內藏，曰左藏，曰右藏，曰御帶，曰異珍，曰資成，曰資用，曰法物，曰儀從，曰中興武功，曰承天宣惠，曰廣樂，曰福寧，曰奉宸，曰廣禧，曰藏珍，曰文成，曰供需，曰備用，曰尚用，曰豐衍，曰藝林，曰資善，曰永需。（禁扁）

原大德初，廣源庫官售雜物有靈壁小峯，長僅六寸，高半之。玲瓏秀潤，所謂卧沙、水道、展摺、胡桃紋皆具。於峯之頂有白石正圓，瑩然如玉。徽宗御題八小字於旁，曰山高月小，水落石出。略無雕琢之迹，真奇物也。（澄懷録）

原萬億庫有舊牌條七千餘條。（元史僧格傳　按：僧格，唐古特語獅也，舊作桑哥。今譯改。）

〔臣等謹按〕元萬億庫有世祖御座，見析津志。

原壽武庫副使高昌額森布哈君有異石，其大三寸，色正碧，上有白紋，有神人載笠跨驢，白氣上貫，氣中雙龍摩空而飛。（説學集　按：額森，蒙古語平安也，布哈義見前，舊作野仙普化。今譯改。）

【原】尚食局進御麥麪，其磨在樓上，於樓下設機軸以旋之。驢畜之蹂踐，人役之往來，皆不能及，且無塵土臭穢所侵。乃巧工瞿氏造焉。輟耕録

【原】世祖至元十四年八月，詔建太廟於大都。十六年八月，以江南所獲玉爵及坫凡四十九事納於太廟。元史祭祀志

【原】至大二年春正月，以受尊號謝太廟爲親祀之始。同上

【原】太常請濬太廟庭中井，或以歲君所直，欲止其役。齊履謙曰：國家以四海爲家，歲君豈專在是？元史本傳

【原】少府爲諸王昌通建宅於太廟南，田忠良往仆其柱。少府奏之，帝問忠良。對曰：太廟前豈諸王建宅所耶？帝曰：卿言是也。又奏曰：太廟前無馳道，非禮也。即勅中書闢道。元史本傳　按：昌，唐古特語酒也，通，飲也，舊作昌童。今譯改。

〔臣等謹按〕元仁宗至治元年，詔議增廣廟制。三年，别建大殿於舊廟之前，用舊廟爲寢殿，建大次殿三間於宮城之西北，東西櫺星門亦南徙。見元史祭祀志。

【原】門外馳道抵齊化門之通衢。元史

〔臣等謹按〕元廟制東西南開櫺星三門，外馳道抵齊化門。見元史祭祀志。

【原】神御殿舊稱影堂，所奉祖宗御容，皆紋綺局織錦爲之。元史祭祀志

【原】阿爾尼格善畫塑及鑄金爲像，凡兩京寺觀之像皆出其手。原廟列聖御容，織錦爲之，圖畫弗及也。元史本傳 按：阿爾，蒙古語花紋也，尼格一數也，舊作阿尼哥。今譯改。

【原】影堂所在：世祖帝后，大聖壽萬安寺；裕宗帝后亦在焉。順宗帝后，大普慶寺；仁宗帝后亦在焉。成宗帝后，大天壽萬寧寺；武宗及二后，大崇恩福元寺，爲東西二殿。明宗帝后，大天源延聖寺；英聖帝后，大永福寺；伊克皇后，大護國仁皇寺。殿皆制名以冠之。世祖曰元壽，昭睿順聖皇后曰睿壽，諾爾布皇后曰懿壽，裕宗曰明壽，成宗曰廣壽，順宗曰衍壽，武宗曰仁壽，文獻昭聖皇后曰昭壽，仁宗曰文壽，英宗曰宣壽，明宗曰景壽。元史祭祀志 按：伊克，蒙古語大也，舊作也可。諾爾布，唐古特語財也，舊作南必。今俱譯改。

【原】至正戊申九月，有一餓鴟鳴端明殿上，帝命善射者射之，終莫能中。俄常遇春等統兵至柳林，去元京甚近。帝召文武百官軍民議戰守之計，遲明會議端明殿。及開門，忽有二狐自殿上出，帝歎且泣曰：宮禁嚴密，此物何由至此？殆天所以告朕，朕其可留哉！卽命北狩。草木子

【補】南麗正門内曰千步廊，可七百步，建靈星門，建蕭牆，周迴可二十里，俗呼紅門闌馬牆。門内數十步許有河，河上建白石橋三座，名周橋，皆琢龍鳳祥雲，明瑩如玉。橋下有四白石龍，擎戴水中甚壯。繞橋盡高柳，鬱鬱萬株，遠與内城西宮海子相望。度

橋可二百步爲崇天門。門分爲五，總建闕樓其上，翼爲迴廊，低連兩觀。觀旁出爲十字角樓，高下三級，兩旁各去午門百餘步，有掖門，皆崇高閣。內城廣可六七里，方布四隅，隅上皆建十字角樓。其左有門爲東華，右爲西華。由午門內可數十步爲大明門，仍旁建掖門，繞爲長廡，中抱丹墀之半。左右有文武樓，樓與廡相連。正中爲大明殿，殿基高可十尺，前爲殿陛，納爲三級，繞以龍鳳白石闌，闌下每楯壓以鼇頭，虛出闌外，四繞於殿。殿楹四向皆方柱，大可五六尺，飾以起花金龍雲。楹下皆白石龍雲，花頂高可四尺，楹上分間仰爲鹿頂斗拱，攢頂中盤黃金雙龍，四面皆緑金紅瑣窗，間貼金鋪，中設山字玲瓏金紅屏臺，臺上置金龍牀，兩旁有二毛皮伏虎，機動如生。殿右連爲主廊十二楹，四周金紅瑣窗，連建後宮，廣可三十步，深入半之，不顯楹架，四壁高曠，通用絹素冒之，畫以龍鳳，中設金屏障，障後卽寢宮，深止十尺，俗呼爲拏頭殿。龍牀品列爲三，亦頗渾樸。殿前宮東西仍相向爲寢宮，中仍設金紅小屏，牀上仰皆實如方隅，綴以綵雲金龍鳳。通壁皆冒絹素，畫以金碧山水。壁間每有小雙扉，內貯裳衣，前皆金紅推窗，間貼金花，夾以玉板明花油紙，外籠黃油絹幕。至冬則代以油皮。內寢屏障重覆帷幄而裹以銀鼠，席地皆編細簟，上加紅黃厚氊，重覆茸單。至寢處牀座，每用茵褥，必重數疊，然後上蓋納奇錫，再加金花貼薰異香，始邀臨幸。宮後連抱長廡以通前門，前繞金紅闌檻，盡列花卉，以處妃嬪。而每院間必建三楹，東西向爲牀，壁間亦用絹素冒之，畫以丹青。廡後横亘長道，中爲延春宮，丹墀皆植青松，卽萬年枝也。門廡殿制，大略如前。甃地皆用濬州花板石甃之，磨以核桃，光彩若鏡。中置玉臺，牀前設金酒海，四列金紅小連牀。其上爲延春閣，梯級由東隅而升，長短凡三折而後登。雖至幽暗，闌楯皆塗黄金龍雲，冒以丹青絹素，上仰亦皆拱爲攢頂，中盤金龍，四周皆繞金珠瑣窻，窻外繞護金紅闌干，凭望至爲雄傑。宮後仍爲主廊，后宮寢宮大略如前。廊東有文思小殿，西有紫檀小殿，後東有玉德殿。殿楹栱皆貼白玉龍雲花片，中設白玉金花山字屏臺，上置玉牀。又東爲宣文殿，旁有秘密室。西有鹿頂小殿。前後散爲便門，高下分引而入，彩闌翠閣，間植花卉松檜，與别殿異。飛甍凡數座。又後爲清寧宮，宮制大略亦如前。宮後引抱長廡，遠連延春宮，其中皆以處嬖幸也。外護金紅闌，各植花卉異石。又後重繞長廡，前虚御道，再護雕闌，又以處嬪嬙也。又後爲厚載門，上建高閣，環以飛橋舞臺於前，回闌引翼。每幸閣上，天魔歌舞於臺，繁吹導之，自飛橋而升，市人聞之，如在霄漢。臺東百步有觀星臺，臺旁有雪柳萬株，甚雅。臺西爲内浴室，有小殿在前，由浴室西出内城，臨海子。海廣可五六里，駕飛橋於海中，西渡半起瀛洲圓殿，環爲石城圈門，散作洲島拱門，以便龍舟往來。由瀛洲殿後北引長橋，上萬歲山，高可數十丈，皆奇石因形勢爲巖岳。前拱石門三座，面直瀛洲，東臨太液池，西北皆俯瞰海子。由三門分道東西而升，下有故殿基，金主圍棋石臺盤。山半有方壺殿。四通左右之路，幽芳翠草紛紛，與松檜茂樹蔭映上下，隱然仙島。少西爲吕公洞，尤爲幽邃。洞上數十步爲金露殿。由東而上爲玉虹殿。殿前有石巖如屋，每設宴必温酒其中更衣。玉虹金露，交馳而繞層闌，登廣寒殿。殿皆繞金珠瑣窗，綴以金鋪，内外有一十二楹，皆繞刻龍雲，塗以黄金。左右後三面則用香木鑿爲祥雲數千萬片，擁結於頂，仍盤金龍。殿有間玉金花玲瓏屏臺牀四，列金紅連椅，前置螺甸酒桌，高架金酒海。窗外出爲露臺，繞以白石花闌。旁有鐵竿數丈，上置金葫蘆三，引鐵鍊以繫之，乃金章宗所立以鎮其下龍潭。凭闌四望空闊，前瞻瀛洲橋與三宫臺殿，金碧流輝。後顧西山雲氣，與城闕翠華高下。而海波迤迴，天宇低沉，欲不謂之清虚之府不可也。山左數十步萬柳中有浴室，前有小殿。由殿後左右而入，爲室凡九，皆極明透，交爲窟穴，至迷所出路。中穴有盤龍，卬首而吐吞一丸於上，注以温泉，九室交湧，香霧從龍口中出，奇巧莫辨。自瀛洲西渡飛橋上回闌，巡紅牆而西，則爲明仁宫。沿海子導金水河步邃河南行爲西前苑。苑前有新殿，半臨邃河。河流引自瀛洲西邃地而繞延華閣。閣後達於興聖宫，復邃地西折味嘶後老宫而出，抱前苑，復東下於海，約遠三四里。龍舟大者長可十丈，繞設紅綵闌，前起龍頭，機發五竅皆通。餘船三五，亦自奇巧，引挽游幸，或隱或出，已覺忘身，況論其他哉！新殿後有水晶二圓殿，起於水中，通用玻璃飾，日光回彩，宛若水宮。中建長橋，遠引修衢而入嘉禧殿。橋旁對立二石，高可二丈，闊止尺餘，金綵光芒，利鋒如斲。度橋步萬花入懿德殿，主廊寢宮亦如前制，乃建都之初基也。由殿後出掖門，皆叢林，中起小山，高五十丈，分東西延緣而升，皆疊怪石，間植異木，雜以幽芳。自頂繞注飛泉，巖下穴爲深洞，有飛龍噴雨其中。前有盤龍，相向舉首而吐流泉，泉聲夾道交走，泠然清爽，仿佛仙島。山上復爲層臺，回闌邃閣，高出空中，隱隱遥接廣寒殿。山後仍爲寢宮，連長廡，廡後西繞邃河，東流金水，亘長街，走東北，又繞紅牆，可二十步許，爲光天門。仍闢左右掖門而繞長廡，中爲光天殿。殿後主廊如前，但廊後高起爲隆福宮。四壁冒以絹素，上下畫飛龍舞鳳，極爲明曠。左右後三面皆爲寢宮，大略亦如前制。宮東有沉香殿，西有寶殿，長廡四抱，與别殿重闌曲折掩映，尚多莫名。又後爲興聖宮，丹墀皆萬年枝。殿制比大明差小。殿東西分道爲閣門，出繞白石龍鳳闌楯，闌楯上每柱皆飾翡翠，而寘黄金雕鳥獅座。中建小直殿，引金水繞其下，甃以白石。東西翼爲仙橋，四起雕窗，中抱綵樓，皆爲鳳翅飛簷，鹿頂層出，極爲奇巧。樓下東西起日月宫，金碧點綴，欲象扶桑滄海之勢。壁間來往多便門出入，有莫能窮。樓後有禮天臺，高跨宫上，碧瓦飛甍，皆非常制。盼望上下，無不流輝，不覺奪目，亦不知蓬瀛仙島又果何似也。又少東有流杯亭，中有白石牀如玉，臨流小座，散列數多。刻石爲水獸潛躍其旁，塗以黄金。又皆制水鳥浮杯，機動流轉而行，勸罰必盡歡洽，宛然尚在目中。繞河沿流，金門翠屏，回闌小閣，多爲鹿頂，鳳翅重簷，往往於此臨幸，又不能悉數而窮其名。總引長廡以繞之。又少東，出便門，步邃河上，入明仁殿，主廊後宫，亦如前制。後宫爲延華閣，規制高爽，與延春閣相望。四向皆臨花苑。苑東爲端本堂，上通冒素紵絲。又東有棕毛殿，皆用棕毛以代陶瓦。少西，出掖門爲慈仁殿。又後苑中有金殿，殿楹窗扉皆裹以黄金，四外盡植牡丹，百餘本高可五尺。又西有翠殿，又有花亭毬閣，環以緑牆獸闥，緑障魫窗，左右分布，異卉幽芳，參差映帶。而玉牀寶座，時時如浥流香，如見扇影，如聞歌聲出户外而若度雲霄，又何異人間天上也！金殿前有野果名紅姑娘，外垂絳囊，中空如桃，子如丹珠，味甘酸可食，盈盈繞砌，與翠草同芳，亦自可愛。苑後重繞長廡，廡後出内牆東連海子以接厚載門。繞長廡中皆宫娥所處之室。後宫約千餘人，掌以閹寺，給以日飯，又何盛也！庚申以荒淫久廢朝政。洪武元年，爲諸將叛背，捐棄宗廟社稷而逃走依西北，蓋立彼蒙古之國逾年，不爲所容，思庇翁吉喇特氏魯王所封之國以求生，卽應昌府也。府有西江焉。庚申心知不可爲已，因泣數行下，未幾以痢疾崩。子阿裕爾錫哩達喇立五日，我師奄至，阿裕爾錫哩達喇僅以身免，二后阿裕爾錫哩達喇妻子及三宮妃嬪、扈衛諸將軍將帥、從官悉俘以還，元氏遂滅。至是始驗當初指望説生涯、死在西江月下之讖云。故宮遺録 按：納奇錫，蒙古語絨線也，舊作納失失。今譯改。翁吉喇特舊作翁吉剌，今從八旗姓譜改正。

〔臣等謹按〕蕭洵故宮遺録，其中多有與諸書不合者。如文思、紫檀二殿在大明殿東西，此云在延春閣後。玉德殿在清顥門外，清顥爲延春西廡之門，此云在延春閣後之東。儀天殿此作瀛洲殿；廣寒殿前大玉海，此作金酒海。儀天殿西渡飛橋爲興聖宮，此作明仁宮。明仁，延春閣之西暖殿也。嘉禧殿在光天殿西，其東相對者有壽昌殿，此云西前苑新殿之後，而脱載壽昌。延華閣在興聖宮後，此云在明仁後，端本堂在興聖殿西廡，卽舊奎章閣也，此云在苑東。大抵蕭氏毁元宮室，不過得諸一覽之餘，萬户千門，紛錯雜出，詎能無少疏誤？今但仍其舊文，而以諸書紀載不同者附識於兹，以資互證。至其中字句之訛，則據王佐格古要論所載元故宮考參校同異，爲之釐訂如右。

補吴節故宮遺録序 故宮遺録者，廬陵蕭洵之所撰也。革命之初，任工部郎中，奉命隨大臣至北平，毁元舊都，因得徧閲經歷，凡門闕樓臺殿宇之美麗深邃，欄檻瑣窗屏障金碧之流輝園苑，奇花異卉峯石之羅列高下曲折，以至廣寒秘密之所，莫不詳具該載，一何盛哉！近古以來未之有也。觀此編者，如身入千門萬户，登金馬，歷玉階，高明華麗，雖天上之清都，海上之蓬瀛，猶不足以喻其境也。洵因宰湖之長興，將鋟諸梓而不果，遂傳於是邦。予因館於吕山，友人高叔正氏出以示予，因假而録之，以遺好奇之士云。洪武丙子花朝日，松陵生吴節伯度序。

〔朱昆田原按〕虎溪蕭氏故宫遺録一卷，絳雲樓書目有之，王氏格古要論補采入，更名大都宫殿考，且又删削十之二三，非復蕭氏之舊。兹從餘姚黄氏所購山陰祁氏藏本備録之，并附吴伯度序於後。虎溪因毁故宫，特詳其形制，有心哉是人！惜止載宫門以内，而大都宫城之制未詳，遺蹟遂不可考。覽古者未免有餘憾也。

【原】宋訥壬子秋過元故宫詩　離宫别館樹森森，秋色荒寒上苑深。北塞君臣方駐足，中華將帥已離心。興隆有管鸞笙歇，劈正無官玉斧沈。落日凭高望燕薊，黄金臺上棘如林。技巧聲淫誤帝聰，萬幾誰爲代天工。國中失鹿迷原草，城上啼烏落井桐。駝鼓聲乾鸞輅遠，馬酮筵罷革囊空。不知金宋爲殷鑒，漫説東皇歷數終。禁路隨人不忍行，臨風立馬倍傷情。千年王室山河壯，萬里宫車社稷輕。金鼎夔龍興聖殿，紫駝部落受降城。憑誰爲問天魔女，唱得陳宫玉樹聲。萬國朝宗拜紫宸，於今誰望屬車塵。名聞少室徵奇士，驛斷高麗進美人。朝會寶燈沉轉漏，授時玉曆罷頒春。街頭野服儒冠老，曾是花甎視草臣。六宫春色一宵殘，多難何人策治安。去國登瀛唐富貴，降城執戟漢材官。瑶宫有扇捐金雀，紫塞無旗捲角端。花柳亦知宫女散，妝紅顰翠簇金鑾。土木窮奢過楚臺，披香積翠滿蓬萊。宫鴉驚月雞人去，戎馬騰雲虎士來。侍從嚴徐冠蓋散，燮調楊李棟梁摧。燕歌趙舞終朝夕，不覺嬉游是禍胎。扶運匡時計已差，青山重疊故京遮。九華宫殿燕王府，百辟門庭戍卒家。文武衣冠更制度，綺羅巷陌失繁華。氊車盡載天魔去，惟有鶯銜上苑花。黄葉西風海子橋，橋頭行客弔前朝。鳳凰城改佳游歇，龍虎臺荒王氣消。十六天魔金屋貯，八千霜塞玉鞭遥。不知亡國盧溝水，依舊東風按海潮。鬱葱佳氣散無蹤，宫外行人認九重。一曲歌殘羽衣舞，五更妝罷景陽鐘。雲間有闕摧雙鳳，天外無車駕六龍。欲訪當時泛舟處，滿池風雨脱芙蓉。五雲雙闕俯人間，歲晏天王狩未還。鸜鵒認人宫漏斷，水沈銷篆御牀閒。朝儀無復風雲會，郊祀空遺日月顔。莫向邊陲動戎馬，漢兵已過鐵門關。灤京南下是中華，夜出居庸去路賒。何處又棲王謝燕，故侯誰種召平瓜。九重門闕人騎馬，萬歲山空樹集鴉。獨是天池秋水滿，西風吹入釣魚槎。仙裳宫袖擁龍舟，一夕兵來罷盛游。萬户千門銀燭冷，六軍百職布袍秋。御橋路壞盤龍石，金水河成飲馬溝。日暮胡笳和羌笛，舞兒羞見錦纏頭。萬年海岳作金湯，一望淒然感恨長。禾黍秋風周浴邑，山河殘照漢咸陽。上林春去宫花落，金水霜來御柳黄。虎衛龍墀人不見，戍兵騎馬出蕭牆。漢皇愛舞起龍船，錦纜香維御柳烟。侍女争開妝鏡匣，後宫不理敗弓絃。青油幕乏登壇將，金馬門空待詔賢。惟有廣寒西畔柏，不知争戰翠參天。清寧宫殿閉殘花，塵世迴頭换物華。寶鼎百年歸漢室，錦帆千古似隋家。後宫鸞鏡投江渚，北狩龍旗没塞沙。想見扶蘇城上月，照人清淚落胡笳。瑶臺瓊室倚清虚，佳氣潛消諫疏疏。

帥閫有兵空虎衛，經筵無講逐鑾輿。侯封一代皇朝爵，帝紀千秋太史書。斜日五雲坊下路，老儒騎馬重躊躇。黼座簪裳列俊髦，禁闈環佩立仙曹。兩京臺閣公輸巧，四海泥塗赤子勞。端本有書遺鶴禁，宣文無客進龍韜。拂郎天馬空踰海，不駕朝元玉輅高。事事傷心亂若絲，宮前重詠黍離詩。百年禮樂承平主，一旦干戈喪亂師。鳳麟閣老，雉門降是羽林兒。行人莫上城樓望，惟有山河似舊時。雲霄宮闕錦山川，不在穹廬毳幕前。螢燭夜游隋苑囿，羊車春醉晉嬋娟。翠華去國三千里，玉璽傳家四十年。今日消沉何處問，居庸關外草連天。西隱集

欽定日下舊聞考卷三十三

宫室 明一

〔臣等謹按〕明初燕邸仍西宫之舊，當即元之隆福、興聖諸宫遺址，在太液池西。其後改建都城，則燕邸舊宫及太液池東之元舊内並爲西苑地，而宫城則徙而又東。我朝定鼎，凡前明弊政剗除務盡。宫殿之制，概從簡樸，間有興葺，或僅改易其名。今謹就朱彝尊原書各條下略爲標識，其詳已恭載國朝宫室卷内，不複綴云。

原 十二年十一月，燕府營造訖工，繪圖以進。其制，社稷、山川二壇在王城門之右。王城四門，東曰體仁，西曰遵義，南曰端禮，北曰廣智。門樓廊廡二百七十二間，中曰承運殿，十一間。後爲圜殿，次曰存心殿，各九間。承運殿之兩廡爲左右二殿，自存心、承運周圍兩廡至承運門，爲屋百三十八間。殿之後爲前、中、後三宫，各九間，宫門兩廂等室九十九間。王城之外，周垣四門，其南曰靈星，餘三門同王城門名。周垣之内，堂庫等室一百三十八間，凡爲宫殿室屋八百一十一間。明太祖實録原永樂十四年八月，作西宮。初，上至北京，仍御舊宮。及是將撤而新之，乃命作西宮，爲視朝之所。中爲奉天殿，殿之側爲左右二殿。奉天殿之南爲奉天門，左右爲東西角門。奉天門之南爲午門，午門之南爲承天門。奉天殿之北有後殿，有涼殿、暖殿及仁壽、景福、仁和、萬春、永壽、長春等宮。十五年六月，建郊廟。十一月，建乾清宮。明典彙

〔臣等謹按〕明永樂四年，詔以明年建北京宮殿。十四年八月，作北京西宮。十一月，詔羣臣議建北京。十八年，詔改京師爲南京，北京爲京師。十一月，以遷都北京詔天下，是月北京郊廟宮殿成。見明史本紀。

原永樂十五年，鼎建北京宮殿，有瑞靄浮空，金水橋河冰凝結浮圖諸象。又慶雲呈采，團圞如日，正當御座中，且現五色天花。於是大小臣工咸爲歌頌，有聖德瑞應詩二十卷。萬曆重編內閣藏書目錄

原文皇將營北京宮殿，時有神木出四川馬湖山中，命禮部尚書建安鄭賜齎香帛往答神貺焉。遵聞錄

〔臣等謹按〕明永樂四年，分遣大臣採木於四川、江西、湖廣、浙江、山西。所遣往四川之尚書宋禮言，有數大木一夕自浮大谷達於江。天子以爲神名其山曰神木山，遣官祠祭。見明史本紀。

原初，燕邸因元故宫，卽今之西苑，開朝門於前。元人重佛，朝門外有大慈恩寺，卽今之射所。東爲灰廠，中有夾道，故皇牆西南一角獨缺。太宗登極後，卽故宫建奉天三殿以備巡幸受朝。至十五年，改建皇城於東，去舊宫可一里許，悉如金陵之制，而宏敞過之。春明夢餘録

原既遷大内，東華門之外逼近民居，喧囂之聲至徹禁籞。至宣德七年，始加恢擴。移東華門於河之東，遷民居於灰廠西之隙地。湧幢小品

原皇城外圍牆三千二百二十五丈九尺四寸，其門凡六，曰大明門，曰長安左門，曰長安右門，曰東安門，曰西安門，曰北安門，俗呼曰厚載門，仍元舊也。牆外紅舖七十二。登聞鼓院在長安右門外。紫禁城内牆南北各二百三十六丈二尺，東西各三百二丈九尺五寸，其門凡八，曰承天門、曰端門、曰午門，卽俗所謂五鳳樓也，東曰左掖門，西曰右掖門，再東曰東華門，再西曰西華門，向北曰玄武門，牆外紅舖三十六。春明夢餘録

〔臣等謹按〕明代宫室各門名雖仍沿元舊，似俱移置東偏，稍加恢擴。其登聞鼓院，今在西長安門外，屬通政司。詳官署門。

原正德辛巳，上入繼大统，至京城外行殿。楊廷和請上由東安門入居文華殿，上箋勸進，擇日登極。上從行殿受箋，由大明門入，日中登極。明倫大典

原聖母將至，禮部議由東安門入，再議由大明左門入。張璁曰：雖天子必有母也，焉可由旁門入乎？聖母至，由大明中門入。同上

原進大明門次爲承天之門，天街橫亘承天門之前。其左曰東長安門，其右曰西長安門。凡國家有大典則啓大明門出，不則常扃不開。每日百官奏進，俱從二長安門入，守者常數十百人，皆禁軍也。長安客話

〔臣等謹按〕承天門又折而東曰長安左門，折而西曰長安右門。見明史輿服志。

原在京法司遇會官審録重囚，俱於承天門東西，分爲四行列坐。公、侯、駙馬、伯列於東班前行，都督等官列於東班後行，尚書、都御史、侍郎等官列於西班前行，通政使、大理寺佐貳官并六科掌科事給事中列於西班後行。明憲宗實録

〔臣等謹按〕明之承天門，順治八年重建，改爲天安門。今秋讞大典仍在天安門外西朝房，卽刑部三法司值班處也。

原隆慶戊辰五月，考選庶吉士。在金水橋南，設几北向，几上各帖姓名。穀城山房筆塵

原隆慶五年二月，濬金水河。明穆宗實録

原大明門内曰承天之門，其内之東一門内則太廟也，西一門内則太社太稷也。燕史

原成化元年三月，命工部尚書白圭董造承天門。明憲宗實録

原頒詔例置詔於櫝，繫以繩，自承天門縋下。國史唯疑

原太廟在闕之左，永樂十八年建。前正殿翼以兩廡，後寢殿九間，間一室，主皆南面，几席諸器備。嘉靖十一年，中允廖道南請建九廟，上從其議，撤故廟，祖宗各建專廟，合爲都宮，因舊廟新之。太祖居中，文皇世廟在太廟東北，居六廟上，昭穆六廟列太廟左右，廟各有殿，殿後有寢，藏主。太廟寢後別有祧寢，藏祧主。太廟門殿皆南向，羣廟門東西向，内寢殿皆南向。十五年十二月，九廟成。二十年四月，雷火，八廟災，惟睿廟存。因重建太廟，復同堂異室之制。二十四年七月，新廟成，正殿九間，内貯諸帝后冕旒冠帶，櫃而藏之，祭則陳設。東西側間，設親王功臣位，前爲兩廡，東西二燎鑪，東燎列聖親王祝帛，西燎功臣帛。南爲戟門，門之左爲神庫，右爲神廚，又南爲廟門，門外東南爲宰牲亭，南爲神宮監，西爲廟街門。正殿後爲寢殿九間，奉安列聖神主，皆南向。又爲祧廟五間，藏祧主，皆南向。時享於四孟，祫於歲除。春明夢餘録

原太廟規制：中室太祖高皇帝孝慈高皇后，東第一室成祖文皇帝、仁孝文皇后，西第一室睿宗憲皇帝、慈孝獻皇后，東第二室武宗毅皇帝、孝靖毅皇后，西第二室世宗肅皇帝、孝潔肅皇后，東第三室穆宗莊皇帝、孝懿莊皇后，西第三室神宗顯皇帝、孝端顯皇后，東第四室光宗貞皇帝、孝元貞皇后，西第四室熹宗悊皇帝。其祧殿所藏：德祖元皇

帝后、懿祖恒皇帝后、熙祖裕皇帝后、仁祖淳皇帝后、仁宗昭皇帝、誠孝昭皇后、宣宗章皇帝、孝恭章皇后、英宗睿皇帝、孝莊睿皇后、憲宗純皇帝、孝貞純皇后、孝宗敬皇帝、孝康敬皇后。東廡侑享諸王十五人，西廡侑享功臣十七人。太堂記

〔朱彝尊原按〕此乃崇禎時太廟規制。蓋終明之世，廟祀皆一帝一后，后惟元配。

原 嘉靖四年四月，光禄署丞何淵請於太廟内立世室，以獻皇帝與祖宗同享太廟。禮部尚書席書等以爲不可，有旨集廷臣再議。於是吏部尚書廖紀、武定侯郭勛、給事中楊言、御史葉忠等咸謂：皇上孝心無窮，禮制有限，臣等萬死不敢以非禮誤陛下。上曰：世室之建，自古有之。朕膺天命，入紹大统，皇考百世之室，胡爲不可？遂命大學士費宏、石珤，太監張佐等，卽太廟左隙地立廟，其前殿後寢一如太廟制，定名世廟云。已而席書上言：擇地以稱廟，所别者出入不與太廟同門，位處不與太廟並列，祭用次日，使敬心不分於所尊，廟欲稍遠，使樂聲不聞於列祖，尊尊親親可兩全矣。神路宜由闕左門出入。何淵復奏當與廟街同門，費宏、賈詠、石珤皆以爲不可。上不聽，命由廟街門。五年九月，世廟成，上自觀德殿奉獻皇帝神主於世廟。十一年三月，中允廖道南請建九廟。十四年正月，諭大學士李時等曰：世廟迫近河水，今擬重建於太廟左方。命於太廟東南隙地相度。二月初建九廟，十五年十一月九廟成。十二月，奉安太祖列帝后神主。十七年六月，

揚州府通州同知致仕豐坊上疏，請建明堂，加尊皇考獻皇帝廟號稱宗，以配上帝。疏下禮部集議。尚書嚴嵩言：明堂、圜丘皆以事天，今大祀殿在圜丘之北，正應古方位，明堂秋享之禮卽此可行，不必更建。至於侑享以父配之，自漢唐宋諸君莫不皆然。錢公輔、司馬光、孫忭所論又主祖宗之有功者，今以功德則宜配文皇，以親則宜配獻皇帝。若稱宗之議則未有稱宗而不祔太廟者，恐皇考在天之靈亦所不安。復命集議。嵩乃言：考秋享成物之旨，嚴父配天之文，皇考配享，允合周道。户部侍郎唐胄上疏力争，上留中不發，乃設爲臣下奏對之辭，作明堂或問以示輔臣，特黜胄爲民。上又諭嵩曰：國家之興，始於高皇帝，而中定艱難，則文皇宜同稱祖號。皇考獻皇帝宜薦宗稱帝。嵩復上議：太祖卽位，仁祖雖自布衣，必享天下之祀。皇考固獨闕焉，聖心必有所不安。又言：文皇帝再造鴻業，概以宗稱，於義未盡，尊稱爲祖，聖見允宜。嵩奏出，羣臣無復異議，大學士夏言擬太宗爲烈祖孝皇帝，上定爲成祖，恭上廟號，尊文皇帝爲成祖，皇考爲睿宗獻皇帝，祔於太廟。明典彙

〔朱彝尊原按〕大禮之議，張文忠倡之，席文襄附和之。其初合在廷之諍臣伏闕號哭，不能回。迨其後建世室，配天祔廟，兩公非不力争，亦不能奪何淵、豐坊之邪說，論世者咎終歸於始倡和之人，此謂逢君之惡，其罪大。君子於議禮之際，尤不

可不慎也。

原奉先殿在神霄之東，殿九室如廟寢制。國有太廟，以象外朝，有奉先殿，以象內朝。每室一帝一后，如太廟寢殿，其祔祧迭遷之禮亦如之。凡祀方丘、朝日、夕月、册封、告祭及忌辰在焉，餘皆於太廟行之。永樂三十五年始作。春明夢餘録

〔臣等謹按〕明洪武間，以太廟時享未足以展孝思，復建奉先殿於宫門内之東。成祖遷都北京，建如制。見明史禮樂志。

原奉先殿薦新品物：正月韭菜、生菜、薺菜、鷄子、鴨子，二月芥菜、薹菜、蔞蒿、子鵝、新冰，三月茶、筍、鯉魚、鵪鶉，四月彘猪、雉雞、青梅、王瓜、杏子、櫻桃、白酒，五月小麥麪、沙糖、紅豆、嫩雞、桃子、大麥、茄子、李子、來禽、蒜薹、煮酒，六月冬瓜、甜瓜、西瓜、蓮蓬，七月葡萄、棗子、鮮菱、雪梨、芡實，八月茭白、嫩薑、鱖魚、鮮藕、粳米、粟米、穄米、芋苗，九月鯿魚、小紅豆、沙糖、栗子、橙子、石榴、柿子、生酒，十月山藥、蜜、活兔、柑子、橘子、米糕、豆腐、蓼花米糖、細糖、銀魚子、鱭魚、魚凍，十一月蕎麥麪、紅豆、沙糖、甘蔗、獐子、天鵝、鹿、雁，十二月菠菜、鯽魚、白魚、風鯽魚。光禄寺志

原奉先殿供養：初一日捲煎，初二日髓餅，初三日沙鑪燒餅，初四日蓼花，初五日羊肉

肥麵角兒，初六日糖沙餡饅頭，初七日巴茶，初八日蜜酥餅，初九日肉酥油，初十日糖蒸餅，十一日盪麵燒餅，十二日椒鹽餅，十三日羊肉小饅餃，十四日細糖，十五日玉茭白，十六日千層蒸餅，十七日酥皮角兒，十八日糖棗糕，十九日酪，二十日麻膩麪，二十一日蜂糖糕，二十二日芝蔴燒餅，二十三日捲餅，二十四日熝羊蒸餋，二十五日雪糕，二十六日夾糖餅，二十七日兩熟魚，二十八日象眼糕，二十九日酥油燒餅，三十日糖酥餅。同上

補 舊例北京奉先殿供薦：二月子鵝，江寧縣辦解；三月鮮筍，四月梅子，皆南京園户辦；七月雪梨，宣城縣解；八月茭白，南京池户辦；九月香橙，南京園户辦；十月柑子、橘子，吴縣辦；十一月甘蔗，錢塘、仁和二縣辦解。萬曆九年，南京太常寺卿沈節甫以子鵝道遠，抵京已非子鵝，雪梨采自秋前，裝運色味易變，不如在京河間所産。議子鵝別派大興、宛平二縣，雪梨派河間，勑下禮部行太常光禄議覆未報。二十四年九月，南太常寺卿楊時喬請移文應天府取鵝梨價銀至京買子鵝，河間買梨，進獻。南京太常寺志

〔臣等謹按〕明史禮樂志，弘治十七年，吏部尚書馬文升言南京進鮮船本爲奉先殿設，輓夫至千人，沿途悉索。今揚徐旱，願減省以甦民困。據此，則前明奉先殿供薦亦未免過繁矣。

原嘉靖六年三月，移建觀德殿於奉先殿之左，改稱崇先殿，奉安恭穆獻皇帝神主。（明世宗實録）

〔臣等謹按〕嘉靖二年，葺奉慈殿爲觀德殿。五年，以觀德殿窄隘，欲別建於奉先殿左。尚書趙瓚謂不可，不聽，乃建於奉先殿之東曰崇先殿。見明史禮志。

原孝肅紀皇后薨，禮不得祔廟，乃於奉先殿右特建奉慈殿別祀之。嘉靖十五年，并祭於奉先殿，罷奉慈享薦。（春明夢餘録）

原景神殿在太廟東北，奉藏列聖御容，歲六月六日太常寺吉服詣殿曬晾。（同上）

〔臣等謹按〕嘉靖十三年，命易承天家廟曰隆慶殿。十五年，以渠道遷世廟，更號曰獻皇帝廟，遂改舊世廟曰景神殿，寢殿曰永孝殿。見明史禮志。

補嘉靖二十三年夏，建造九廟。大柱石礫取諸西山。每石用騾二百頭拽，二十五日至城。（暖姝由筆）

〔臣等謹按〕明世宗本紀，嘉靖二十年四月辛酉，九廟災，燬成祖仁宗主。二十四年七月，以廟建禮成，百官表賀。亦見明史禮志。

原崇禎十六年仲夏，大雨沾衣如血，雷霆通夕不止。次日見太廟神主或横或倒，諸銅器爲雷火所擊，融而成灰。六月二十三夜，雷震奉先殿廟脊鴟吻碎，中有劍削拔去，不知

落在何所。廟門玲瓏雕刻處皆損壞，有龍爪痕。太監蘇允寧換鴟吻比前減小，上不悅，降允寧級。綏寇紀略

原　崇禎十六年夏，一夕大雨霹靂起奉天殿中，詰朝視之，殿門俱開，門前白石爲雷火所燔，有蟠龍痕。門上金鋪龍爪印其上，爪所著處金皆鎔化，中官馬從龍云。艮齋筆記

原　社稷壇在闕之右，與太廟對。壇制二成，四面石階各三級，上咸用五色土隨方築之。壇西砌瘞位，四面開櫺星門，西門外西南建神庫，庫南爲神廚，北門外爲拜殿，外天門四座，西門外爲宰牲亭。春明夢餘録

原　洪武元年，上親祭大社大稷。大社設正位在東，配以后土西向，大稷設正位在西，配以后稷東向，各用玉兩邸，幣黑色，牲用犢一、羊一、豕一，籩豆各十。同上

原　居中巍然而嚮明者午門也，鐘鼓在焉，曰左掖門，曰右掖門。燕史

原　午門之内曰皇極門，左曰弘政門，右曰宣治門，旁曰歸極門，曰會極門。皇極門内東曰文昭閣，西曰武成閣。上曰皇極殿，中曰中極殿，後曰建極殿，所謂三大殿也。中極滲金圓頂，如穿堂之制，建極殿後曰雲臺門，東曰後左門，西曰後右門，亦名曰平臺。又東則景運門，西則隆宗門，中則乾清門，上則爲乾清宮。崇禎八年八月初四日，題敬天法祖牌懸於内。東暖閣曰昭仁殿，先名弘德。西暖閣曰弘德殿。先名肅雝。左曰日精門，門之北

西向曰端凝殿。右曰月華門，門之北東向曰懋勤殿。左小門曰龍光，右小門曰鳳彩。西御憇房，萬曆中更壽安居。乾清宮後披簷東曰思政軒，西曰養德齋。中圓頂則交泰殿，上則坤寧宮，皇后所居。坤寧東露頂曰貞德齋，西露頂曰養正軒，東披簷曰清暇居，北圍廊曰游藝齋，左曰景和門，右曰隆福門，再北左曰端則門，右曰基化門，便接瓊苑左右門矣。此中一路之大略也。乾清宮門後過日精門之東曰崇仁門，（先名迎祥。）稍南則曰奉慈殿，萬曆中改東裕庫曰弘孝殿，崇先殿改爲神霄殿。日精門往北曰順德北門，則東一長街也。再北向西與龍光門斜對者曰咸和左門，（先名百福門。）向南者曰景仁宮。（先名長寧。）其東則東二長街也。南首麟趾門，（先名壽春。）北首千嬰門，（先名慶安。）麟趾門之東曰延禧宮，曰怡神殿，再東曰嘉德左門，再東曰蒼震門。咸和左門之北向西與景和門對者曰廣和左門，向南者曰承乾宮，（先名永寧。）東宮貴妃所居。東二長街之東曰永和宮，（先名永安。）廣和左門之北向西與端則門對者曰大成左門，（先名長慶。）向南者曰鍾粹宮，（先名咸陽。）皇太子所居。前殿曰興隆宮，後殿曰聖哲殿，其後小院曰龍德齋。東二長街之東曰景陽宮，（先名長陽。）千嬰門之北並列者則乾東之房五所，宮正司六尚局皆在乾清宮之東。此東一路之大略也。乾清宮門後過月華門之西曰遵義門，（卽膳廚門。）向南則養心殿，西南則祥寧宮，宮前向北者曰無梁殿，嘉靖中煉丹藥之所。月華門之西南者曰隆道閣，原名道心閣，（卽皇極閣。）下曰仁德堂，閣東曰忠義室，曰蕩蕩門，（先名會極。）曰義平門，（先名歸極。）西南則慈寧宮矣。月華門往北曰順德右門，則西一長街也。再北向東與鳳彩門斜對者曰咸和右門，（先名廣安。）南者曰毓德宮，原名安樂宮，後又改永壽宮，則西二長街也。北首曰百子門，南首螽斯門，西曰啟祥宮，（原名未央。）宮内一石坊，北曰聖本肇初，南曰元德永衍，（先曰貞源茂始，慶澤無終。）蓋興獻帝所生之地。再西曰嘉德右門，（先名景福。）曰隆德殿，（即元極寶殿。）祀三清神。左有容軒，右無逸齋，配殿左曰春仁，右曰秋義。再西北曰英華殿，（先名隆禧。）有菩提樹二株，北則北角井，再西則咸安宮。（先名咸熙。）咸和右門之北向東與興福門相對者曰廣和門，南向者曰翊坤宮，（先名萬安。）西宮貴妃所居。西二長街之西曰長春宮，（更永寧，後仍改長春宮。）廣和右門與基化相對者曰大成右門，向南者曰儲秀宮，（先名壽昌。）西二長街之西曰咸福宮，（先名壽安。）又後則乾西之房五所。此西路之大略也。坤寧宮所謂中宮也，宮後則爲後苑，欽安殿在焉，曰天一之門，萬春亭、千秋亭、對育軒、（更名玉芳軒。）清望閣、金香亭、玉翠亭、樂志齋、曲流館、四神祠，有假山曰堆繡山，山上亭曰御景亭。東西二池有亭，東曰浮碧，西曰澄瑞。萬曆十一年，毀觀化殿壘此。東南曰瓊苑左門，（一名嘉福。）西南曰瓊苑右門，（一名隆德。）欽安殿後曰順貞門，即坤寧門也。此外則玄武門矣。皇極門之東曰會極門，門東曰文華殿，有精一堂、恭默室、九五齋，殿之後曰玉食館，北曰省愆居，殿之口曰崇本門，殿之後曰刻漏房，銅壺驗時之所。再後則徽音門，曰麟趾門，其内則慈慶殿，又奉宸宮、昜勤宮、承華宮、昭儉宮。麟趾門之東曰關睢左門，再西曰元輝殿，再北朝南者曰寶善門，迤東曰慈慶宮，後門門之外曰奉先殿，卽內太廟也，街東則隆祀門，其內則外東裕庫也。又東北並列二門曰履順、蹈和，則一號殿，仁壽宮之門內有噦鸞宮、喈鳳宮，宮妃養老之處。自寶善門亦可通玄武門，其中之門則蓮花門也。皇極門之西曰歸極門，門西曰武英殿，殿西曰大庖，曰尚膳監，東北曰思善門，曰仁智殿，西南曰御酒房，又北曰慈寧門。嘉靖十五年，以仁壽宮故址并撤大善殿建慈寧宮，過慈寧宮皆內侍直房，再北過長庚橋則玄武門矣。春明夢餘録

〔臣等謹按〕前明宮室規制，本朝多仍其舊，有更易其名者，如皇極門今改爲太和門，弘政門今改爲昭德門，宣治門今改爲貞度門，會極門今改爲協和門，歸極門今改爲熙和門，廣和左、右門今改爲廣生左門、廣生右門，文昭、武成二閣今改爲體仁閣、弘義閣，其宏孝、神霄等殿今改建齋宮及毓慶宮。詳見國朝宮室。

原 順天主考，例不賜宴，獨南畿二主考辭朝，賜宴於闕東松林，相傳云遵洪武舊制。春明夢餘録

補 唐人入朝，多侈言花柳之盛。五言詩如王維云：柳暗百花明，春深五鳳城。杜甫云：退朝花底散，歸院柳邊迷。又云：冉冉柳枝碧，娟娟花蘂紅。戴叔倫云：月沉宮漏靜，

雨濕禁花寒。竇叔向云：宮花一萬樹，不敢舉頭看。七言詩如武平一云：黃鶯未解林間囀，紅蘂先從殿裏開。賈至云：千條弱柳垂青瑣，百囀流鶯繞建章。岑參云：花迎劍佩星初落，柳拂旌旗露未乾。杜甫云：香飄合殿春風轉，花覆千官淑景移。錢起云：長樂鐘聲花外盡，龍池柳色雨中深。皇甫曾云：曉色漸分雙闕下，漏聲遥在百花中。張籍云：寶樹樓前分繡幙，綵花廊下映朱闌。至宋猶然。故宣和御製宫詞云：禁宫春色最妖妍，桃李扶疏滿眼前。又云：纔過閤門分曲檻，弄晴繁蘂麗如妝。蓋自金元以來，始不復種花柳於闕下矣。明於午門左右採松葉爲棚，使百官免立風露之下，其制雖善，要不若植花柳之爲愈也。筆詮

〔臣等謹按〕午門外松棚，本朝悉裁去。

補 文皇帝御用槍有號帶，在午門之五鳳樓，王元美有詩紀之。眉公見聞録

原 程文德登五鳳樓詩　六月六日天晶明，九重廣内暴干旌。金鎖朱扉開鳳閣，禁籞偶隨仙侶行。複道岧嶤登且止，俯視恍入青冥裏。金鐘鼉鼓大十圍，震擊元來聞百里。紫電清霜森武庫，高幢大纛紛無數。中有神祖手執戈，摩挲黯黯生雲霧。赤纓玉勒間駝鞍，歲久神物何媻跚！傳是文皇渡江日，萬斛載寶來長安。祖宗英謨久不滅，煇煌重器遺宫闕。千秋萬代付神孫，張皇廟算恢光烈。平生浪説騎鳳游，吾今真上鳳凰樓。直須彤管紀勝事，天風吹骨寒於秋。松溪集

補 華亭沈景陽善卜，永樂中，驛取至京。太宗命於午門上布卦，乃問英國公征南事。景陽占曰：此大勝之兆，時正午當得捷音。其時果有飛檄至，報安南平。上大悅，賜鈔幣

遺歸故里。稗史彙編

原刑制有刱之自明而爲前代所未有者，廷杖與東西兩廠、錦衣衛鎮撫司獄是已。是二者殺人至慘而不麗於法，舉朝野之命一聽於武夫、宦竪之手，可嘆也！太祖常與侍臣論待大臣禮。太史令劉基曰：古者公卿有罪，盤水加劍，詣請室自裁，未嘗輕折辱之，所以存大臣之體也。時侍讀學士詹同侍坐，因取大戴禮及賈誼疏以進，且曰：古者刑不上大夫，以厲廉恥也。必如是，君臣之恩禮始可兩盡。上深然之。洪武六年，工部尚書王肅坐法當笞。太祖曰：六卿貴重，不宜以細故加辱，命以俸贖罪。後羣臣皆誤許贖俸始此。然永嘉侯朱亮祖父子皆以鞭死，工部尚書夏祥斃杖下，故當時上書者猶以大臣有過惡當誅、不宜加辱爲言。宣德三年，怒御史嚴皚、方鼎、何傑等沉湎酒色，久不朝參，遂命枷項以徇。自此言官有枷項者。至正统六年，大臣枷項者爲行在户部尚書劉中敷，侍郎吴璽、陳瑺，祭酒李時勉，是時王振亂政，鞭撻公卿，殿陛行杖，習爲故事。成化十五年，汪直誣陷侍郎馬文升、都御史牟俸等，有詔切責給事中李俊等二十七人、御史王濬等二十九人互相容隱不言，各廷杖二十。正德十四年，以諫止南巡杖者舒芬、黄鞏下百三十人，死者陸震等十一人。嘉靖三年，羣臣争大禮，聚哭左順門，帝大怒，杖五品以下豐熙等一百三十有四人，死者王思等十七人。於時褁瘡吮血，填滿犴狴，此其最酷者矣。

嘉靖中年，用法益急，雖大臣不免笞辱。二十三年，宣大總督尚書翟鵬、薊州巡撫都御史朱方以撤防太早，二十九年，總督宣大侍郎郭宗臯、巡撫大同副都御史陳燿以寇入大同，是年八月，刑部侍郎彭黯、左都御史屠僑、大理寺卿沈良才以議兵部尚書丁汝夔獄遲緩，三十一年，戎政侍郎蔣應奎、左通政唐國相以子弟寄名昌功，皆逮杖之。鵬死獄中，方、燿皆斃杖，而黯、僑、良才等杖後卽起治事，公卿之辱，前此所未有也。故事：凡杖者以繩縛兩腕，囚服逮赴午門外，每入一門，門扉隨闔。至杖所，列校百人衣襞衣，執木棍林立。司禮監宣駕帖訖，坐午門西墀下左，錦衣衛使坐右，其下緋而趨走者數十人。須臾縛囚定，左右厲聲喝。喝閣棍，則一人持棍出，閣於囚股上；喝打，則行杖；杖之三，則喝令著實打；或伺上意不測，曰用心打，則囚無生理矣。五杖而易一人，喝如前。每喝，環列者羣和之，喊聲動地，聞者股慄。凡杖，以布承囚，四人舁之。杖畢，舉布擲諸地，幾絕者十恒八九。刑部尚書林俊遺表諫世宗，略曰：臣聞古者撻人於朝，與衆辱之而已，非欲壞爛其體膚而致之死也，亦非所以待士大夫也。成化間，臣猶見庭撻三五臣，容厚綿底衣，以重氈疊帊，猶卧褥數月，瘀血始消。正德時，逆瑾用事，始令去衣受杖，重傷國體，致釀末年諫止南巡、忠直斃命之慘。幸遇新詔收恤，士氣始回，不意諸臣以議體觸忤，復見此事。似非聖世所宜然。自此或用微文意揣指謫被逮，至因元旦朝賀怒六科給事中張思靜等，各朝服受杖出。四十餘年間，朝士之畢命闕下者益多於前世矣。萬曆六年，以争首輔張居正奪情，杖編修趙用賢等五人，天下寃之。後帝益厭言者，疏多留中，廷杖寢不用。至天啓四年，司禮監太監王體乾奉勅大審，復開其端，重笞戚臣李承恩以悦魏忠賢，因斃主事萬燝、御史吴裕中於杖下。始，燝等之被杖也，臺省争詣閣救止之，不得。大學士葉向高因疏言以數十年不行之敝政而三見於旬日之間，比者萬燝已亡，林汝翥注文言亦將就斃，廷杖之事萬萬不可再行。後以當問者悉付之鎮撫司，士類受禍其慘，更有不忍言者矣。明刑法志

補午門廷杖，司禮監、錦衣衛使分坐左右。列校行杖之重輕，匪獨察二人之語言辨其顔色也。黠者每視其足，足如箕張，則因可生；韡尖一斂，則因無生理矣。聞諸惡少年習行杖時，先縛草爲二人，一寘甎於中，一紙裹其外，俱以衣覆之，杖寘甎者視之若輕，徐解而觀，則甎都裂，杖紙裹者視之極重，而紙無傷，能如是則入選。以朝臣之死生，恣閹豎武夫之喜怒，真可歎息痛恨也。查浦輯聞

原海寧查京尹秉彝爲諸生時，夢受杖，身在暗室中，仰見一額，懸天上春回四字。後任户科給事中，上疏論嚴嵩父子，詔廷杖六十，謫定邊縣典史，恍憶前夢。因作詩云：九重天上春回日，二十年前夢裏身。辛齋詩話

原隆慶元年，吏部尚書楊博等上言：先朝諸臣以建言廷杖死者，若太僕卿楊最，編修王思，給事中薛宗鎧、何光裕、裴紹、張原，御史浦鋐、曾翀、葉經，主事周天佐、伍瑜、臧應奎、殷承敍，凡十三人，應復職贈廕。上從之。明典彙

原隆慶二年，給事中石星條奏六事，上怒其訕上無禮，廷杖之。上御五鳳樓潛察杖者，中官戒闇吏毋納給事從人。部郎穆文熙恐以杖斃，先以義白緹帥，身自掖蔽。中官共詈之。文熙且詈且掖以出，得不死。同上

原海鹽鄭少卿履淳爲尚寶司丞，隆慶三年疏言：今之最急莫如用賢，陛下恭默三禩，寧曾召問一大臣，面質一講官，賞納一諫士乎？得旨，杖一百。血漬於袴。今其子孫尚置於笥中。閒史掇遺

補楊公繼盛獄具，詔杖一百。或以蚺蛇膽遺之，謂服之可以禦杖。繼盛曰：椒山自有膽，何必蚺蛇哉！史竊

補吉水鄒忠介公元標，萬曆初以建言予杖。天啓初，起爲總憲，年老矣，入朝而蹎。德陵色不怡。先太傅文恪公進曰：元標在先朝直言受杖，至今筋骨猶負痛也。上爲之改容。闡德録

〔臣等謹按〕明史廷杖，惟以一時之忤付諸閹豎，俾得假威肆毒。自王振、劉瑾用事

後，中更數大獄，所設東西廠鎮撫司錦衣衛，羅織慘酷爲尤甚。朱彝尊原書備録其事，以見明之刑政失當，閹寺擅權，其底於滅亡宜也。

原獻俘之禮，先一日設御座於午門樓前楹正中。是日早分，遣勳臣告於南郊太廟，教坊司陳設大樂於御路南東西北向，文武各官朝服，刑部堂上官及獻俘官吉服，於御道外東西侍立。上常服御皇極門，鐘聲止，鴻臚卿請上乘輿。樂作，内璫戎裝擁衛前後，排列五鳳樓東西，兩黄蓋扈御箒登午門樓正中黄幄，陞座樂止，鳴鞭，鴻臚寺卿招呼報捷，獻俘官宣奏畢，錦衣衛堂上官招呼拏俘來，將尉引俘至，刑部請付所司行刑，押俘出，羣臣稱賀，禮畢駕興。豰書

原上御午樓，獻俘奏事畢。上曰：拏去。廷臣尚未聞聲，左右勳戚接者二遞爲四，乃有聲，又爲八，爲十六，漸震爲三十二，最下則大漢將軍三百六十人齊聲如轟雷矣。湧幢小品

原崇禎元年，五鳳樓前獲一黄袱，内襲小函一卷，題云：天啓七，崇禎十七，還有福王一。内侍晨檢得奏御前。思陵傳巡視皇城各官，究所從來。袁槐眉給諫奏曰：此事不經，何由得至大内？且臣等巡視俱各未見，而内臣特奏之，安知非奸人所爲？如一追究，將來必有造言簧惑聖聽者矣。上可其奏，立命火之。青燐屑

欽定日下舊聞考卷三十四

宫室　明二

原午門内居中向南者曰皇極門，卽奉天門也，左曰弘政門，卽東角門也，考選鴻臚則在此焉。右曰宣治門，卽西角門也，西向曰歸極門，卽右順門也，東向曰會極門，卽左順門也。燕史

原奉天門常朝御座後，内官持一小扇，金黄絹包裹之。聞之故老云：非扇也，其名卓影辟邪，永樂間外國所進。菽園雜記

補奉天門御朝，上坐定，内使捧香鑪，上刻山河之形，寘榻前，奏云：安定了。宏藝録

原常朝舊制，每日御皇極門決事，御座謂之金臺。既陞座，錦衣力士張五繖蓋、四團扇，自東西陛陞立座後左右。兩内使，一執蓋陞立座上，一執武備雜二扇立座後正中。武備之制，一柄三刃，而圈以鐵綫，裹以黄羅袱，如扇狀，用則綫圈自落而三刃出焉，防不虞也。西垣筆記

原曆日之頒，太祖定於九月之朔；其後改於十一月之朔，分賜百官，頒行天下；繼又改十月朔。是日御殿，比於大朝會，一切士民拜於廷者，例俱得賜。野獲編

原倪元璐皇極門頒曆詩　鳳闕開彤旭，猊鑪散紫烟。六階齊度緯，七政轉璣璿。甲曆龍躔改，寅賓象魏懸。明時功在革，資始義承乾。黑帝威初試，青皇位早傳。周官新月令，甘氏舊星篇。人繼羲和後，書成蓂莢前。庚先三日戒，貞下一元旋。圖籙符垂赤，干支德應元。興王惟省歲，太史又編年。賜出黃星曜，披看緑字鮮。因知天曆數，如日起虞淵。憶草

原皇極門外兩廡四十八間，除曠八間，實四十間。東二十間爲實録、玉牒、起居諸館，及東閣會坐，公揖在焉。西二十間，上十間爲諸王館，下十間則會典諸館也。定王書堂在西第六間，爲讀書處，第五間懸先師孔子畫像，四配侍側，蓋摹吴道子筆也。及永王出閣，因移定王第四間，而永王在第六間。慤書

原洪熙元年六月，上聽政於西角門。仁宗實録

原故事，文武羣臣朝親王於奉天門東廊。今之皇極門東也。東曹筆疏

原皇極門内居中向南者曰皇極殿，即奉天殿也，左向西者曰文昭閣，即文樓也，右向東者曰武成閣，即武樓也。殿之兩旁東曰中左門，西曰中右門。蕪史

原奉天殿，永樂十五年十一月建。明典彙

〔臣等謹按〕明史，永樂四年，詔以明年建北京宮殿。八年七月，至北京，御奉天殿受朝賀。十二年八月，至北京，御奉天殿受朝賀。則十五年之前已兩御北京之奉天殿

矣。蓋明祖定大朝會正殿曰奉天。永樂時建都，遂仍其名，至是撤而新之，殿制皆自是年更定云。

原北京奉天殿兩壁斗栱間繪真武神像。蓬窗日録

補永樂十八年，三殿工畢，上召漏刻博士胡奫卜之，布算訖，奏曰：明年某月某日午時當燬。上大怒，囚之，至期獄卒報午過無火，胡服毒死，則午正三刻也。殿果焚，上甚惜之。明卓異記

原永樂十九年四月庚子，奉天、華蓋、謹身三殿災。明成祖實録

原正統五年三月，建奉天、華蓋、謹身三殿，乾清、坤寧二宮。初，太宗皇帝營建宮闕，尚多未備。三殿成而復災，以奉天門爲正朝。至是修造之，發現役工匠操練官軍七萬人興工。六年九月，三殿兩宮成。十月，賜太監阮安、僧保金銀紵絲鈔，都督同知沈清封修武伯，工部尚書吳中加少師，太僕少卿馮春、楊青俱升工部左侍郎。明英宗實録

〔臣等謹按〕洪熙元年正月，御奉天門受朝。見明史本紀。

原嘉靖三十六年四月丙申，雷雨大作，戌刻火光驟起，由奉天殿延燒華蓋、謹身二殿，文武樓，奉天、左順、右順及午門外左右廊盡燬。明世宗實録

原嘉靖三十六年四月十三日，奉天等殿門災。是日雷雨大作，火光驟起，由正殿延燒至

午門，樓廊俱燼。〔湧幢小品〕

【原】四月二十七日，奉御札，先作朝門午樓。八月二十七日興工，戊午八月三日大朝等門成，奏告太廟。〔古和稿〕

【原】三十七年，重建奉天門成，更名曰大朝門。〔明典彙〕

〔臣等謹按〕嘉靖三十六年，帝以殿名奉天，非題扁所宜用，宜更定以答天庥。明年重建奉天門，更名曰大朝門。見明史輿服志。

【補】嘉靖丁巳四月，三殿二樓十五門俱災。文武大臣會議修建。海鹽鄭公曉時協理戎政，率營軍三萬人打掃火焦。鄭公曰：黄司禮甎瓦木石不必盡數發出，如石全者半者，一尺以上者，各另團圍就便堆積，白玉石燒成石灰者，亦另堆積，甎瓦皆然。不數日，工部欲改修端門外廊房爲六科并各朝房午門以裏，欲修補燒柱牆缺，又於謹身殿後，乾清宮前，隆宗、景運二門中砌高牆一道，攔斷内外。内監工部議從外運甎、運灰、運黄土調灰，一時起小車五千輛，民間騷動。公告黄司禮曰：午門外堆積舊甎石并石灰無數，可盡與工部修端門外廊房，其在午門以内者，可與内監修理柱空并砌乾清宮前牆。黄甚喜。公又曰：修砌必用黄土，今工部起車五千輛，一時不得集，況長安兩門、承天、端門、午門止可容軍夫出入，再加車輛，阻塞難行。見今大工動作，兩闕門外多空地，可窆黄土用，卻命軍搬焦土填上，用黄土蓋三尺，豈不兩便？黄曰善。公曰：午門以裹臺基壞石移出長安兩門甚遠，今厚載門修砌剥岸，若命軍搬出右順門，由啓明門前下北甚近，就以此石作剥岸填堵，不須減工部估料，但省軍士勞力亦可。黄又曰善。公曰：舊例，火焦本軍搬送琉璃、黑窰二廠，往回四十里，今焦木皆長大，不惟皇城諸門難出，外面房稠路狹，難行難轉。況今災變，各門内臣小房非燬卽拆壞，必須修蓋，方可容身。莫若將焦木移出左右順門外，東西寶善、思善二門前後，並啓明、長庚兩長街，聽各内臣劈取焦皮作炭，木心可用者順便取去，各修私房，以皇城内物修皇城内房，不出皇城四門，亦省財力。黄又曰：善。鄭端簡年譜

原己未十月十日，三殿興工，庚申四月二日上梁。古和稿

原四十一年九月，三殿成，改奉天殿曰皇極，華蓋殿爲中極，謹身殿爲建極。文樓曰文昭閣，武樓曰武成閣。左順門曰會極，右順門曰歸極，奉天門曰皇極，東角門曰弘政，西角門曰宣治。詔曰：人君建中建極，乃敍疇錫福之基；臣民會極，實欽若從乂之道。特崇表正，用迪訓行。明世宗實録

〔臣等謹按〕明之華蓋殿卽中極，今建爲中和殿，謹身殿卽建極殿，今建爲保和殿。

原三殿規制，自宣德間再建後，諸將作皆莫省其舊。而匠官徐杲能以意料量，比落成，

竟不失尺寸。明世廟識餘録

原萬曆二十五年六月戊寅，歸極門火，延燒皇極等殿，文昭、武成二閣迴廊皆燼。明神宗實録

原天啓五年八月戊戌，皇極殿豎金柱，九月甲寅門工成。七年二月己亥，迎建極殿金梁。乙巳，建極殿升梁。五月辛未，命工部尚書薛鳳翔迎中極殿金梁，分遣尚書楊夢衮於神木廠，孫杰于廣渠門，崔呈秀於正陽門，王之臣於大明門，郭允厚於午門，周應秋於皇極門行祭告禮。己卯，中極殿升梁。八月乙未，中極殿、建極殿插劍懸牌，三殿開工。自天啓五年二月二十三日起，至七年八月初二日報竣。明熹宗實録

原沈德符天啓宮詞　萬方輻輳助雕甍，觀闕峨峨壯帝京。趙鬼不須重誦賦，柏梁未燼建章營。清權堂集

原京城皇極門且成，而金柱明梁非圍尺極大者不中，時川貴採辦，在在告困。適通惠河道工部郎陸澹園以天津至海兩岸平沙葭葦之地，有歷朝大楠木漂没者悉爲搜發，至一千有奇。其中梁柱圍尺者一百五十有七，約省金錢二百餘萬。見只編

增萬歷四十三年八月庚戌，重建三殿。明史神宗紀

原皇極殿九間，中爲寶座，座旁列鎮器。座前爲簾，簾以銅爲絲，黄繩繫之，簾下爲氈，氈盡處設樂。殿兩壁列大龍櫥八，相傳中貯三代鼎彜，櫥上皆大理石屏，每遇正

旦、冬至、聖壽則御焉。先一日，尚寶司設寶案於座之東，鴻臚寺設表案於殿東中門外，主客司設外藩貢方物案於丹陛左右，欽天監設定時鼓於文樓上，教坊司設中和韶樂於殿内東西，設大樂於皇極門内東西，俱北向。至期，錦衣衛陳鹵簿儀仗於丹陛丹墀東西，設羽扇於殿内東西，陳車輅步輦於皇極門丹墀中道，北向。金吾等衛列甲士軍仗於皇極門外、午門外丹墀東西，旗手衛設金鼓於午門、皇極門外，御馬監設仗馬，錦衣衛設馴象於文武樓南，東西相向，欽天監設報時位於丹陛之東。鼓初嚴，百官朝服班午門外。鼓次嚴，百官次第由左右掖門入，詣丹墀序立，鳴鞭卷簾。鼓三嚴，導駕官前導，尚寶司捧寶前行，樂作，奏飛龍引之曲，上袞冕升座。外贊排班，班齊鞠躬。大樂作，奏風雲會之曲，再奏慶皇都之樂，三奏喜昇平之樂。贊搢笏鞠躬舞蹈，贊跪唱山呼，贊出笏，俯伏四拜興。禮畢鳴鞭，奏賀聖明之樂，駕興，尚寶司捧寶、導駕官前導至中和殿，駕還宫。春明夢餘録

原太祖初定大朝會，正殿曰奉天殿，門名亦如之。其後文皇營北京，遂仍其名。燬於火，世宗更其名曰皇極，而華蓋殿則曰中極，謹身殿曰建極，蓋取洪範之義。議者以爲洪範更有六極，字樣相同，意義不美。然上方親定禮樂，薄視百王，少忤卽獲罪，無救正者。至隆慶初元，御史張櫝請改仍太祖舊號。時高儀爲大宗伯，以爲皇考所定，且遣

詔中多所釐正，獨不及殿名，乞存之，以表三年無改之義，遂不果易。按太祖奉天二字實不可易。祖訓中云，皇帝所執大圭，上鏤奉天揚祖四字，遇親王尊行者，必手秉此圭，始受其拜。以至臣下誥勅命中必首云奉天承運皇帝。太宗繼之，一切封拜功臣，必曰奉天靖難，其次曰奉天翊衛、奉天翊運。至列聖所封者無論爲功勛，爲恩澤，爲文武，亦必以奉天爲號，至今不改。若皇極、建極，本屬一義，而中極尤爲無出。考完顔氏上京宮殿，其正寢名乾元殿，蓋襲唐代舊號；至天眷元年改名皇極殿，則先有稱之者矣。野獲編

原 劉效祖詩 元會初分庭燎光，君王親御紫霞觴。不知五夜春多少，白日猶聞蠟炬香。念庵詩集

原 中左門之左小廂房有扁曰德政殿。崇禎十五年五月，召諸臣入對，及午賜宮餅各十五枚。愨書

原 崇禎十五年八月，上御朝畢，登文昭閣，閣在皇極殿東，上步下閣，御德政殿，召五閣臣，言：文昭閣兩旁可建直房，朕不時召對，及講讀有疑問，先生往來亦便。翌日遂於閣左右各設直房。三朝野史

原 皇極殿之北有滲金圓頂者曰中極殿，即華蓋殿也。再北曰建極殿，即謹身殿也。俱嘉靖四十一年重建，工完改名者也。殿居中向後，高踞三纏白玉石欄干之上者雲臺門也。

兩旁向後者，東曰後左門，西曰後右門，即雲臺左右門，亦名曰平臺也。凡朝對閣臣等官，或於平臺，即後左門也。燕史

〔臣等謹按〕明弘治十三年五月，召大學士劉健、李東陽、謝遷於平臺，議京營將領。見孝宗本紀。

原 四川石砫女帥秦良玉帥師勤王，召見，賜綵幣羊酒，上製詩旌之曰：蜀錦征袍手製成，桃花馬上請長纓。世間不少奇男子，誰肯沙場萬里行？崇禎遺録

〔臣等謹按〕崇禎四年，永平四城失守，良玉奉詔勤王，帝召見平臺，賦四詩旌其功。見明史本傳。

原 崇禎十二年九月，命大學士楊嗣昌以原官兼兵部尚書，督師討流寇。賜尚方劍，宴於平臺後殿上，手觴嗣昌三爵，賜以詩。國榷

原 賜楊嗣昌詩云：鹽梅今暫作干城，上將威嚴細柳營。一掃寇氛從此靖，還期教養遂民生。書用黃色金龍蠟箋，厚如指甲，長四尺餘，闊一尺六七寸，字大二寸餘。後一行署云：賜督師輔臣嗣昌，又一行署云：崇禎十二年九月。前鈐御筆之章，引首一寶。上方中書一押，大體似明德二字合成者。鈐一，表正萬邦之寶。天籟録

補 崇禎丙子八月十六日，上御平臺，召諸臣入對，入班天氣晴明，全無雨狀。俄而黃沙

蔽天，風霆交發，怒吼不絕，滂沱大雨，雜以迷霧。召對記

原 中極殿舊名華蓋，前卽皇極，後爲建極。崇禎辛巳四月，召對至弘政門，則上已御殿，卽魚貫入中左門，循殿左垣，高下可四十級，到中極殿。殿左右闢四大門，上寶座周圍刻金龍形，金色璀璨，御榻以黄綾衣之。入，分東西班行禮。召對畢，上命賜宴坐，内璫布席，與宴者十三人，各一席。酌用金蓮花杯，杯高大如瓶，圓可四寸，下有三小蒂承之，旁有荷柄。席各三十餘器，席前各二花瓶，中插蓮花。光禄署官八人行酒。祖制，宴羣臣多在午門外及文華門外，惟郊祀、慶成宴三品及學士在皇極殿内；而中極，自國初賜宴親王外未有也。至正統後坐禮久廢，今始行之。慤書

原 後左門又北東則景運門也，西則隆宗門也，又西向南者則仁德門也。隆宗門之南，東向房一連，名協恭堂，司禮監太監看文書之所也。乾清門外，左右金獅各一，入門丹陛直至乾清宫大殿，左曰日精門，右曰月華門，左小門曰龍光，右小門曰鳳彩。神宗御居西暖閣，光廟御居東暖閣，先帝御居西暖閣，今上御居東暖閣。宫之左，端凝殿，尚冠等近侍所司衮冕玉帶類貯此。右，懋勤殿，先帝創造地炕，恒臨御之。燕史

原 正德九年正月，乾清宫火。上自卽位以來，每歲張燈爲樂，庫貯黄白蠟不足，復令所司買補之。及是，寧王宸濠别爲奇巧以獻，遂令所遣人入宫懸掛，皆附著柱壁上，復于

宮庭中依簷設氈毯，而貯火藥於中。偶勿戒，遂延燒宮殿俱盡。上猶往豹房省視，回顧光焰燭天，戲謂左右曰：是好一棚大烟火也。明武宗實録

原正德十六年十一月，乾清宮成，世宗自文華殿入居之。四川道監察御史鄭本公以上入居新宮，上疏曰：乾清之爲宮，八年營構，一旦落成，陛下踐祚之初，適與期會，居安之日，正思危之時也。上嘉納之。明世宗實録

原萬曆二十四年丙申三月，乾清、坤寧災，二十五年二月重建。春明夢餘録

補乾清、坤寧兩宮再建，萬曆二十四年七月初十日開工，至二十六年七月十五日告成。兩宮之外，交泰殿、暖殿、披房、斜廊、乾清、日精、月華、景和、隆福等門及圍廊房一百一十間，並帶造神霄殿、東裕庫、芳玉軒，通共用銀七十二萬。冬官紀事

補乾清、坤寧二宮告成，需石陳設，滇中以奇石四十櫝分製佳名以進：曰春雲出谷，曰泰山喬嶽，曰神龍雲雨，曰天地交泰，各大五尺一寸；曰玉韞山光，大五尺；曰河洛獻瑞，曰元嶂雲收，曰江漢朝宗，曰奇峯疊出，曰海山朝旭，各大四尺一寸；曰錦雲碧漢，曰虹臨華渚，曰雪溪春水，曰羣峯獻秀，曰麟趾呈祥，曰龍翔鳳舞，各大四尺；曰一碧萬頃，曰雪巖春霽，曰雲霞出海，各大三尺；曰萬山春曉，曰春山烟雨，曰百川霖雨，各大三尺五寸；曰溪山烟靄，大三尺一寸；曰壽山福海，曰雲漢麗天，各大三尺六

寸；曰湖光山色，曰函關紫氣，曰春山烟雨，曰卿雲絢采，曰雲霞出海，各大三尺五分；曰龍飛碧漢，大四尺八寸。山水人物屏石八塊：曰山川出雲，大三尺九寸五分；曰烟波春曉，大三尺四寸；曰白雪春融，大三尺三寸；曰雲龍出海，曰槎汎斗牛，各大尺五寸；曰春雲出谷，曰海宴河清，曰振衣千仞，各大二尺九寸。時歲己亥三月也。泉南雜志

原 嘉靖十四年秋，乾清宮左右小殿成，上命禮部尚書夏言擬額。殿東貯冕弁，西藏書史。言擬左曰端凝，右曰懋勤。上悅曰：卿所擬取端冕凝旒、懋學勤政義，甚善。遣中使賜言金幣。明典彙

〔臣等謹按〕春明夢餘録，日精門北曰端凝，月華門北曰懋勤，今制端凝殿、懋勤殿、日精門、月華門俱仍舊名。

原 乾清宮丹陛下有老虎洞，洞背爲御街，洞中甃石成壁，可通往來。帝嘗於月夕率内侍賭迷藏潛匿其内。天啓宮詞注

〔臣等謹按〕宮前丹陛下洞道，蓋侍從之人藉以左右往來者。而明之末葉乃用爲嬉娱之地，其興居無節，政令不修，甚矣，國祚豈能久乎！

原 陳悰詩 石梁深處夜迷藏，霧露溟濛護月光。捉得御衣旋放手，名花飛出袖中香。天啟宮詞

補 楊大洪首倡移宮，李選侍出居一號殿。黄忠端説略

〔臣等謹按〕明史楊漣傳載，李選侍居乾清宮，漣力請移宮，遂移居仁壽殿。據此，則一號殿即仁壽殿之別名也。

原 崇禎元年書敬天法祖扁額，命司禮監掌印太監高時明懸乾清宮大殿，兩楹書人心惟危，道心惟微，惟精惟一，允執厥中十六字。崇禎遺録

原 西暖殿，萬曆七年五月添額，名肅雝殿。至十一年四月，更弘德殿東暖殿。萬曆十一年閏二月，添額弘德殿。本年四月，更昭仁殿。明宮殿額名

〔臣等謹按〕元大内東西暖閣爲慈福、明仁二殿，明初東爲弘德，西爲肅雝。至萬曆十一年，更名東暖閣曰昭仁，西暖閣曰弘德。見明史輿服志。本朝因之。

原 萬曆七年四月，輔臣張居正進肅雝殿箴，上覽而納之，命書於御屏。十一年四月，大學士張四維等進昭仁殿、弘德殿箴。明神宗實録

原 乾清宮後披簷東思政軒，西養德齋。崇禎五年四月安扁。中圓殿更交泰殿，嘉靖十四年七月添額。明宮殿額名

補 王錫爵思政軒箴 惟皇睿聖，光嗣丕基。弗寧燕處，有儼若思。厥思伊何？萬幾一日，千里應違，謀之几席。惟皇立政，欽若昊天。曰雨曰暘，思其或愆。惟皇立政，憲於烈祖。是訓是行，思繩厥武。四海惸嫠，政是用康。一夫不獲，我視如傷。殊方皮卉，政是用輯。一夫不戒，作我蟊賊。萬方玉食，思及鉏犁。衮服在御，思及杼機。筐篚之恩，用思有式。費出無經，乃政之慝。任思勿貳，或蔽其聽。去思勿疑，或撓其公。言逆於耳，思或爲利。言遜於心，思或爲戾。朝以出政，則思其終。紛更之戒，畫一之從。夕以修令，則思其始。毋詢窾辭，毋眩多指。是之爲思，規萬世安。天命不易，爲君實難。人亦有言，日中則昃。無疆維休，無疆維恤。思之思之，鬼神通之。户

牖有篋，曚史誦之。王文肅文草

原乾清宮之北曰交泰殿，則皇后所居也。有中門向後，恒閉而不開。燕史

原暖閣在乾清宮之後，凡九間。中一間置牀三張於房下，即以天橋上左一間之下置牀三張於上，又以天橋下左二間之下間置牀三張於下，又以天橋上左三間之上間又置牀三張於上，又以天橋下左四間之下間置牀三張於下，右四間亦如之。天橋卽人家樓梯也。凡九間，有上有下，上下共置牀二十七張，天子隨時居寢，制度殊異。宙載

原坤寧宮，嘉靖十四年七月添額。東露頂安德齋，崇禎六年四月，更貞德齋。西露頂養正軒，崇禎七年八月安扁。東披簷清暇居，北圍廊游藝齋，俱崇禎五年十月安扁。明宮殿額名

增坤寧宮東披簷清暇居，崇禎五年十月二十三日安扁，北圍廊游藝齋同日安扁。春明夢餘録

補思陵在游藝堂，一日忽命中官問詞臣曰：今市肆交易，止言買東西而不及南北，何也？詞臣猝無以對。輔臣周延儒曰：南方火，北方水，昏暮叩人之門户，求水火無弗與者，此不待交易，故惟言買東西。中官以其言入奏，上善之。兔園册

原廣運門更坤寧門，嘉靖十四年七月添額。明宮殿額名

原坤寧宮左曰永祥門，右曰增瑞門，俱萬曆二十五年二月添額。同上

〔臣等謹按〕今制，永祥門、增瑞門俱仍舊名。

原宫人有罪，罰提鈴，每夜自乾清門至日精門、月華門，仍還乾清宫前方止，高唱天下太平，聲緩而長，與鈴聲相應。天啓宫詞注

原禁中歲除，各宫門改易春聯及安放絹畫鍾馗神像。像以三尺長素木小屏装之，綴銅環懸挂，最爲精雅。舊京遺事

原舊例，宫中歲首不貼門神，殿門外列綵装二，狀如傀儡，以木爲之，長與人等。每歲除則飾以冠笏，與人無異。崇禎末，綵装入夜輒走，久之，日未落卽走。内官不敢獨行，見其來，輒引避。一老中貴言之。艮齋筆記

原過日精門之東曰崇仁門，稍南曰内東裕庫，曰弘孝殿，曰神霄殿。日精門往北曰順德左門。蕪史

原隆慶元年三月，更名景雲殿曰弘孝殿。明穆宗實録

原弘孝、神霄二殿奉安孝烈皇后、孝恪皇太后，萬曆三年，徙神位於肅皇帝室，罷弘孝、神霄之祀。春明夢餘録

〔臣等謹按〕明世宗孝烈后，隆慶時祀弘孝殿，穆宗母孝恪皇太后，隆慶初祀神霄殿，萬曆三年俱遷祔奉先殿，二殿遂罷。見明史禮志。

原 蒼震門恒閉，遇掃雪則開。蕪史

原 大內每雪後，即於京營內撥三千名入內廷掃雪，輪番出入，每歲俱然。亦有游閒年少代充其役，以觀禁掖宮殿者。又南京舊制有揀花舍人，額設五百名。蓋當年供宗廟薦新及玉食糖糭之用，今廢久矣。五百揀花，三千掃雪，亦兩都佳話也。野獲編

原 宮正司六尚局，曰尚衣，曰尚食，曰尚功，曰尚服，曰尚寢，曰尚宮，皆在乾清宮之東。蕪史

原 景仁宮初名長寧宮，有惟和、從善二亭。延祺宮初名長壽宮，有集瑞亭。永寧宮，崇禎五年八月更承乾宮，東配殿曰貞順齋，西配殿曰明德堂，俱崇禎七年八月安扁。明宮殿額名

原 田貴妃居承乾宮。玉堂薈記

原 永和宮初名永安宮，咸陽宮更鍾粹宮。隆慶五年十一月，更前殿爲興龍殿，後殿爲聖哲殿，後有小院名龍德齋。景陽宮名長陽宮，嘉靖十四年五月更名。明宮殿額名

原 千嬰門之北並列者則乾東之房五所。蕪史

原 過月華門之西曰遵義門，向南者養心殿也。向北則司禮監掌印秉筆之直房。祖制，宮中膳房原在隆道閣後，魏忠賢移於怡神殿，而以其房爲直房。養心殿之西南曰祥寧宮，

宮前向北者曰無梁殿，世廟煉丹藥之所也。月華門西南巋然者，隆道閣也。同上

原 嘉靖四十一年九月，改乾清宮右小閣名曰道心，旁左門曰仁蕩，右門曰義平。明世宗實録

原 隆慶四年二月，命工部於道心閣、精一堂、臨保室舊址重建閣曰隆道，堂曰仁德，室曰忠義。明穆宗實録

原 長樂宮更名毓德宮，萬曆四十四年十一月又更名永壽宮。未央宮更名啓祥宮。明宮殿額名

〔臣等謹按〕萬曆十八年正月，召見大學士申時行等於毓德宮。見明史本紀。

補 嘉靖十四年五月，建啓祥宮。侍講學士廖道南作頌以獻，上優詔答之。宮爲獻皇帝誕降之地。嘉隆聞見録

原 啓祥宮，神廟自兩宮災後，遂居於此。蕪史

〔臣等謹按〕萬曆三十年召大學士沈一貫於啓祥宮，命罷礦税。見明史本紀。

原 嘉德右門南向爲隆德殿，供三清、玄武諸神，神廟時災，天啓七年重修。蕪史

原 隆德殿卽元極寶殿，隆慶元年更名，崇禎六年更中正殿。左有容軒，右無逸齋，俱扁。左配殿曰春仁，右配殿曰秋義。明宮殿額名

〔臣等謹按〕嘉靖十七年，大享上帝於元極寶殿，奉睿宗配。十八年二月，祈穀於元極寶殿。見明史本紀。

原崇禎六年，乾清宮、隆德殿所供神佛像盡移於朝天宮大隆善寺。崇禎遺録

〔臣等謹按〕明隆德殿舊制，今改建中正殿、雨花閣。

原隆德殿西北曰英華殿，以供西番佛像，有菩提樹二株。蕪史

原英華殿前菩提樹兩株，六月開黄花，秋深子落。子不從花結，與花並發，而附於葉之背，瑩潤圓整，可作佛珠。此樹爲李太后所植。太后上賓，神廟上尊號曰九蓮菩薩，祀慈容於樹北之别殿。天啓宮詞注

補大内西北隅英華殿前有菩提二樹，慈聖皇祖母手植也，高二尺，枝幹婆娑，下垂著地，盛夏開花，作黄金色，子不於花蒂生而綴於葉背。秋深葉下，飄颺永巷，却葉受子而念珠出焉。其顆較南産差小而色黄，且間分瓣之綫界作白絲，名曰多寶珠。菩提子詩序

〔臣等謹按〕今壽安宮之北爲英華殿，亦供奉佛像之所。庭中菩提樹御製詩，恭載國朝宮室卷内。

原英華殿先名隆禧殿，隆慶元年更名，崇禎五年撤額。明宮殿額名

原英華殿元旦供年飯素澆頭，立春供素餣餅、春藕、臥饅餕，元夕供果餡藕兒，四月八日供大不落夾二百對，小不落夾三百對，五月五日供粽子四百枚，冬至日供素餛飩，臘八日供粥料。光禄寺志

【原】嘉靖十四年五月，更萬安宮曰翊坤宮，長春宮曰永寧宮，壽昌宮曰儲秀宮，壽安宮曰咸福宮，咸熙宮曰咸安宮。萬曆四十三年六月，復更永寧宮曰長春宮。明宮殿額名

〔臣等謹按〕明咸安宮舊址今在壽康宮後，乾隆辛未，恭建壽安宮。詳見國朝宮室。

【原】袁貴妃居翊坤宮。玉堂薈記

【原】百子門之北並列者則乾西之房五所。蕪史

【原】出會極門之下曰佑國殿，供玄武像。其東則内承運庫，再東曰香庫。稍北有石碑曰古今通集庫，以貯古今君臣畫像、符券、典籍，歲六月六日曝之。同上

〔臣等謹按〕佑國殿已廢。其承運各庫在今内閣之東，古今通集庫似即今銀庫地。石碑不可攷，古今帝王畫像今藏在南薰殿。詳見國朝宮室。

【原】會極門東向南者，文華殿也。有扁曰學二帝三王治天下大經大法者，神廟御筆也。繩愆糾謬者，小臣杜詩筆也。有精一堂、恭默室、九五齋，殿之後曰玉食館。西北曰省愆居，其底用木爲通透之基，高三尺餘，下不令牆壁至地，四圍亦不與別處接。凡遇災眚，駕居此以示修省。殿之西曰崇本門，殿之後曰刻漏房。銅壺滴漏在此，凡八刻水則交一時，直殿監宿抱時辰牌赴乾清門裏換之。牌長尺餘，石青地金字書曰某時，途遇者必側立讓行，坐者必起立，亦敬天時之義也。蕪史

原蔡羽詩 千門花柳轉楓宸，百和香中過輦塵。銀箭忽從天上落，六宮仙子聽時辰。林屋集

原正統三年五月，書天下文武方面官姓名於文華殿。上諭行在吏部兵部臣曰：庶官賢不肖難知，使淑慝混淆莫辨，將孰與爲善？爾等朝夕在左右，朕熟知之，在外者或知有未盡，先朝嘗命書其姓名於武英殿南廊或於奉天門西序以備觀覽。爾等其書中都留守司各都司、布政司、按察司姓名揭於文華殿，候儒臣進講之暇，因以考其人之賢否而加黜陟焉。明英宗實録

〔臣等謹按〕明仁宗卽位，揭天下三司官姓名於奉天門西序。孝宗弘治元年，疏文武大臣中外四品以上官姓名揭文華殿壁。見明史本紀。

補文華殿在奉天門之東，比諸殿制稍減而特精雅，用緑色琉璃瓦，左右爲兩春坊，上之便殿所常御者也。今用爲經筵之所。中設御座，龍屏南向。又設御案於御座之東稍南，設講案於御案之南稍東。入殿中門當檻下白石一方，純潔，可丈許，擡講案官置案當其北二三尺地，始稱講官拜起也。殿中金鶴一雙，東西相向立，盤中下有趺架，飾以金朱，以口銜香。香黑色如細燭狀，外國所貢也。其下則以三山小銅屏風障金銅炭鑪，兩展書官各立其下。展書官悉從內閣題定，兼用坊院。每講四子書，展書官從東班出，講經史，展書官從西班出，進詣御案前，跪出漚手香，漚手，香名，太醫院每歲製此以分餽各官。展講章。二太監

接手攤滿，以金尺鎮定，然後起。至此則天顏真咫尺矣。凡進講，衣冠帶履俱薰香，退卽以別篋貯之，示不敢褻也。光禄寺設宴於左順門之北，蓋奉天門之東廡也。依品級序坐作一行，俱面西。珍羞、良醖二署司賜宴，惟經筵最精腆。例帶從官堂吏及家僮輩攜囊槖，得以收餕餘。宴畢，出至左順門之南，分班北向叩頭謝恩而退。水南翰記

【原】天順八年始開經筵，歲以二、八月中旬始，四、十月下旬止。先期於文華殿設金鶴香鑪於寶座之南，左右各一。香鑪之東南設御案講案各一，案上置進講書，鎮以金尺。至期，知經筵官勳臣、閣學講官暨九卿、鴻臚、錦衣指揮使及四品以上寫講章官，俱繡金緋袍，展書翰林官與侍儀御史給事中俱青繡服。大漢將軍二十人導駕至左順門易冠帶，仍執金瓜，侯伯則易金繡蟒衣，綴立文華門外，宣入將軍負東西牆立。祝允明九朝野記：朝制選將軍直殿，所司有木架高八尺，選者立其身與之齊，擔五百觔甎行殿廷一匝爲合格。諸臣行禮畢升陛，由殿東西門入序班，舉御案進上前，隨舉講案，講官出班立，展書官二員出班對立。講官行禮興，東展書官膝行詣御案展四子書講義，講官進講畢退，西展書官展經義儀亦如之。講畢，上諭官人喫酒飯。各官承旨出拜丹陛下，乃詣左順門，讌以官序，惟學士序鴻臚及四品以上，寫講章之官之右。日講官凡四員，日輪二員進講，講畢宴於文華門外西廡，禁中謂之小經筵，亦謂之小講。瑣綴録

【補】舊規，經筵春講以二月十二日起，五月初二日止；秋講以八月十二日起，十月初二日

止。（明熹宗實録）

【補】經筵初開，講讀侍從官皆有白金文綺之賜。史成進御，亦進秩加賞。書成，以事故去則不霑恩數。如先去不效勞勩，偶值書成，則得霑恩數。故有經筵頭、修書尾之諺。（震澤長語）

【原】經筵始開，相傳每講畢，命中官布金錢於地，令講官拾之以爲恩典。（立齋閒録）

【原】經筵進講在文華前殿，日講在殿後穿廊，正字在後殿東閣，設一幄次，又東一室乃上所游息處。（穀城山房筆麈）

【原】講殿中笵金爲二鶴，立於左右，鶴頭各插香二炷。（費文憲摘稿）

【補】先是，文華殿有孔子塑像，帝欲從古易以木主。靈寶許莊敏公誥乃以所著道統書上之。帝悦，卽撤其舊像，立皇帝王師八主南向，周、孔二主東西向，且命公輔九人瞻拜主前，諭之曰：朕奉先聖、先師於此，庶起敬慕以遂志於學，卿等其罔朕棄。仍賜茶及禮神品物。（戒庵漫筆）

【原】文華殿東室奉伏羲、神農、軒轅、堯、舜、禹、湯、文、武九聖，南面；周公、孔子左右東西向，歲春秋開講前一日，皇帝皮弁服拜跪，用羹酒果脯帛，行奠告禮。（春明夢餘録）

【補】每日講，日初出，上到文華殿東房。房中供羲、農、黄帝、堯、舜、禹、湯、文、武九小龕於上，左周公、右孔子二龕，上一拜三叩頭，中官贊禮。是時門未啓，閣臣、講官立候月臺上左闌干邊，候上行禮畢，轉後殿，方開門。上坐殿後川堂，司禮監打躬承旨曰：先生每來。閣臣、講官始分左右魚貫而入，近御案前，一拜三叩頭，不贊禮。上坐地平僅高三寸，蓋略堂陛之嚴，亦以便講官憑几也。每讀書、講書，與上共一几，几上只書一本，朝上。講官憑几倒看，手執朱紅牙籤，讀某句即以籤指，講亦如之。時左班中官手執一小架，架上有金錢，自架左移右有聲，以計遍數。玉堂紀實

原陸深經筵紀事詩　經筵開自祖宗朝，按月逢旬第二朝。今上春秋偏好學，三千年後見神堯。編排御覽效精誠，白本高頭手寫成。句讀分明圈點罷，隔宵預進講官名。絲鞭聲肅退朝官，名在經筵略整冠。一字班行先出隊，中臣扶輦下金鑾。金水河頭白玉橋，上公寶帶侍中貂。逡巡小立瞻龍氣，左順門高御幄飄。文華殿啓奉天東，滴翠浮青映碧空。譚藝講經頻設仗，太平天子坐當中。百官朝下殿門前，仗馬雙牽七寶鞭。黃道正中移步輦，侍臣班從赴經筵。龍池鳳掖藹朝暾，板轎初回轉角門。聽唱官人來進入，講章默默又重温。殿陛森排劍戟重，金貂玉蟒護真龍。司儀起案雙雙過，御榻前頭取次供。横經几子赭羅裙，小對團龍簇繡雲。擡向御前安穩定，黃金鎮尺兩邊分。第三廳協兩坊官，長跪拈書漚手攤。幸對天顏剛咫尺，禮嚴不敢舉頭看。行出班東面照西，臚聲高颺叩頭齊。參差進講並平聲肩立，輪著周書孟子題。兩行冠珮列金緋，供奉諸臣盡繡衣。步入殿門同磬折，講官端拱靠南扉。師保公孤儘上行，元勳立近衮龍旁。紅雲不動爐烟細，聽講虞書第幾章。金鶴飄香瑞靄濃，寶鑪籠火擁蟠龍。未曾暫免經傳旨，不怕嚴寒報仲冬。緑琉璃殿洞重門，黼扆中陳擁至尊。傳與大官供酒飯，兩班文武盡承恩。白玉闌干與案齊，一行餚核盡朝西。珍羞良醞俱名品，指點開囊囑小奚。恣容沾醉總仙桃，黃閣三公共六曹。步出順門俱北面，瞻天拜舞不辭勞。隔宿薰衣問夜闌，齋心轉覺副心難。不知言語功多少，到得君身保治安。齋辰服次聖躬勞，淺澹垂衣寶座高。昨日御批傳帖下，龍紋重整赭黃袍。朱衣司禮下東班，風細傳言縹緲間。暫倚木天西面望，聖皇親饗兩宮還。儼山集

原于慎行經筵進講紀述詩　延英別殿倚平臺，問道恭承步輦來。講席平依丹地轉，經函近對御筵開。凝旒晬穆聞天語，委佩從容列上台。聖學方隆恩禮茂，儒臣長此咏康哉。穀城山房集

原文華有直殿中書，擇能者居之。春明夢餘録

【原】成祖遷都北平，其宮殿牌額皆朱孔陽筆。孔陽松江人，兼善畫。四友齋叢説

【原】天順二年，皇太子出閣讀書，上召李賢謂曰：東宮講讀向在文華殿，朕欲避居武英，但早晚朝太后不便，姑以左廊居太子。明天順日録

【原】故事，太子出閣，設座於文華殿，自嘉靖十五年改易黄瓦，仍爲主上經筵之所。野獲編

【原】朱國祚東朝即事　殿庭香靄接雲平，一道鑪函夾陛行。肅肅講臣齊鵠立，金蓮影裏喚先生。介石齋集

【原】文華殿孟夏祀竈，孟冬祀井。光禄寺志

【補】文華殿後扁，慈聖太后書，六行嵌以丹朱，殿内圍屏畫輿地圖。瀛隱集

【原】文華殿後東室，皇上齋居於此，繪正心誠意字懸於西壁，繪敬一字揭之門左右楣，設御榻東壁下，有御屏三曲護焉。西室設新榻，爲齋宿所，命工繪漢文止輦受諫圖懸之左，唐太宗納魏徵十思疏圖懸之右。桂洲集

【原】嘉靖十三年九月，文華殿後九五齋恭默室訖工，命輔臣以詩紀其事，於是大學士張孚敬、李時各爲五言律詩四章上之。明世宗實録

欽定日下舊聞考卷三十五

宫室 三明

原恭默室者，文華後殿之東九五齋之西室也。室北壁繪河圖，東壁洛書，西壁鳳鳴朝陽圖。桂洲集

原夏言恭默室頌　維皇作室，九五之側。皇錫之名，是曰恭默。恭默伊何？曰惟思道。無臭無聲，至德之妙。河有龍馬，洛有神龜。鳳凰鳴矣，雝雝喈喈。按兹三圖，聖王之瑞。以開人文，以來帝賚。大哉聖心，惟恭惟默。與天同游，懋建皇極。同上

補李國𣝈恭默室箴序畧　粤稽虞帝，肇統危微。洎乎商宗，覃思恭默。蓋恭以爲默，既不搰乎物交；默而能恭，斯不淪於枯静。於是啓文華之後鍵，闢九五之清齋。錫之嘉名，曰惟恭默。斯室也，綰合宫府之會，參居内外之交。賢士大夫漸覺其地遠，宦官宫妾浸假而情親。勸講不勤，將暴寒之慮易；保持不密，則咻傅之途分。是宜撫玉几而悚心，觸奎壁而克念者也。李文敏集

原支大綸文華殿御書頌　粤兹玄黄昉判，七政羅錯。斷鰲補石，穹規載廓。巢風永頽，羲埃緜邈。惟彼陶唐，有此冀方。虞舜入禪，並曜重光。睦族徽典，之紀之綱。既輯玉帛，爰同律曆。惟時惟幾，聿修厥德。禹乃嗣興，敬承弗忒。湯纘禹祀，肇修人紀。風愆永戒，奄甸疆理。周王代之，如矢如砥。三壤經國，九疇敍倫。周禮周官，郁郁其文。條分縷析，典則斯存。昭兹遐躅，爛焉汗竹。浹深極高，民熙物育。訏謨懿範，永植君鵠。於鑠我皇，侔德昊蒼。睿思忡忡，昧爽靡遑。躋唐埒虞，肩夏踵殷。鑒於有周，乃武乃文。黼座高敞，璇臺迴矗。鳳藻雲迴，龍章電燭。法言在御，載留神矚。稽古立則，日乾日惕。左右天經，張弛民極。覆之幬之，無怠無斁。寶綸煇映，乾度永正。勉勉我皇，四方其靖。保我奉符，式昭靈慶。華苹録

補崇禎十三年三月，策試諸貢士於皇極殿。上御小輦，下平臺，歷殿東陛上，導以銀香鑪一雙。是年承埏會試中式第二十八名，跪第一行對策，仰瞻天顔白皙，目微露。徧視諸臣，傳諭須用心作文字，作得好還要召對，聲如洪鐘。試已，讀卷官位次甲第進呈。傳臚前一日，果召對於文華殿，三百人齊集，而傳宣召對僅四十人，承埏在三甲中，不得與也。奏對稱旨者二十五人，臚傳後特授二甲進士孫一脈、姚宗衡、趙玉森、劉瑄、嚴似祖爲翰林院檢討，周正儒、李如璧、胡周鼐、宣國柱、黄雲師爲給事中，陳羽白、陳純德、魏景琦、馮垣登、吴邦臣爲各道監察御史，董國祥、顔渾爲吏部主事，蔡肱明、田有年、葛奇祚、張經、吕陽、陳纁、盧若騰、張朝綖、錢志騶爲兵部主事。舊例，二甲進士改庶吉士者，散館日授編修，而是年不待教習竟除，皆以檢討用。又二甲第一名例除禮部主事，而是年則以兵部主事用。又拔下第舉人史惇等一百六十三名、廷試貢生吴康侯等百名俱留特用，授主事、知州、推官、知縣有差。其後特用中殉節者，進士則陳純德、馮垣登、張經、陳纁、蔡肱明、葛奇祚，舉人則郟縣知縣李貞佐，貢生則户部郎中徐有聲。立賢無方，知人則哲，後死者所當備述也。鴻一亭筆記

〔臣等謹按〕明進士題名録，崇禎十三年三甲進士高承埏，浙江嘉興人。此條所引筆記，係承埏自撰紀廷試事者，故記文中僅稱名而不著其姓氏。

【補】中式舉人殿試，内閣大學士、學士等官詳定試卷，次日同赴文華殿。内閣官將第一甲三卷以次進讀，俟御筆批定出，將二甲、三甲姓名填寫黄榜。又次日早同赴華蓋殿，内閣官進至御座前，以次拆卷，將姓名籍貫面奏。司禮監官授制敕房官填榜畢，開寫傳臚帖子，内閣官一員捧榜出，至奉天殿授禮部尚書，制敕房官將帖子授鴻臚寺官傳臚。明會典

【補】初，讀卷用祭酒修撰等官，正統中猶與其事。其後非執政大臣不得與，而去取之柄則在内閣。初，於殿試之明日即傳臚揭榜，今制稍寬，約以三日内閲卷，禮部地專而人衆，庶得盡心鑒別云。明登科考

【原】嘉靖十七年，作聖濟殿於文華殿後以祀先醫。明典彙

〔臣等謹按〕聖濟殿，今文淵閣卽其舊址。

【原】黄諫嘗作京師泉品，謂玉泉第一，文華殿東大庖井第二。玉堂叢語

〔臣等謹按〕大庖井在今之傳心殿前左側，泉味獨甘，甲於別井，今作亭覆其上。

【原】崇禎時，中外多事，每遣羽流於南城爲章醮之舉，上與后妃密往行禮。自文華殿西夾道中往來。一日，有部僚接本在會極門，忽傳駕返，皇遽避入文華門西直房。於窗隙中闚見上乘小輦，輦前立兩宫娥，其次后輦，又次田、袁二妃輦，歷歷見之，不知上亦闚

見矣。俄使中璫問姓名，上復遣諭之，至外勿言也。玉堂薈記

原萬曆二十七年四月，建端敬殿。明神宗實録

原端本宫在東華門内，即端敬殿之東，前庭甚曠，長數十丈。左爲東華門，右爲文華門，光宗皇帝青宫時所居也。天啓末，懿安張皇后移居於此，名慈慶宫。其外爲徽音門。壬午八月，懿安移入居仁壽殿，因改爲端本宫，以待東宫大婚。宫門前三石橋，蓋大内西海子之水蜿蜒從此出焉。皇太子原居大内鍾粹宫，在坤寧宫之左。既漸長，當移居，上以慈慶爲皇考舊居，其後勗勤宫即上舊居也，因以居東宫。奉遷懿安皇后於仁壽殿。前門徽音改前星，門内關睢左右門改爲麟祥、燕翼，第二門麟趾改爲重暉，第三門慈慶改爲端本，純禧左右門改爲養正、體元。再入爲端本宫，中設皇太子座，畫屏金碧。座左右二大鏡屏，高五尺餘，鏡方而長。左右各有連房七間，門上各堆紗畫忠孝廉節故事。左七間即寢宫，内有二雕牀，餘皆空洞。右七間有琱紅寶座及奥室，其内有弘仁殿，規制曲折，與左不同矣。又後爲穿殿，兩廡翼然，有清正二軒，又後則聚寧門，今改爲凝寧門。端本宫至此止矣。此後爲龍圃門，又後爲奉宸宫，其後有承華門。入後則左爲勗勤宫，右爲昭儉宫，又後爲麗園門。懿書

〔臣等謹按〕端敬殿與端本宫今改建三所，爲皇子所居。

補慈慶宮，光宗青宫時所居，張差梃擊處也。上爲信王時亦居此，名勗勤宫。崇禎十五年七月，更名端本宫。山書

補懿安皇后既移宫入，上命卽所居賜皇太子，改名端本宫。宫制如常第，連房曲室，多耳殿。列方鏡屏二，高可數尺。宦夢録

原清寧宫本太子所居之宫，今皇子既冠皆居於此。病逸漫記

原萬曆四十三年五月，有妄男子張差持梃入慈慶宫。時皇太子移居宫内。差入第一門，寂無人，第二門止兩奄人守之，一年七十，一年六十餘，爲梃所仆，遂至殿簷下，超級而上。韓本用等執之，交東華守門指揮朱雄。皇太子以聞。先撥志始

原武英殿在右順門之西，規制如文華。凡齋居及召見大臣於其中。後以文華殿近慈寧宫，故歷朝多居之，而武英殿遂不復御。崇禎五年三月，皇后千秋，命婦例當朝賀。先十日，文書房傳諭文武命婦從西安門、北安門進西華門，赴武英殿行禮。甲戌三月，再行朝賀禮，命婦自西華門外下輿入。黎明，皇后升殿。冠爲圓匡，冒以翡翠，上飾九龍四鳳，大花十二樹，小花如大花之數，兩博鬢十二鈿，服褘衣，深青爲帶，畫翠赤質五色十二等，素紗中單，黻領朱羅縠褾襈裾，蔽膝隨衣色，以緅爲領緣，用翟爲章三等，大帶隨衣色。朱裏紕其外，上以朱錦，下以緑綿，鈕約用青組，玉革帶，青襪，青舄，

舄以金飾。宮女服用紫色圓領窄袖，偏刺折枝小葵花於上，以金圈之，珠絡縫金束帶，紅裙，弓樣鞵，烏紗帽，飾以花，帽額綴團珠，結珠鬢梳，垂珠耳飾。命婦花冠釵鈿，服用翟衣，素紗中單，黼領朱縠褾襈裾，蔽膝隨裳色，以緅爲領緣，加文繡，重翟爲章二等，大帶隨衣色，革帶用玉、犀、金、烏角不等，青襪舄，佩綬，入排班立四拜。女官宣箋表跪，成國夫人入殿内致詞，命婦皆跪，三叩頭，起立，四拜而出。辛巳十月，皇嫂懿安皇后聖節，亦許命婦朝賀。春明夢餘録

原命婦入朝，贊行四拜，皆下手立拜，惟謝賜時一跪叩頭耳。穀城山房筆麈

原思善門外橋西爲武英殿，命婦朝賀中宮於此殿也。蕪史

〔朱彝尊原按〕崇禎七年三月，命婦入朝中宮，實於武英殿。先伯祖母趙淑人與焉。是年十月，朝懿安皇后於慈寧宮，至十年三月，復朝中宮於隆道閣。劉若愚纍臣蕪史亦云武英殿命婦朝中宮於此，而夢餘録則云仁智殿爲命婦朝賀中宮之地。若愚謂仁智係停梓宮之所，則皇后千秋節必不於此受賀可知已。

補仁孝文皇后召翰林學士解縉、黄淮、胡廣、胡儼、楊榮、楊士奇、金幼孜之妻入見柔儀殿，勞賜備至。后紀

原武英有待詔，擇能畫者居之。春明夢餘録

原宋徽宗立書、畫學，書學卽今文華直殿中書，畫學卽今武英待詔諸臣。然彼時以此立學，時有考校。今止以中官領之，不關藝苑，無從稽其殿最，故技藝之精遠不及古矣。穀城山房筆麈

原崇禎三年，命武英殿中書畫歷代明君賢臣圖，書正心誠意箴於屏，置文華、武英兩殿。崇禎遺録

原南薰殿，凡遇徽號册封大典，閣臣率中書篆寫金寶金册，御用監必殺鹿一隻，蒸炰作羹，此舊典也。逍遥城在歸極門之西南，今無之矣。蕪史

原仁智殿在武英殿後，俗所謂白虎殿是也。凡大行皇帝梓宫停於此。同上

原仁智殿以處畫士，一時在院中者，人物則蔣子成，翎毛則邊景昭，山水則商喜、石鋭、馬軾、李在、倪端、陳暹、鍾欽禮、王諤、朱端然，皆畫家第二流人。四友齋叢説

補宣廟喜繪事，一時待詔有謝廷循、倪端、石鋭、李在，皆有名。戴文進入京，衆工妬之。一日在仁智殿呈畫，文進以得意之筆上進。第一幅是秋江獨釣圖，畫一紅袍人垂釣於水次。畫家惟紅色是難著，文進獨得古法入妙。宣廟閲之，廷循從旁奏曰：此畫甚好，但大紅是朝廷品官服色，却穿此去釣魚，甚失大體。宣廟頷之，遂揮去，其餘幅不復視。畫品

原孝宗嘗至仁智殿觀鍾欽禮作畫，見其皴劈飛動，從背後久立，鍾不知也。既而忽捋其鬚大呼曰：天下老神仙。鍾遂以勅賜天下老神仙七字刻石作私印。明良記

原思善門在仁智殿東南。蕪史

〔臣等謹按〕仁智殿應在武英殿後，舊基已廢，今之内務府官廨等處是其舊址云。

補江夏吴偉畫山水人物入神品，憲宗召至闕下，待詔仁智殿。有時大醉，蓬首垢面，曳破皂履，踉蹌行，中官扶掖以見。上大笑，命作松泉圖。偉跪翻墨汁，信手塗抹，而風雲慘憺生屏幛間。上歎曰：真仙筆也。偉出入掖庭，奴視權貴，求畫多不與。於是權貴人數短之。居無何，放歸南郡。孝宗登極，復召見，命畫稱旨，授錦衣百户，賜章曰畫狀元。後稱疾歸，武宗復遣使召之，使至，未就道，中酒死。稗史彙編

原仁宗卽位，建弘文館於思善門外，駕嘗臨幸，講論經史不倦。殿閣詞林記

補仁宗建弘文閣於思善門，作印章，命翰林院學士楊溥掌閣事，侍講王璡佐之。親舉印授溥曰：朕用卿等於左右，非止助益學問，亦欲廣知民事，爲理道之助。卿等如有建白，卽以此封識進。明典故紀聞

〔臣等謹按〕明洪熙元年正月，建弘文閣，命儒臣入直，楊溥掌閣事。見明史仁宗本紀。

【原】十月，上坐思善門選東宮官。路紀

【原】弘文館在大内之西，正統中始革去。病逸漫紀

【原】慈寧宮在寶寧門北。蕪史

【補】萬曆間，外方貢緑刺觀音一座，其高六尺。李太后迎供慈寧宮中。過日集箋

【原】嘉德右門之西曰長庚門，凡夫匠淘溝及修造或宮人疾故皆開此門出入。其外自玄武門迤西可九間，自北而南，過長庚橋，至御酒房後牆，曰長連三十九間，再前層曰短連三間，連玄武門東計之，通共五十四間，總曰廊下。蕪史

【補】寶和六店，宮中儲材物處。一寶和，二和遠，三順寧，四福德，五福吉，六寶延。武宗嘗扮商估與六店貿易，争忿喧詬，既罷，就宿廊下。西河詩話

【補】御酒坊後牆有街曰長連，又一街曰短連，總曰廊下家。張南士集

【原】内法酒總名長春，有上用甜苦二色，給内閣者以黄票，學士以紅票。傍秋亭雜記

【原】内法酒出大璫造者亦佳，但或甘或冽，似未得平，令人熱及好渴，不堪醉也。鳳洲筆記

【原】坤寧宮之後則後苑也，欽安殿在焉，供玄天上帝之所也。有魚池假山，奇花異樹，東南曰瓊苑左門，西南曰瓊苑右門。蕪史

〔臣等謹按〕欽安殿、御花園今仍舊名，詳見國朝宮室。

原成化十二年八月，户部尚書兼翰林院學士商輅等言：祖宗創爲郊祀，歲一舉行，極爲慎重。邇者傳聞皇上於宫北建祠奉祀玉皇，取郊祀所用祭服祭品樂舞之具，依式製造，並新編樂章，命内臣習之，欲於道家所言神降之日舉行祀禮。臣等稽之於古，未爲合禮。夫天者至尊無對，非他神可比。事之之禮宜簡而不宜繁，可敬而不可黷。今乃别立玉皇之祠祀，並用南郊之禮樂，相去一月之間，連行三祭，未免誠意不專。且郊祀所用執事並樂舞生皆神樂觀道士爲之，刑喪病疾之人一切不預。祖宗制禮蓋有深意存焉。伏望聖明將所建神祠停罷，神像送宫觀侍奉，祭服祭器樂舞之具送太常寺收貯，凡内廷一應齋醮悉宜停止。疏入，上命拆其祠。明憲宗實録

原弘治十一年七月，太監李廣奏欽安殿設齋醮當用旛竿，工部尚書徐貫等謂非祖宗舊制，且宫禁之内不宜用此。上曰：是，其勿造。明孝宗實録

原嘉靖二年四月，太監崔文等於欽安殿修設醮供，請駕拜奏青詞，給事中張嵩知其左道誣惑，請火其書斥其人，章下所司。明世宗實録

〔朱彝尊原按〕此乃建醮青詞之始也。

原欽安殿門曰天一之門，嘉靖十四年添額。有萬春亭、千秋亭。嘉靖十五年，添對育軒，嘉靖十四年，更玉芳軒。四神祠有觀花殿。萬曆十一年毁之，壘石爲山，中作石

門，扁曰堆秀。山上有亭曰御景，東西魚池，池上二亭，左曰浮碧，右曰澄瑞。又有清望閣、金香亭、玉翠亭、樂志齋、曲流館，至萬曆十九年毁。明宮殿額名

補 王錫爵樂志齋箴 聖人作易，次豫於謙。喜起之歌，始以敕天。我皇鑒兹，弗懈於位。有毖斯齋，惟以樂志。其樂伊何，匪遨匪游。其志伊何，樂而不流。樂有從理，亦有從欲。安危之機，辨之幽獨。何以辨之，惟志之持。志一常安，志煩則危。惟幾惟康，無逸乃逸。君子攸居，萬年無斁。王文肅文草

原 夏言欽安殿詩 欽安殿前修竹園，百尺琅玕護紫垣。夜夜月明摇鳳尾，年年春雨長龍孫。桂洲集

原 欽安殿後曰順貞門，其宮牆外則玄武門，每夜更鼓在焉。蕪史

〔臣等謹按〕欽安門、順貞門，本朝俱仍其舊，玄武門即今神武門也。

原 隆慶四年二月，建英明閣於禁中。明穆宗實録

原 大内後門有丹漆巨梃一支此扉，不知幾何年矣。成化間偶墮地破，乃鬆竹，中藏卷三，一爲王摩詰畫真蹟。國史唯疑

原 紫禁城内之河，則自玄武門之西從地溝入，至廊下，南過長庚橋裏馬房橋，由仁智殿西、御酒房東、武英殿前、思善門外、歸極門外、皇極門前、會極門北、文華殿西，而北而東，自慈慶宮前之徽音門外，蜿蜒而南，過東華門裏古今通集庫南，從紫禁城牆下，地溝亦自巽方出，歸護城河，或顯或隱，總一脈也。蕪史

原 北中門之南曰壽皇殿，曰北果園，殿之東曰永壽殿，曰觀德殿，與御馬監西門相對

者。壽皇殿之東門，萬曆中年始開者也。殿之南則萬歲山，俗所云煤山也。山之前曰萬歲門，再南曰北上門，左曰北上東門，右曰北上西門，西可望乾明門，東可望御馬監也。再南過北上門，則紫禁城之玄武門也。同上

〔臣等謹按〕壽皇殿、北果園卽今景山後是也。北上諸門今仍舊名云。

原 崇禎癸未九月，召對萬歲山觀德殿。出東華門入東上北門，繞禁城行，夾道皆槐樹，十步一株。折而西，則萬歲山在望矣。復折而北，入山左裏門。上御觀德殿，皇太子侍立，諸臣趨過永壽殿，至觀德殿階下。上御坐張金字屏，書一小賦。門外張黄幔，對畢，賜茶餅。有頃，駕興，入玄武門，諸臣仍出山左裏門。觀德殿在北安門内、玄武門外，萬歲山東麓也。山上有土成磴道，每重九日駕登山觴焉。山北有壽皇殿、北果園。山南有扁曰萬歲門，再南曰北上門，再南曰玄武門，入門卽紫禁城大内也。山左寬曠，爲射箭所，故名觀德。山左裏門之東卽御馬監，兩門相對，一帶有桿子房、北膳房、暖閣廠，皆西向也。永壽殿在觀德殿東南相近，内多牡丹芍藥，旁有大石壁立，色甚古。愨書

原 萬歲山高一十四丈，樹木蓊鬱，有毓秀、壽春、長春、翫景、集芳、會景諸亭。春明夢餘録

原萬歲山在子城東北玄武門外，爲大内之鎮山，高百餘丈，周廻二里許。林木茂密，其顛有石刻御座，兩松覆之。山下有亭，林木陰翳，周廻多植奇果，名百果園。西元集

原萬歲山嘉樹鬱葱，鶴鹿成羣，俗稱煤山。天啓甲子六月，山椒有五色雲，靈臺占曰景雲將降。旨行慶賀禮，以六科廊災乃寢。天啓宫詞注

原今京師厚載門南逼紫禁城，俗所謂煤山者，本萬歲山。其高數十仞，衆木森然，相傳其下皆聚石炭以備閉城不虞之用者。野獲編

原崇禎七年九月，量萬歲山，自山頂至山根，斜量二十一丈，折高一十四丈七尺。萬歲山左門、山右門於萬曆十八年八月添牌。有玩芳亭，萬曆二十八年更覴景亭。二十九年再更毓秀亭。亭下有壽明洞，又有左右毓秀館、長春門、長春亭。壽皇殿萬福閣下曰臻禄堂，康永閣下曰聚仙室，延寧閣下曰集仙室。萬福閣東曰觀德殿，又有永壽門、永壽殿、觀花殿、集芳亭、會景亭、興隆閣，萬曆四十一年更覴春樓。萬福閣西曰永安亭、永安門，乾祐閣下曰嘉禾館、乾祐門，興慶閣下曰景明館，外爲山左裏門、山右裏門。明宫殿額名

原鳳翔之麟游有虎臣者，慷慨有氣節。成化末，貢入太學。適聞萬歲山架棕棚以備登眺，臣上疏極諫，憲廟奇之。祭酒費闇不知也，懼其買禍，會六堂鳴鼓聲罪，以鋃鐺鎖

之。俄官校至，宣臣至左順門，中官傳旨勞之曰：爾言是也，棕棚拆卸矣。命吏部予七品官，閶閭而大慚。臣知雲南鶚嘉縣事，卒於官。郊外農談

原弘治中，太監李廣以左道見寵，權傾中外。戊午歲建毓秀亭於萬歲山下，既成，適小公主患痘，廣飲以符水，遽殤。未幾，清寧宮災，有謂建亭年月不利故有此災。太皇太后怒，廣懼，飲鴆死。月山叢談

原嘉靖中，禁中有貓，微青色，惟雙眉瑩潔，名曰霜眉。善伺上意，凡有呼召或有行幸，皆先意前導。伺上寢，株橛不移。上最憐愛之。後死，勑葬萬歲山陰，碑曰虯龍冢。耳談

原歐大任萬歲山詩　五岳來朝日，三山路不迷。長楊秦苑北，盧橘漢園西。珠斗凌空近，瑶峯入望齊。萬年同聖壽，何用訪丹梯。旅燕稿

〔朱彝尊原按〕宣宗廣寒殿記及楊文貞、李文達、彭文憲、葉文莊、韓襄毅西苑諸記所稱萬歲山，皆本金元之舊。至馬仲房始以煤山爲萬歲山。迨萬曆間，揭萬歲門於後苑，而紀事者往往混二爲一。蓋金元之萬歲山在西，而明之萬歲山在北也。

原宣宗八年四月二十六日，上命勳舊輔導文學之臣游西苑。翰林則少傅楊士奇、楊榮，少詹事王英、王直，侍讀學士李時勉、錢習禮，時少保黄淮來自退休，與焉。翰林記

原楊士奇賜游西苑詩序　宣德八年四月，上以在廷文武臣日勤職事，不遑暇逸，特勑公、侯、伯、師傅、六卿、文學侍從游觀西苑，偕行凡十有五人。自西安門入，循太液之東而南，觀新作之圓殿，改作之清暑殿，二殿皆皇上

奉侍皇太后宴游之所。降而登萬歲山，至廣寒殿，而仁智、介福、延和三殿及瀛洲、方壺、玉虹、金露之亭咸得遍造。已而中官傳奉上命，賜黄封之酒，御廚之珍。爵數行，時久未雨，忽陰雲東來，微雨沾席，倉庚如簧，和鳴不已。相與引滿勸酬，盡醉而出，賦詩若干首。東里集

〔臣等謹按〕明廣寒殿及仁智、介福、延和三殿今永安寺卽其舊址，瀛洲、方壺等亭，其制已易云。

原王直記畧 六月七日，陪少師少保及諸學士於太液池上，焚三朝實録草本，詔許游萬歲山，觀金元遺蹟。中官引自圓殿後度石橋，橋中空二丈許，用一大舟實其中以通行者。既度入山門，門有三，中爲御路衆從左右門入。山皆奇石疊成，相傳金人取宋艮嶽石爲之，至元增飾加結構焉。山趾兩旁皆有門，躡石級而上，至半有三殿，中曰仁智，左曰延和，右曰介福，獨廣寒殿在其頂。又有瀛洲、方壺、玉虹、金露四亭在延和、介福之後，昔皆窮極侈麗，今猶有可觀者。山右之半有廢井，深不可測，中人云下與海通，有蛟蟄焉。山下一石曰慶雲，奇峯萬變，蓋艮嶽之絶奇者。又有康干石。康干，國名。石乃松木入河，水浸漬久而成者，其木理宛然。凡諸殿宇皆仍其舊，未嘗修治，我朝列聖恭儉之德於此可見矣。觀畢賜宴，山下，盡醉而歸。王文端文集

原李賢賜游西苑記 天順己卯首夏月，上命中貴人引賢與吏部尚書王翺數人游西苑。入苑門卽液池，蒲葦芰荷，翠潔可愛。循池東岸北行，花香襲人。行百步許，至椒園，中有圓殿，金碧掩映，四面豁廠，曰崇智，南有小池，金魚游戲其中。西有小亭臨水，芳木匝之，曰玩芳。又北行至圓城，自兩掖洞門而升，上有古松三株。中有圓殿曰承光，西有長橋跨池下。過石橋而北，山曰萬歲，怪石參差。爲門三，自東西而入，有殿倚山左右，立石爲峯，以次對峙。西圍皆石磴，折而上，並列三殿，中曰仁智，左曰介福，右曰延和。至其頂有殿當中曰廣寒，左右四亭在峯之頂曰方壺、瀛洲、玉虹、金露。下過東橋，轉峯而北有殿臨池曰凝和，二亭臨水曰擁翠、飛香。西隅有殿用草曰太素殿。殿後草亭畫松竹梅於上曰歲寒。門左有軒臨水曰遠趣軒，前草亭曰會景。循池西岸南行，有屋，池水通焉，以育禽鳥。有亭臨水曰映暉。又南行，有殿臨池曰迎翠，有亭臨水曰澄波。東望山峯，倒蘸於太液波光之中。又西南有小山，至則有殿倚山，山下有洞，洞上有巖，橫列密孔，泉出迸流而下曰水簾，水聲泠泠然潛入石池，龍昂其首，口中噴出，復潛繞殿前爲流觴曲水，左右危石，盤折爲徑。山畔有殿翼然，至其頂一室正中，四面簾櫳，欄檻之外，奇峯回互，下轉山前一殿，深静高爽。殿前石橋極精巧，左右有沼，沼中有臺，臺外有木叢，高鳥鳴上下。至於南臺，林木陰森。過橋而南，有殿面水曰昭和，門外有亭，臨岸沙鷗水禽如在鏡中。古穰集

〔臣等謹按〕太素殿，明天順年間創建，今之五龍亭卽其舊址。水簾石池似在白塔之

西岸，南臺卽今瀛臺也。

〔原〕韓雍賜游西苑記　天順三年四月，賜公卿大臣以次游西苑，遂由西華門而西，入西苑門，卽太液池之東南岸也。乃折北循岸而行，至椒園。園内行殿在叢樹中，殿之北有釣魚臺，南有金魚池。又北行至圓殿，觀燈之所也。歷階而登，殿之基與睥睨平，古松數株，其高參天。其西以舟作浮橋，横亘池面，北則萬歲山在焉。北度石橋登山，山在池之中，磊石爲之。山之麓以石爲門，門内稍高有小殿，琴臺棋局，石牀翠屏，分布森列。峯有最奇者名翠雲，上刻御製詩。沿西坡北上有虎洞、吕公洞、仙人庵，又上有延和，有瀛洲，有金露，皆殿名。瀛洲之西湯池之後有萬丈井，深不可測。由金露折而東，上絶頂，則廣寒殿也。下至玉虹，又下而南至方壺，至介福，皆與延和諸殿相對峙，而方壺、瀛洲則左右廣寒而奇特者也。又下至山之東麓，過石橋，復折北，循岸數百步，至九間殿，門外繫五六小舟。稍北有船房，苫龍船其中。又北行數里至北牐，上横小亭，釣竿數十，線餌具備，垂之清流。沿池北岸而西，復折而南，有蓄水禽之所二，皆編竹如窗，下通活水，啓扉以觀，鳥皆翔鳴。又南至浮橋西，圓殿對岸也。復出而南至小教場，又西南至小山，名賽蓬萊。入門有殿，殿前一大池，中通石橋，東西二小閣立水中。橋南有娑羅樹，殿後復有三殿，其階益上益高，至頂則與萬歲山相望。下至第三殿之前，蓄水作機，瞰其下有水簾洞。洞之中作金龍，口中噴水，水從前殿基下陰渠之内過，至於殿前，鑿石爲曲渠。復作龍頭於其西，水至出龍口旋繞而東，可以流觴。坐久之，乃循故道出，東南行至小石橋，橋上有亭，過而上叢坡爲南臺。臺有行殿，殿之南門外臨流作小軒。少頃，太監邀入殿之東廡，赴所賜宴，酒既芳洌，杯復連引，遂大醉。折北出西苑門，已晡時矣。韓襄毅集

〔原〕彭時賜游西苑記　西苑在宫垣西，中有太液池，周十餘里，池中駕橋梁以通往來。橋東爲圓臺，臺上爲圓殿，殿前有古松數株。其北卽萬歲山，山皆太湖石堆成，上有殿亭六七所，最高處，廣寒殿也。池西南又有一山，最高處爲鏡殿，乃金元時所作。其西南曰南臺，則宣廟常幸處也。可齋筆記

〔原〕葉盛賜游西苑記　天順三年四月六日，有旨賜游西苑。先飯於左順門東北廊訖，趨右順，出西華、西上、西中、西苑四門，北入椒園，至行殿。殿枕太液池，下瞰如鏡。出，北行至圓殿，由東城門入上殿，殿前古松極奇怪，又置翠屏岩、郭公甎、木變、太湖石。從西城門下，北至太液，歷御橋，再北至萬歲山，由西路入。山徑旁有仙人老虎洞，抵絶頂，入廣寒宫。兩旁圓亭，東曰玉虹，西曰金露。兩亭下次第又各兩殿，東曰方壺，次曰介福，西曰瀛洲，次曰延和。山半坪間有仁智殿舊址。自東路出山，至九間殿，過黄船廠，過北閘口行殿，又西從湖岸折而南，至養牲房，所養皆珍禽。經虎城至小山子，名賽瀛洲，前後左右皆有殿，中兩旁有水閣，山頂之殿，狀如廣寒。殿前有水出腰，垂如珠簾然，流至石池，西流，從石龍口吐出，復洑流山下，殿前鑿石爲流觴曲水。水折流至東池，復南入湖中。過橋至南臺行殿，前有石礅直階，下亭數十步至水中，是爲釣磯。前所歷覽皆上游幸所也。水東日記

〔原〕嘉靖十五年五月，召輔臣李時、禮官夏言、武定侯郭勛汎舟西苑。帝以五日率先朝故

事，汎舟西苑，特召時、言、勛侍行。先命太監韋霦賜以艾虎、彩索、牙扇等物。帝至，御龍舟，命時、言一舟，勛一舟，自芭蕉園歷玉蝀金鰲橋至澄碧亭，頒賜御肴，又命楫人蕩槳近龍舟顧問，已而賜宴無逸殿，乃還。翰林記

原 夏言御舟歌 御舟北，臣舟南。積翠堆雲山似玉，金鰲玉蝀水如藍。臣舟南，御舟北。雲龍會合良及時，魚水君臣永相得。桂洲集

原 李默游西內記 季夏十六日，望西安門，舍騎步入。過仁壽宮，直北隙地初築親蠶壇殿，用前詹事霍韜議也。殿東西北上爲永福、萬春諸宮，正南爲門者三，曰仁壽宮門。門外西南數十步築神祇壇，蓋倣周禮王社爲之。直東爲帝社坊，凡駕臨亭，特駐此。坊東北爲無逸殿，殿南爲豳風亭，上著豳風圖記揭亭中。出門南行，西望黍菽盈疇。趙常侍導而西，槐柳多至數圍，蓋遼時物。北行松間，隱隱見岡阜。至則小軒峙其前，又前甃石爲九曲黃河。軒北，石假山也。頂列銅池六，皆貯水，池旁多穿孔竇，下注洞口，洞中爲龍，勢若噴吐，前爲圜池，龍盤其間。駕幸則瀉銅池從孔竇迸落，名水晶簾。山上有梳妝樓遺址，舊傳爲遼后游處。自橋至此，地皆以文甎、乳花石雜甃之。常侍導出一門，循塍而東南，見省耕亭額。南並稻畦可二十畝。中有池，方廣十丈，環置桔槔，引池灌焉。復導自東小門出，則湖堤萬柳中也。緣堤稍南，樹益密，林端望見昭光殿。常侍曰：此兔兒山也。稍北行，常侍別去。時夕陽半落，湖心波光閃爍，荷葉盡舒，花皆紅白，葭菼蒼然，有鳥巢其末，啾唧出蘆葦間，湖東列數亭爲艤舟處，亭外爲西苑門，殿闕參差，可歷歷指出。時已昏黑矣。羣玉樓藁

原 嚴嵩賜游西苑詩序 泛金海，觀於廣寒山，蕩舟持楫者皆中使，水光蕩漾，遠近亭臺隱現，金碧交輝，若身造瑤池弱水之間。鈐山堂集

補 嘉靖十二年四月，上幸西苑，御寶月亭，召張孚敬等同游。御清馥殿、翠芬亭，賜茗、酒、錦囊、詩扇、紅藥花，製古樂府五七言絕句各一章命和。嘉隆聞見紀

原 嘉靖十三年九月，西苑河東亭榭成，上親定額，天鵝房北曰飛靄亭，迎翠殿前曰浮香亭，寶月亭前曰秋輝亭，昭和殿前曰澄淵亭，後曰趯臺陂，臨漪亭前曰水雲榭，西苑門外二亭曰左臨海，右臨海，亭北牐口曰湧玉亭，河之東曰聚景亭，改呂梁洪之亭呂梁，

前曰儀金亭，翠玉館前曰擷秀亭，萬歲山後曰玩芳亭。明典禮志

〔臣等謹按〕明皇史宬東南有門通河，俗所謂騎馬河也。迤東沿河稍北則吕梁洪。見蕪史。嘉靖十三年，西苑河東亭榭成，親定額名，改吕梁洪之亭曰吕梁。見明史輿服志。

原 王九思午日從游西苑應制詩　蘭宮桂殿翠微中，鳳輦宸游引上公。鶯語巧隨歌曲細，榴花嬌映御筵紅。長秋揆日分絲縷，侍女承恩戲角弓。魚藻萬年同宴鎬，甘泉欲賦未能工。渼陂集

原 文徵明秋日再經西苑詩　內苑清秋宿露晞，盈盈日采動金扉。松間翠殿團華蓋，天外銀橋入紫微。錦纜稀遊青雀暗，璚波無際白鷗飛。彤牆高柳無人折，時見宮中一騎歸。甫田集

原 西苑池冰既堅，以紅板作柁床，四面低欄亦紅色，旁僅容一人。上坐其中，諸璫於兩岸用繩及竿前後推引，往返數里。天啓宮詞注

原 上數同中官泛輕舠於西苑，手操篙櫓，去來便捷。乙丑端午，用絳繒小舟，首尾龍形，上親持划，同內侍劉思源、高永壽溯流。俄而風起，雲霧四塞，舟覆，二璫溺死。太監譚敬急往扶駕出水。同上

原 陳悰詩　琉璃波面浴輕鳧，艇子飛來若畫圖。認著君王親蕩槳，滿堤紅粉笑相呼。風掠輕舟霧不開，錦鱗吹裂綵帆摧。須臾一片歡聲動，捧出真龍水面來。天啓宮詞

原 崇禎十五年春，上遊西苑，召內閣、五府、六部、都察院、錦衣衞諸大臣從。先於上舟行禮畢，賜饌，分舟而游。日晡，復登上舟謝，乃退。崇禎遺録

原 西苑門迤南，向東曰灰池，曰樂成殿，曰水碓、水磨。蕪史

〔臣等謹按〕樂成殿、水碓、水磨等處後易爲無逸殿、豳風亭。今西苑以東淑清院，

卽因其舊址改建。所謂灰池，今三座門内沿湖南行百許步，東牆上有門，内屋三楹，猶相沿稱灰廠。或其舊址也。

原 樂成殿、涵碧亭、浮玉亭，俱萬曆三十年七月添扁。明宫殿額名

原 從芭蕉園南循水，過西苑門半里，有牐瀉池水轉北，别爲小池。中設九島、三亭。一亭藻井鬬角爲十二面，上貫金寶珠頂，内兩金龍並降，丹檻碧牖，盡其侈麗。中設一御榻，外四面皆梁檻，通小朱扉而出，名涵碧亭。其二亭，制少樸，梁檻惟東西以達厓際。東有樂成殿，左右楹各設龍牀，殿後小室亦設龍榻，皆宣皇游歷處也。殿右有屋，設石磨二，石碓二，下激湍水自動，田穀成於此舂治，故曰樂成。西元集

原 馬汝驥詩 金堤迴北拱，寶殿樂西成。春急奔湍上，梁危駕石行。池龍蟠九島，苑鳥下層城。帝豫因民事，長楊愧頌聲。西元集

原 文徵明詩 太液東來錦浪平，芙蓉小殿瞰虚明。碧欄蘸影雙龍卧，緑水浮渠九島輕。漾日金鱗堪引釣，拂天翠柳亂聞鶯。激流静看飛輪轉，天子無爲樂歲成。甫田集

原 陳沂涵碧亭詩 苑入黄金塢，橋迴碧樹灣。龍池觀九島，鰲禁覓三山。溜轉雲車急，花深月殿閒。從來人罕至，御榻在中間。拘虚集

原 河之西曰昭和殿，曰紫光閣，曰陽德門，曰萬壽宫，曰旋磨臺，卽兔兒山也。曰無逸殿，曰豳風亭。蕪史

原 從樂成殿度橋，轉南一徑，過小紅亭二百餘步，林木深茂。内有殿曰昭和，皆黄屋。旁有水田村屋，先朝嘗於此閲稼。西元集

欽定日下舊聞考卷三十六

宫室 四明

原 南臺在太液池之南，上有昭和殿，北向，踞地頗高，俯眺橋南一帶景物。其門外一亭，不止八角，柱栱攢合，極其精麗。北懸一額，直書趯臺陂三字。降臺而下，左右廨宇各數十楹，不施窗牖。又其北濱池一亭，額曰湧翠，則御駕登龍舟處。燕都游覽志

原 馬汝驥南臺詩 灌木晴湖合，高花午樹移。堯茨原不翦，周稼欲先知。雨露懸蓬徑，風雲護竹籬。九重歡豫地，髣髴見龍旗。西元集

原 文徵明詩 西林迤邐轉迴塘，南去高臺對苑牆。暖日旌旗春欲動，薰風殿閣畫生涼。别開水榭親魚鳥，下見平田熟稻粱。聖主一游還一豫，居然清禁有江鄉。甫田集

原 歐大任南臺詩 西内風烟異，南臺見水田。艱難曾稼穡，淳朴自山川。農舍朝炊裹，江鄉夕照前。穀蠶勞睿藻，豳雅定同傳。旅燕稿

原 王嘉謨趯臺陂詩 春湖泛緑水，華林積清樾。靈臺自孤峙，昆池更不竭。戰鷁隨風舞，恩魚向波没。藉草弄烟虹，傍橈采薇蕨。嵐積龍虎文，日漾黿鼉窟。崇儉陋雕牆，荒遊笑溟渤。願言飲澄波，於焉絶天伐。薊邱集

〔臣等謹按〕瀛臺舊爲南臺，一曰趯臺陂。明李賢記中所稱南臺林木陰森是也。見金鰲退食筆記。

原 崇禎壬午九月，召閣部諸臣入對明德殿。出西華門，傍西海子北行，過椒園，折而

東，逾圆殿，度御橋，步至明德門外。頃之，召食明德殿前。上坐殿門，内外張御幄，左右各張黄幕，置宴榻十二張。對畢，諸臣分東西，就黄幕下入席。席設大花瓶，插雞冠花。酌用金葵花杯，大如盃，花有瓣，中心花點甚多，四旁刻曰御前欽賜，下刻曰萬曆壬寅年銀作局造。席各饌盒十五，别有餚十器，而蔬至二十二器，果五品，湯、酒各三巡。宴畢，謝恩出，上駕已動。旋登紫光閣看文書，閣甚高敞。樹陰池影，葱翠萬狀，一佳景也。卽同趨過閣下，沿西海行，至萬壽宫，策馬過南臺，越小橋，有涵碧亭，曲水環之。又激水爲水碓，如江南樣，下馬徘徊久之，遂出。慤書

原 張少師孚敬、李少保時、方少保獻夫、翟殿學鑾於癸巳歲賜游萬歲山諸處，有春游倡和集。戊戌，上奉慈寧汎西苑，召郭翊公勛，李、夏二少傅，顧少保從。後居西苑齋宫，四臣與分宜相不時宣召，至夜分，多寓宿苑内，時未有直廬也。己亥，始賜無逸殿左右廂分居，多應制供青詞之作。今列於後：太師郭翊公勛，太師朱成公希忠，太保崔都尉元，太傅仇咸寧鸞，鄔都尉景和，少保方安平承裕，太保陸都督炳，太保朱都督希孝，已上勛武臣。少師夏殿學言，少傅翟殿學鑾，少師嚴殿學嵩，少保費尚書寀，宫保張閣學治，少傅李殿學本，少師徐殿學階，歐宗伯德，宫保李太宰默，宫保王宗伯用賓，少保吴宗伯山，少傅袁殿學煒，宫保嚴殿學訥，少保李殿學春芳，少保郭殿學朴，尚書高殿學

拱，諸公前後許乘馬出入，獨嚴以年老得乘腰輿。己亥，以八十特賜乘肩輿。此希特之典也。鳳洲筆記

原蔡羽卽事詩 金水荷花接綺軒，石渠銀鑰掌中閽。西崑學士封麻散，斜日猶開左闕門。碧雞朱鷺羽毛鮮，小殿芙蓉貼水圓。昨夜百花風信急，御溝新藻有紅泉。林屋集

原王世貞西城宮詞 新傳牌子賜昭容，第一仙班雨露濃。袋裏相公書疏在，莫教香汗濕泥封。五雷壇上雷一聲，海子牐口雨縱橫。祈靈驗後催傳賞，馬上朱提玉手擎。芙蓉新樣紫霞冠，細攤珠琲小鳳團。一片香烟叢裏出，玉真朝罷簇回鑾。色色羅衫稱體裁，鋪宮新例一時開。菱花小樣黄金合，昨夜真人進藥來。兩角鴉青雙筯紅，靈犀一點未曾通。自緣身作延年藥，憔悴春風雨露中。梨園子弟鬢如霜，十部龜兹九部荒。妬殺女冠諸侍長，大羅天上奏霓裳。弇州山人集

原歐大任西苑詩 日上觚稜照綵斿，西宮夜醮火初收。滄池波色青門曉，長樂鐘聲碧樹秋。名岳采芝諸使出，中天築館萬靈游。漢家詞客頭將白，汾水年年望御舟。歐虞部集

原張元凱春日游西苑詩 宣室臨西苑，靈臺對耤田。宮鶯迷緑雨，廄馬飲清川。柳引金堤直，松含玉殿圓。先皇受釐處，寂寞鏁春烟。桂枝山房集

原汪文盛西苑詩 萬年枝上露華清，百子池邊月色明。宮草經秋猶自碧，君王御輦不曾行。白泉集

原嘉靖十年，上於西苑隙地立帝社帝稷之壇，用仲春、仲秋次戊日，上躬行祈報禮。蓋以上戊爲祖制社稷祭期，故抑爲次戊。内設豳風亭、無逸殿。其後添設户部尚書或侍郎專督西苑農務。又立恒裕倉，收其所獲，以備内殿及世廟薦新先蠶等禮，蓋又天子私社稷也。此古史册所未有。自西苑肇興，尋營永壽宮於其地。未幾而玄極、高玄等殿繼起，以玄極爲拜天之所，當正朝之奉玄殿，以大高玄爲内朝之所，當正朝之文華殿。又建清馥殿爲行香之所，每建金籙大醮壇，則上自躬至焉。凡入撰青詞諸臣，皆附麗其

旁，卽閣臣亦晝夜供事，不復至文淵閣。蓋君臣上下，朝真醮斗幾三十年，與帝社稷相終始。至穆宗紹位，不特永壽宫爲牧場，并西苑督農大臣亦裁去矣。野獲編

〔臣等謹按〕嘉靖十年，采帝耤之義，改爲帝社帝稷，以上戊明日祭，後改次戊，次戊在望後則仍用上巳。春告、秋報，爲定制。隆慶元年，禮部言：帝社稷之名自古所無，宜罷。從之。見明史禮志。

原 西苑農務凡占地五頃有餘，役農五人，老人四人，騾夫八人，每人日支太倉米三升，仍復其身。耕畜則從御馬監支糧草。先是，工部蓋農舍，築牛宫，造倉厫，順天府歲進穀種。比其穫也，户部以本年所入之數上聞。蓋自夏言皇后親蠶之説行，於是農桑並舉，以復邃古神農之政。未幾，親蠶禮卽廢，而農務則終世宗之世焉。野獲編

補 無逸殿三間，用甎寫刻大字農家忙詩一首，并記。東西間作沙壁，寫無逸一篇。豳風亭正面用甎寫刻大字，題豳風詩一首。東西兩邊作沙壁，寫七月詩。諭對録

原 嘉靖十年八月，帝御無逸殿之東室，曰：西苑舊宫是朕文祖所御，近修葺告成，欲於殿中設皇祖位祭告之，祭畢宜以宴落成之。又曰：無逸之作，雖所以勸農，而勤學之意亦在其中。今用宴以落成之，經筵日講官俱與，仍各進講七月詩無逸書各一篇。明世廟聖政紀要

原 嘉靖二十一年上元，上御豳風亭，賜朱希忠等五臣宴，觀燈。肅皇外史

原嘉靖時，建無逸殿於西苑，翼以豳風亭，蓋取詩書義以重農務，而時率大臣游宴其中。又命閣臣李時、翟鑾輩坐講豳風七月之詩，賞賚加等。添設户部堂官，專領穡事。其後日事玄修，卽於其地營永壽宮，雖設官如故，而主上所創春祈秋報大典悉遣官代行。撰青詞諸臣雖儤直於無逸之旁廬，而屬車則絶跡不復至。其殿惟内直工匠寓居彩畫神像並裝潢渲染諸猥事而已。至甲辰年，翟鑾坐二子中式被議，鑾辨疏以日直無逸爲辭。時上奉道已虔，惟稱上玄、高玄及玄威、玄功，而鑾椎樸，尚舉故事。上大怒，褫逐之。此後并殿亭舊名無齒及者矣。世宗上賓未期月，西苑宮殿悉毁，惟無逸則至今存。至尊於西成時間亦御幸，内臣各率其曹作打稻之戲。凡播種收穫以及野饁農歌徵糧諸事無不入御覽，蓋較上耕耤田時尤詳云。今上甲申、乙酉間，無逸燼於火。輔臣申吴縣等奏：皇祖作此殿，欲後世知稼穡艱難，其慮甚遠，非他游觀比，宜以時修復。上深然之。今輪奐尚如新也。野獲編

原打稻之戲，駕幸無逸殿，鐘鼓司扮農夫、饁婦及田畯官吏徵租、納税等事。燕史

補嘉靖二十七年七月，西苑獻瑞穀雙穗者七十五本，羣臣上表賀。論對録

原樊深駕幸無逸殿命輔臣進講無逸豳風頌 維彼陶唐，奄有萬方。乃命神禹，於理於疆。爰及成周，農桑是憂。忠哉元輔，克善其謀。書記無逸，艱難可稽。君子所知，小人所依。詩載豳風，農桑不廢。無衣無褐，何以卒歲。惟我聖明，志切於耕。遠宗唐帝，近比周成。駕幸無逸，命及元老。文武成周，農桑是寶。何以言之，詩書在卽。何以講之，豳風無逸。乃聖乃神，乃武乃文。功崇惟志，業廣惟勤。克勤於邦，克儉於家。天心克享，其何以加。含物

化光，德合無疆。超彼東周，嘉靖殷邦。西田集

原 姜應麟無逸殿箴 維辟承天，日有萬幾。事起於忽，患生於微。惟彼哲王，勵精宏化。若踐春冰，若馭泛駕。几几公旦，遠思令猷。爰陳無逸，入告嘉謀。勉勉我皇，願思其義。自强不息，克勤罔替。毋謹大廷，而懈深宮。既虔厥始，必保其終。毋謂予明，視於無形。毋謂予聰，聽於無聲。毋謂天與，命不易哉。毋謂人歸，民罔常懷。小臣進規，治道在邇。毋怠毋荒，夙夜敬止。考槃寤言

原 夏言無逸殿西壁詩 睿藻承遺訓，農歌啓聖衷。千秋所無逸，七月詠豳風。帝學詩書在，神謀制作同。光昭文祖業，原上有新宮。桂洲集

原 嚴嵩無逸殿直舍和夏少師韻 燈火通宵晃禁廬，霧窗雲閣近宸居。瑞烟入坐香浮苑，寒色窺簾月到除。緱嶺乍聞丹鳳吹，穀城先訪赤松書。歸來未向人間説，天語新承燕對餘。鈐山堂集

增 親蠶殿在萬壽宮西南，有齋宮、具服殿、蠶室、繭館，皆如古制。按明世宗實録，禮部上言：皇后出郊親蠶不便。是日召大學士張孚敬，令與尚書李時議，移之西苑。哺時，駕幸西苑，召二臣至太液池，使中官操舟渡之，入見於舊仁壽宮。上曰：朕惟農桑重務，欲於宮前建土穀壇，宮後爲蠶壇，以時省觀，卿等視其可否。二臣趨出視地，駕轉昭和殿，期二臣於此。昭和殿卽今瀛臺也。金鼇退食筆記

原 國初無親蠶禮。嘉靖九年，勑禮部曰：耕桑重事，古者帝親耕、后親蠶以勸天下，自今歲始，朕親耕，皇后親蠶，其具儀以聞。於是大學士張璁等請於安定門外建先蠶壇，準先農壇制；旁設採桑壇，倣耤田制；其別殿如南郊齋制，少減其數；卽齋旁起蠶房爲浴蠶所。皇后採桑三條，後三宮夫人採五條，列侯、九卿夫人採九條，仍擇民婦受桑浴蠶於內以終事。詔如議行。詹事府詹事霍韜言：皇后出難越宿，且郊外別建蠶室，則宮

嬪、命婦未見蠶事，勢難久行，乞擇近地便。户部亦言：安定門外水源不通，無浴蠶所。初，禮部議於皇城内西苑中有太液瓊島之水，且唐制亦在苑中，宋亦於宮中。從禮部議便。上命築親蠶壇於安定門外。十年三月，改築壇於西苑仁壽宮側。壇高二尺六寸，四出陛，廣六尺四寸，東爲採桑壇，方一丈四尺，高二尺四寸，三出陛，鋪甃如壇制。臺之左右樹以桑，東爲具服殿，北爲蠶室，又爲從室以居蠶婦。設蠶官署於宮左，置蠶官令一員，丞二員，擇内臣謹恪者爲之。十四年，皇后親蠶於内苑。明典禮志

原 嘉靖十年三月，建土穀祇先蠶壇於西苑，名曰土穀壇，曰帝社帝稷。召大學士張孚敬、尚書李時至太液池，使中官操舟濟之，入見於舊仁壽宮，賜酒饌，出御製西苑視穀祇先蠶壇位賦，手授孚敬曰：朕偶有所作，卿等和之。孚敬請上手書併裝成帙，名曰詠和録。嘉隆聞見録

原 嘉靖九年三月，皇后親蠶，點差採桑命婦一十七人：會昌侯孫果妻顧氏、玉田伯蔣榮妻黄氏、靖遠伯王瑾妻韋氏、宣城伯衛錞妻張氏、成山伯王洪妻周氏、兵部尚書李成勛妻袁氏、禮部尚書文淵閣大學士翟鑾妻劉氏、户部尚書梁材妻楊氏、禮部尚書李時妻何氏、刑部尚書許讚妻李氏、都察院副都御史汪鋐妻程氏、禮部左侍郎嚴嵩妻歐陽氏、刑部左侍郎聞淵妻方氏、工部右侍郎蘇民妻王氏、通政使司通政使張閼妻楊氏、國子監祭

酒許誥妻陳氏、翰林院學士顧鼎臣妻朱氏。嘉靖祀典

原　嘉靖間更定祀典，遂行皇后親蠶禮。當時俱咎夏貴溪逢迎上意，御史馮恩至謂后親蠶於郊不可示後世。然夏説未可非也，周禮天官内宰：中春詔后率内外命婦始祭蠶於北郊。漢禮儀志：皇后祀先蠶以中牢，文帝、景帝、元帝俱詔皇后親蠶。魏黄初中，依周禮置壇於北郊。晉與高齊俱置高壇，皇后親祭，俱躬蠶。後周因之。隋置壇宫北三里，皇后以太牢祭。唐置壇在長安宫西苑中，貞觀、顯慶、先天、乾元間，皇后親蠶，皆先有事於先蠶壇，儀具開元禮。宋用高齊制，后親享先蠶，貴妃亞獻，昭儀終獻。其神則祠天駟星，次則黄帝元妃西陵氏，漢加菀蓏婦人寓氏公主，後又益以蠶女馬頭娘之屬，要皆有所本。嘉靖之制雖未盡合古，然農桑並舉，固帝王所重也。野獲編

〔臣等謹按〕明時先蠶在西苑仁壽宫側，已廢。皇上御極之七年，命於西苑東北隅豐澤園左建先蠶壇，其浴蠶河自外垣北流入，由南垣出。詳見國朝宫室。

原　皇甫汸蠶室成詩　蠶館開周典，鸞輿扈漢儀。棘牆春窈窕，桑沼晝漣漪。繭獻夫人日，衣明上帝時。娥媌御王母，玉佩降瑶池。皇甫司勳集

原　周祚西内詩　鳳輦朝陽合，鸞輿大内通。聖朝興禮樂，行殿接蠶宫。周氏家藏集

原　夏言西苑詩　龍池西畔苑牆横，碧樹朱庭曉望明。歲歲君王深駐輦，百花香裏看春耕。北郊已復親蠶禮，内苑仍開獻繭宫。繅出素絲方玉雪，織成元衮炫山龍。昭和殿枕兔兒山，春日曾留聖主歡。翠蓋龍駒出西苑，霜毫玉管賦祇壇。西苑門前渡彩舲，龍池烟水漲冥冥。碧山故繞承光殿，緑樹新藏寶月亭。桂洲集

原金海橋之東北巋然若山者，曰廣寒殿，俗云遼后梳妝樓也。河上有乾祐閣，俗云北臺是也。高八丈一尺，廣十七丈。天啓二年毁平之，就其地爲嘉樂殿。其門曰延景門，其西則内教場也。稍南有坊曰彖（音亹）祥橋，其東則北牐口也。（燕史）

原瓊島在太液池中，從承光殿北度梁至島，有巖洞窈窅，磴道紆折，皆疊石爲之。其巔古殿結構，翔起周迴，綺牖玉檻，重階而上，榜曰廣寒之殿。相傳遼太后梳妝臺。今欄檻殘壞，内金刻雲物猶彌覆榱棟間，下布以文石。旁一榻亦前朝物。殿前舊有四亭，曰瀛洲、方壺、玉虹、金露，今惟遺址耳。（西元集）

〔臣等謹按〕梳妝臺，金章宗爲李宸妃建。謂遼后者訛，其詳已見遼金宮室門。

原瓊花島在内苑之北，自山麓至巔百三十餘步，周二十餘丈，皆疊石而成者。石磴陰洞，古檜喬松，縈紆蔭鬱，隱然仙府也。頂有廣寒殿，四隅各有亭，左曰玉虹，曰方壺，右曰金露，曰瀛洲。山半有三殿，中曰仁智，東曰介福，西曰延和，下臨太液池。山上常有雲氣浮空，絪緼五彩，變化莫測。（戴司成集）

原瓊花島土取自塞外，輟耕録西軒客譚可稽也。石移自艮嶽，明宣宗廣寒記可證也。（淥水亭雜識）

〔臣等謹按〕瓊島土取自塞外，御製古井記已正其誣。詳國朝宮室及元宮室卷内。

【原】謝鐸瓊華島詩　蓬海分明在眼中，暖雲高捧玉芙蓉。春陰欲下清虚殿，朝彩先浮最上峯。瑶管聲中迷去鶴，金根影裏護飛龍。夜來雨過知多少，試向南郊問老農。桃溪淨藁

【原】黄佐入瓊華島尋遼后妝樓　青梧飄素秋，烟霜異昏旦。所忻天地肅，適意山水翫。眇默循玉闕，威遲度金澗。長虹浮大川，積翠横天半。瑶甍拂台斗，綺窗瞰雲漢。風起雲嵯峨，日耀樹零亂。昔聞青娥妝，今見碧草蔓。采蓬無緩歌，握蘭有遺歎。淋池翔玉凫，芳洲宿朱雁。蹇予及朋好，羡爾游波瀾。緬懷巖桂叢，徘徊歲將晏。泰泉集

【原】文徵明瓊華島詩　海上三山擁翠鬟，天宫遥在碧雲端。古來漫説瑶臺迥，人事寧知玉宇寒。落日芙蓉烟裊裊，秋風桂樹露團團。勝游寂寞前朝事，誰見吹簫駕綵鸞。甫田集

【補】梳妝臺在太液池東小山上，一名瓊華島，即今白塔寺址也。西河詩話

【原】皇城北苑中有廣寒殿，瓦甓已壞，榱桷猶存，相傳以爲遼蕭后梳妝樓。成祖定鼎燕京，命勿毁以垂鑒戒。至萬曆七年五月，忽自傾圮。其梁上有金錢百二十文，蓋鎮物也。上以四文賜予，其文曰至元通寶。按至元乃元世祖紀年，則殿剏於元世祖時，非遼時物矣。太岳集

【原】永樂七年三月，車駕至北京，命學士胡廣、諭德楊榮、金幼孜，修撰王英等從游萬歲山。翰林記

【原】金幼孜和胡學士春日陪駕游萬歲山詩　鳳輦游仙島，春殘花尚濃。龍紋蟠玉砌，鶯語度瑶宫。香霧浮高樹，祥雲麗碧空。五城雙闕外，宛在畫圖中。巀嶪臨丹闕，迢遥跨紫臺。龍香浮日動，鳳蓋拂雲來。疊巘參差出，層厓隱映開。幽情不可極，臨眺重徘徊。金文靖集

【原】胡儼次韻胡學士陪駕游萬歲山詩　鳳輦宸游日，祥雲夾道紅。香風傳别殿，飛翠繞行宫。徑轉千巖合，波迴一鏡空。忽看鸞鶴起，聲在半天中。閣道雲爲幄，仙山玉作臺。更無凡躓到，只有異香來。柳拂金輿度，花迎寶扇開。太平多樂事，扈從得徘徊。胡祭酒集

原王洪和胡學士從游萬歲山詩 飛旆臨丹壑，鳴鑣陟紫臺。日邊雙鳳下，雲裏六龍來。寶殿臨空敞，璚筵就水開。共誇青瑣客，陪宴柏梁回。毅齋集

原宣德三年，上奉皇太后游西苑。上親掖太后輿上萬歲山，奉觴上壽。太后悦，酌酒飲上，且曰：今天下無事，吾母子得同此樂，皆天與祖宗之賜也。天下百姓皆天與祖宗之赤子，爲人君但能保安百姓，使不至於饑寒，則吾母子斯樂可永遠矣。明宣宗實録

原宣德三年三月，上命尚書蹇義，内閣學士楊士奇、楊榮等十有八人同游萬歲山，許乘馬，將從者二人，登山周覽。復賜登御舟，泛太液池，中官拏舟網魚，有旨人賜御釀玉醅一甌，飲既，復命乘馬游小山。翰林記

原楊榮泛太液池作 太液春波暖，承恩泛綵舟。輕盈蘭棹發，蕩漾玉虹流。簾影移宫樹，茶香出御甌。此中多勝境，況是從宸游。楊文敏集

原宣德七年七月，上登萬歲山，坐廣寒殿，召翰林儒臣，傳命周覽都畿山川形勢。既畢，上曰：茲山茲宇，元順帝所日宴游者也，豈不可感？侍臣叩首曰：殷之蹟，周之監也。翰林記

原宣宗章皇帝御製廣寒殿記 萬歲山在宫城西北隅，皆奇石積疊以成，巉峭峻削，盤迴起伏，或陡絶如壑，或嵌巖如屋。左右二道宛轉而上，步躡屢息，乃造其巔。而飛樓複閣，廣亭危榭，東西拱向，俯仰輝映，不可殫紀。最高者爲廣寒殿，軼雲霞，納日月，高明閎爽，北枕居庸，東挹滄海，西挾太行，嵩岱並立乎前，大河横帶乎中，俯視江淮，一目無際。寰中之勝概，天下之偉觀，莫加於此矣。永樂中，朕侍皇祖太宗文皇帝萬幾之暇，燕游於此。天顔悦懌顧茲山而諭朕曰：此宋之艮嶽也。宋之不振以是，金不戒而徙於茲，元又不戒而加侈焉。睹其處，思其人，夏書所爲儆峻宇雕牆也。吾時游焉，未嘗不有儆於中。昔唐九成宫，太宗亦因隋之舊，去其汰侈而不改作，時資宴游以存監省。汝將來有國家天下之任，政務餘閒，或一登此，則近而思吾之言，遠不忘聖賢之明訓，則國家生民無窮之福矣。朕拜稽受命。書不云乎！皇祖有訓。詩不云乎！儀刑文王。肆嗣位以來，凡事天愛民，一體皇祖之心，敬而行

之，洞洞屬屬，罔間夙夜。比登兹山，顧視殿宇，歲久而陁，遂命工修葺，永念皇祖，儼如在上，敬以所受大訓，筆而勒諸石以自省，亦以昭示我子孫於億萬年。明宣宗御製集

原八年四月，上謂楊士奇、楊榮曰：朕於宮中所在皆置書籍楮筆，今修葺廣寒、清暑二殿及瓊華島，欲於各處皆置書籍。卿二人可於館閣中擇能書者，取五經四書及説苑之類，每書録數本，分貯其中，以備觀覽。明宣宗實録

原楊士奇從游西苑詩　廣寒宮殿屬天家，晚從宸游駐翠華。瓊液總須仙掌露，金支皆插御筵花。棹穿萍藻波間雪，旗颭芙蓉水上霞。身世直超人境外，玉盤親捧棗如瓜。東里集

原皇甫汸廣寒宮登眺詩　寶閣凌霄建，珠窗映日開。月臨疑桂宇，露灑卽銅臺。山悉圖峭入，池猶象漢迴。倚妝花屢發，窺舞鳥能來。傾國元因色，勞民豈但財。地隨元運改，棟與美人摧。殷監良非遠，秦宮亦可哀。聖朝留故蹟，皇覽實休哉。皇甫司勳集

原李蓘都城雜詠　西宮白日靜波流，小殿玲瓏夾御溝。花樹重重春爛漫，游人偷上洗妝樓。李太史集

原王世貞宮詞　傳呼京兆進春牛，百戲魚龍曼衍游。雜沓香車看不見，好登遼后洗妝樓。弇州山人稿

原乾佑閣建自明萬曆年間，在太液池之北，高八丈一尺，廣十七丈，磴道三分三合而上。倒影入水，波光蕩漾，如水晶宮闕。天啓時毁之，卽其處爲嘉樂殿，其門曰延景門。再西則親軍內教場也。金鰲退食筆記

原乾佑閣，宮中謂之北臺，高八丈餘，廣一十七丈，磴道三分三合而上，俯臨闤井，繁猥畢見。欽天監言風水不利，議毁之。天啓元年十一月十三日，工部疏請得旨。時吾鄉高工部道素初授虞衡司主事，於次日始督拆北臺。適禁中有窪池，公請兼領築填，卽

以所毀臺基積土補之，事半工倍，省費甚多。此事本在元年，而劉氏蕪史謂是二年事，誤也。閭史掇遺

原萬曆二十九年六月，新築大内乾德殿，御史林道楠董其工。至三十年四月，道楠上言：三殿兩宫高不過一十二丈，今臺高八丈一尺，加以殿宇又復數丈，其勢反出宫殿之上，禁中豈宜有此？不報。明神宗實録

原萬曆三十三年八月，更乾德殿爲乾德閣。天啓元年八月毁之，四年五月，添建嘉豫殿。明宫殿額名

原太液西堤出兔園東北，臺高數丈，中作團頂小殿，用黄瓦，左右各四楹，接棟稍下，瓦皆碧。南北垂接斜廊，懸級而降，面若城壁，下臨射苑，背設門牖，下瞰池，有馳道可以走馬，乃武皇所築閲射之地。西元集

〔臣等謹按〕明武宗所築閲射之地名曰平臺，後廢。見金鼇退食筆記。

原馬汝驥平臺詩 曲臺通太液，複道肅鈎陳。虎旅歸營久，龍光繞禁新。柏梁開日月，蓬閣接天人。漢帝崇文化，賡歌奉紫宸。西元集

原陳沂平臺詩 海氣生華蜃，天光落彩虹。穹階曾帝陟，飛觀有仙通。燕士何年召，周民不日攻。禁西傷舊事，七校指離宫。拘虚集

原北牐口亭，嘉靖十三年六月更湧玉亭，二十二年三月更匯玉渚西。龍淵亭，萬曆三十年七月建。會景亭，嘉靖二十二年三月更龍澤亭，萬曆三十年七月更龍湫亭。明宫殿額名

〔臣等謹按〕北牐口亭基即今北海之東隅，蠶壇以北，近皇城牆，爲積水潭進水處。

原嘉靖二十二年四月，新作雷霆洪應殿成。明世宗實録

原雷霆洪應之殿有壇城、轟雷軒、嘯風室、嘘雪室、靈雨室、耀電室、清一齋、寶淵門、靈安堂、精馨堂、馭仙次、輔國堂、演妙堂、八聖居，俱嘉靖二十二年三月懸額。明宮殿額名

〔臣等謹按〕今紫禁城西有昭顯廟，即其舊基。

原上召禮部尚書夏言於無逸殿，諭之曰：西海子以午日奉兩宮游宴，止行望祀，宜特建祠宇。言退，疏言：海子出源西山，繞出甕山後，匯爲七里濼，東入都城，瀦爲積水潭，南出玉河，入大通河，轉漕亦賴其利。比之五祀，其功較大，禮宜特祀。請於牐口湧玉亭後隙地建祠。詔可。嘉靖祀典

原嘉靖十五年，建金海神祠於大内西苑湧泉亭，以祀宣靈宏濟之神、水府之神、司舟之神。二十二年，改名宏濟神祠。明典彙

原金海祠以仲春、仲秋上壬日用事，遣太常卿行三獻禮。祝辭曰：粤稽瓊源，其來舊矣。自彼玉泉之委，發茲太液之流。潤澤禁垣，功亦彰矣。茲惟仲春秋敬修時祀，用報靈貺，神其流福，以惠我生民！尚享。嘉靖祀典

原夏言苑中寓直記事詩 湧玉亭前夜泛舟，碧荷香靜雨初收。遥看北岸紅烟裏，水殿珠簾盡上鈎。桂洲集

原天順四年九月，新作西苑殿宇軒館成，苑中舊有太液池，池上有蓬萊山，山巔有廣寒殿，金所築也。西南有小山，亦建殿於其上，規制尤巧，元所築也。上命卽太液池東西作行殿三，池東向西者曰凝和，池西向東對蓬萊山者曰迎翠，池西南向者以草繕之而飾以堊曰太素。其門各如殿名。有亭六，曰飛香、擁翠、澄波、歲寒、會景、映輝，軒一曰遠趣，館一曰保和。工成，上臨幸，召文武大臣從游，歡賞竟日。明英宗實録

原嘉靖癸卯夏四月，新作雩殿成，其地匯以金海，帶以瓊山，規構閎偉，地位肅嚴。前爲雩禱之壇，後爲太素殿，以奉祖宗列聖神御。齋館列峙，臨海爲亭，曰龍澤，曰龍湫，東爲宏濟祠，經始昨秋，至是而告成焉。鈐山堂集

原太素殿前有溥惠門，嘉靖四十三年七月，更殿名爲壽源，旁有正心齋、持敬齋，後有歲寒亭，嘉靖二十二年三月，更五龍亭。五亭中曰龍潭，左曰澄祥，曰滋香，右曰湧瑞，曰浮翠。二坊南曰福渚，北曰壽岳。三洞上隆壽，中玉華，下仙游。其素左、素右二門，天啓七年六月塞之。三洞，天啓元年毁。明宫殿額名

原會景亭南有屋數連，通池水以育禽鳥，舊名天鵝房。有亭曰映輝，曰澄碧。凝和殿在池東西向，有二亭臨水，曰湧翠，曰飛香。迎翠殿在池西東向，臨水有亭曰澄波，明嘉靖時

更建浮香、寶月二亭。金鰲退食筆記

原映輝亭，嘉靖二十二年四月，更騰波亭。三十五年五月，更滋祥亭，萬曆三十年七月，更香津亭。澄碧亭，嘉靖二十三年六月更飛靄亭，三十年五月更湧福亭，萬曆三十年七月更騰波亭。凝和殿，嘉靖二十三年六月更惠熙殿，四十三年三月更元熙殿。會景亭，嘉靖二十二年三月更龍澤亭，萬曆三十年七月更龍湫亭。迎翠殿卽承華殿。浮香亭，嘉靖十三年五月建，三十年六月更芙蓉亭。寶月亭，嘉靖十一年三月移建。延年殿，嘉靖四十三年三月建。明宮殿額名

原嘉靖四十三年三月，元熙延年殿成。四月，以元熙、承華、寶月三殿亭工完，賜工部尚書雷禮等銀幣。明世宗實録

原北牐口東岸曰船屋，冬藏龍舟之所。蕪史

原瓊華島東北過堰有水殿二，一藏龍舟，一藏鳳舸。舟首尾刻龍鳳形，上結樓臺以金飾之。又一浦，藏武皇所造烏龍船。岸際有叢竹蔭屋，浦外二亭横出水面。西元集

原自瓊華島東麓過石橋，由陟山門折而北，循岸數百步，有水殿二，深十六間，藏龍舟、鳳舸。金鰲退食筆記

原方船制長十丈九尺，闊二丈九尺五寸，爲方形。嘉靖十七年於禁苑成造，以備御用，

置塢居之。龍鳳船肖龍鳳形，飾以五彩，置塢二處居之。採蓮船三，係司苑局於西湖采鮮所用者。水部備考

【原】馬汝驥詩　鳳殿臨瑶水，龍舟鎖白雲。樓臺疑上漢，簫鼓憶横汾。池豈昆明鑿，波猶太液分。昔年浮萬里，蘭桂詠繽紛。西元集

【原】文徵明詩　別殿陰陰水竇連，漢家帝子有樓船。蘭橈桂楫會千里，錦纜牙檣憶往年。汾水秋風空落日，隋堤楊柳漫青烟。今皇别有同民樂，不遣青龍漾碧川。甫田集

【原】歐大任龍舟浦詩　簫鼓中流發，秋風散浦烟。淋池新樂府，汾水舊樓船。賞勝觀濤日，游非習戰年。甘泉思扈從，回首濯龍川。歐虞部集

【原】承光殿，甎砌如城牆，以磴道分上之，上有樓閣古松，此乾明門西也。曰御河橋，即金海橋。橋之東岸再南曰五雷殿，即椒園也，亦名蕉園。再南則西苑門矣。蕪史

【原】承光殿在太液池上，圍以甃城。殿構環轉如蓋，一名圓殿。中有古栝，數百年物也。甫田集

【原】承光殿一名圓殿，在太液池東，圍以甃城。池有大石橋二，其一跨海子東西，曰金鰲玉蝀，其一跨瓊華島之南，曰堆雲積翠。而圓殿則介其南。殿前有古檜一株，傳爲金時遺植，蒼勁夭矯，若虬龍之拏空，真有神物呵護之者。燕都游覽志

〔臣等謹按〕承光殿古栝，皇上有御製古栝行，恭載國朝宮室卷内。

【原】承光殿，嘉靖三十一年更乾光殿。明宮殿額名

【原】瓊花島之東南曰圓殿，即承光殿，有古松三株。春明夢餘録

原廖道南承光殿詩　承光臨太液，長日水雲封。橋帶流虹渚，門迎積翠峯。楣間學士草，壇畔大夫松。寶藏來淵海，時瞻紫氣濃。元素集

原文徵明詩　小苑平臨太液池，金鋪約户鎖盤螭。雲中帝座飛華蓋，城上鈎陳繞翠旗。紫氣曾迴雙鳳輦，青松猶有萬年枝。從來清蹕深嚴處，開盡碧桃人未知。甫田集

原太液池在西苑中，南北亘四里，東西二百餘步，東瞰瓊華島。東南有儀天殿，殿前老檜一株，盤回若偃蓋。戴司成集

原太液池在子城西乾明門外，周遭凡數里。其源自玉泉山合西北諸水，流入都城德勝門，匯爲積水潭，亦名海子。至北安門水關，流入西苑，人呼西海子。燕都游覽志

補周美爲尚書郎，封君就養京師，秩滿受封，父子相隨奉天門謝恩。内侍引入禁苑，徧觀漸臺太液之勝，餉以内珍，曰：封君謝恩者蓋少，況年盈八十，健爽如此者乎？掖送出長安門而别。震川集

〔朱昆田原按〕登科考，周美，蘇州崑山人，中嘉靖二十三年秦鳴雷榜進士。

原永樂十五年十一月壬申，金水河及太液池冰凝，具樓閣龍鳳花卉之狀。上賜羣臣觀之。明成祖實録

原宣德八年三月，少保黄淮辭歸，上宴餞之於西苑太液池，親灑宸翰製詩送之，仍賜金織衣一襲。大政記

原明宣宗章皇帝御製詩　天香早折仙桂枝，筆花五彩開鳳池。蓬萊之仙直奎壁，近侍九重天咫尺。永樂聖人臨御初，鞠躬稽首陳嘉謨。仁宗監國文華殿，左右謀猷共羣彥。朕承大寶君萬方，相與共理資賢良。傾心寫情任舊老，

而卿引疾先還鄉。五歷星霜復相見，霜鬢蕭蕭秋滿面。是時朝旭光昇紫，殿明相對清言良。慇情留之累月未盡意，歸心又欲東南征。太液清泠涵碧藻，楊柳芙蓉相映好。鳧鷖鸂鶒弄晴波，紫霧紅雲拂瓊島。芳肴在俎酒在壺，工歌鹿鳴續白駒。君臣大義士所重，心雖廷闕身江湖。雁蕩峯高高不極，中有謝公舊遊蹟。采芝劚苓可長年，應在天南憶天北。明宣宗御製集

原胡廣陪駕至太液池作 玉砌臨無地，飛甍上有天。微風斜舞燕，高柳拂鳴蟬。岸草茸茸細，池荷個個圓。孰知丹禁裏，别有好林泉。胡文穆集

原金幼孜和胡學士秋日陪駕游太液池作 遠水含秋色，飛霞映晚天。折荷驚白露，倚樹聽玄蟬。翠合三山近，波涵一鏡圓。子雲才更好，獨步賦甘泉。金文靖集

原西内海子中有斗牛，即虬螭之類，遇陰雨作雲霧，常蜿蜒道旁及金鰲玉蝀之上。世皇齋居西内，宮女過見驚仆，宮監以聞。上曰：此宜處山後，何爲在此駭人乎？是夜聞跋浪跳擲之聲，旦視之，湖冰破裂一道，已徙去矣。耳談

原薛蕙宮詞 荷花簇錦柳垂絲，一片丹青太液池。御榻獨留清暑殿，宮娥空唱采蓮詞。西原集

原蔣山卿宮詞 十里湖光引玉泉，仙娥遥上釣魚船。最憐一種天然色，並向中流采白蓮。南泠集

原嚴嵩賜太液乘舟詩 蘭舟演漾水雲空，花葉田田島嶼風。櫂入瓊波最深處，玉樓金殿影西東。鈐山堂集

原承光殿南，從朱扉循東水滸半里，崇闉廣砌，中一殿，碧瓦穹窿如蓋，又貫以黄金雙龍頂，纓絡懸綴，雕櫳綺窗，朱楹玉檻，八面旋匝，曰崇智殿。殿後一亭金飾，北瞰池水。轉西至臨漪亭，又一小石梁出水中，有亭八面，内外皆水，云釣魚臺。殿前牡丹數十株，名芭蕉園。西元集

原芭蕉園在太液池東，崇臺複殿，古木珍石，參錯其中，又有小山曲水。實録成，於此

焚稿。甫田集

原實録成，擇日進呈，焚稿於芭蕉園。園在太液池東，崇垣複殿，古木珍石，參錯其間。又有小山曲水，則焚稿之處也。湧幢小品

原芭蕉園有宮眷法從人等至此下馬二石碑，當是世宗設醮時所立。金鼇退食筆記

原五雷殿，左迎祥館，右集瑞館，萬曆二十九年三月添扁。明宫殿額名

原夏言臨漪亭詩　緑樹陰陰翠殿寒，臨漪亭上倚闌干。誰知鳳閣龍樓裏，亦有青山碧水看。桂洲集

原陳沂芭蕉園詩　雨後芭蕉苑，春深楊柳宫。綺雲懸碧蓋，紫霧閉雕籠。輦路回天上，歌臺出水中。忽聞人語笑，沙畔起驚鴻。拘虚集

原馬汝驥詩　輦道山樓直，宫園水殿低。碧荷香檻出，紅藥晚階齊。釣石蛟龍隱，歌臺鳥雀啼。翠華當日幸，花木五雲迷。西元集

原廖道南芭蕉園詩　旖旎芭蕉色，繽紛滿御園。午陰便鹿夢，春雨罷蜂喧。緑借芙蓉潤，青交薜荔翻。詞林曾獻頌，此日重承恩。元素集

原文徵明詩　小山盤折翠峆岈，松桂陰陰輦道斜。草長蘭亭迷曲水，雨深桃洞自飄花。紫雲依舊團黄屋，青鳥還應識翠華。知是史臣焚草地，文光隱隱結紅霞。甫田集

原薛蕙西闕遇雨詩　窈窕西清内，參差水殿連。歸雲向平樂，飛雨集甘泉。明月裁班女，迴風唱麗娟。龍池初望幸，來往木蘭船。西原集

欽定日下舊聞考卷三十七

京城總紀

〔臣等謹按〕四方會極，厥惟京師。國家宅都燕薊，威德之盛，聲靈之遠，超前古而立隆。至於宫闕制度，用式觀瞻，則悉仍前明之舊，第畧加修飾而已。今謹於城市門綜舉本朝都城之制，附以原書列代建置，爲京城總紀二卷，皇城爲四卷，内城、外城，凡衢市之分隸五城者，並據今制以次臚載於後。

增京城周四十里，高三丈五尺五寸。門九：南曰正陽，南之左曰崇文，南之右曰宣武，北之東曰安定，北之西曰德勝，東之北曰東直，東之南曰朝陽，西之北曰西直，西之南曰阜成。明永樂七年爲北京城，十九年乃拓其城。本朝鼎建以來，修整壯麗，其九門之名則仍舊焉。外城包京城南面，轉抱東西角樓，計長二十八里，高二丈，亦曰外羅城。門七：南曰永定，曰左安，曰右安，東曰廣渠，西曰廣寧，在東西隅而北向者，東曰東便，西曰西便。大清一統志增順治元年，世祖章皇帝定鼎燕京，分列八旗，拱衛皇居。鑲黄居安定門内，正黄居德勝門内，並在北方。正白居東直門内，鑲白居朝陽門内，並在東方。正紅居西直門内，鑲紅居阜成門内，並在西方。正藍居崇文門内，鑲藍居宣武門内，並在南方。蓋八旗方位相勝之義，以之行師，則整齊紀律，以之建國，則鞏固屏藩，誠振古以來所未有者也。八旗通志

增雍正三年六月十三日，八旗都統、前鋒統領、護軍統領等，公同將擬定八旗形勝并分住地方分析繕列。同上

增鑲黄滿洲、蒙古、漢軍三旗，各按參領，自鼓樓向東至新橋，自新橋大街北口城根向南至府學衚衕東口，係與正白旗接界。滿洲官兵，自鼓樓向東，循大街至經廠，爲頭參領之十七佐領居址。自經廠循交道口轉南至棉花衚衕東口，爲二參領之十七佐領居址。自南鑼鼓巷北口至南口南鑼鼓巷兩邊之鼓樓院、方磚廠、真武廟、魚兒衚衕、福祥寺、帽兒衚衕、炒豆衚衕、棉花衚衕、兵馬司、前圓恩寺、後圓恩寺、局兒衚衕，爲三參領之十八佐領居址。自交道口大街向東，循新橋轉南至香兒衚衕東口，爲四參領之十七佐領居址。自香兒衚衕東口向南，至府學衚衕、馬將軍衚衕、錢局遛圍，爲五參領之十七佐領居址。蒙古官兵，自交道口大街向北至安定門，爲頭參領之十四佐領居址。自北鑼

鼓巷南口至北口，北鑼鼓巷兩邊所有之倒鈔衚衕、經廠、粉子亭、謝家衚衕、伽藍殿、法通寺、淨土寺、豆腐池兒衚衕、高古庵、郎家衚衕、碾兒衚衕，爲二參領之十四佐領居址。漢軍官兵，自新橋大街向北至方家衚衕，爲頭參領之十佐領居址。自方家衚衕向北至城根，爲二參領之十一佐領居址。國子監前後頭條衚衕、二條衚衕、三條衚衕、方家衚衕、國子監、大溝巷、蕭家衚衕，此七條衚衕爲三參領之十一佐領居址。柏林寺前所有之鼓哨衚衕、草廠、王大人衚衕、柏林寺，此四條衚衕爲四參領之十一佐領居址。自北小街南口至城根胡椒圈之週圍手帕衚衕、羊館衚衕、針線衚衕、宽街，此四條衚衕爲五參領之十佐領居址。同上

【增】正白滿洲、蒙古、漢軍三旗與鑲黄旗接界之處，係自府學衚衕東口向南，各按參領，至四牌樓豹房衚衕東口。與鑲白旗接界之處，由皇城根至東大城根。滿洲官兵，自鑲黄旗接界處之棉花衚衕東口，循大街向南至大佛寺西北角，爲頭參領之十七佐領居址。自大佛寺西北角向南，至豹房衚衕西口，爲二參領之十六佐領居址。皇城東邊所有之寬街、草廠衚衕、取燈衚衕、晾穀廠、弓弦衚衕、雙塔衚衕，此六衚衕爲三參領之十六佐領居址。兩大街所有之鐵獅子衚衕、賈家衚衕、汪芝蔴衚衕、魏家衚衕、十景花園、馬大人衚衕、牆兒衚衕、大佛寺衚衕、羊尾巴衚衕、山老兒衚衕、喇叭營，此十一

衚衕爲四參領之十六佐領居址。自馬市口向東，至四牌樓隆福寺週圍所有之細小衚衕，爲五參領之十六佐領居址。蒙古官兵，自府學衚衕東口，循大街至五條衚衕，爲頭參領之十五佐領居址。自五條衚衕至四牌樓，爲二參領之十四佐領居址。漢軍官兵，自新橋大街至東直門，爲頭參領之十佐領居址。北新倉、海運倉、興平倉、南新倉、舊太倉、富新倉，此六倉門相近爲二參領之十佐領居址。自東直門南小街北宋姑娘衚衕、口袋衚衕、慧照寺、王家衚衕、船板衚衕、板橋衚衕，此六衚衕爲三參領之十一佐領居址。北新橋大街六條衚衕、七條衚衕、八條衚衕、九條衚衕、十條衚衕，此五衚衕爲四參領之九佐領居址。北小街頭條衚衕、二條衚衕、三條衚衕、四條衚衕、五條衚衕，此五條衚衕爲五參領之九佐領居址。上同

增 鑲白滿洲、蒙古、漢軍三旗與正白旗接界之處，係自豹房衚衕向南至單牌樓。與正藍旗接界之處由皇城根向東至大城根。滿洲官兵，自正白旗接界處由東長衚衕東口，循大街向南至院府衚衕東口，爲頭參領之十七佐領居址。自院府衚衕東口至長安街牌樓，爲二參領之十六佐領居址。東長安大街兩邊所有之翠花衚衕、東長衚衕、奶子府衚衕、燒酒衚衕、錫蠟衚衕、菜廠衚衕、院府衚衕、梯子衚衕、口袋衚衕、理藩院後衚衕，此十衚衕爲三參領之十八佐領居址。自長安街牌樓向東至單牌樓，爲四參領之十七佐領居

址。自燈市口大街西口東至四牌樓大街向南兩大街之間所有椿樹衚衕、金銀衚衕、煤炸衚衕、帥府衚衕、頭條衚衕、二條衚衕，此八衚衕爲五參領之十七佐領居址。蒙古官兵，自四牌樓向南循大街至堂子衚衕，爲頭參領之十二佐領居址。自堂子衚衕向南至單牌樓，爲二參領之十二佐領居址。漢軍官兵自四牌樓向東至小街，爲頭參領之五佐領居址。自小街至朝陽門，爲二參領之四佐領居址。禄米倉周圍至啞巴衚衕、方家衚衕，爲三參領之四佐領居址。小家子、史家衚衕、乾麵衚衕、小啞巴衚衕，此四衚衕爲四參領之四佐領居址。羊尾巴衚衕、堂子衚衕、史大人衚衕、羊儀賓衚衕、總把衚衕，此五衚衕爲五參領之五佐領居址。上同

增正藍滿洲、蒙古、漢軍三旗與鑲白旗接界之處，係自單牌樓至崇文門由金水樓向東至大城根。滿洲官兵，自鑲白旗接界處，由長安街牌樓向西進東長安門至金水橋，爲頭參領之十六佐領居址。自新街口南口至北口，爲二參領之十七佐領居址。自宗人府向南户部周圍至中御河橋，爲三參領之十七佐領居址。自中御河橋至洪廠衚衕北口，爲四參領之十七佐領居址。自洪廠衚衕口向北至長安街，爲五參領之十七佐領居址。蒙古官兵，自單牌樓至崇文門，爲頭參領之十五佐領居址。自江米巷東口至洪廠衚衕，爲二參領之十四佐領居址。漢軍官兵，自單牌樓觀音寺衚衕向東至舉場西門，爲頭參領之六佐領居

址。自羊肉衚衕西口向東至水磨衚衕，爲二參領之七佐領居址。自表背衚衕西口至東口，爲三參領之五佐領居址。自蘇州衚衕西口東至馬皮廠北口，爲四參領之六佐領居址。自船板衚衕西口向東至馬皮廠南口，爲五參領之七佐領居址。上同

增正黄滿洲、蒙古、漢軍三旗自鼓樓向西，至新街口大街北口城根向南，至馬狀元衚衕西口與正紅旗接。滿洲官兵，自鼓樓大街向西北藥王廟南口至大城根，爲頭參領之十九佐領居址。自北藥王廟街南口向西循大街至八調灣南口，爲二參領之十九佐領居址。自八調灣南口循大街至德勝門轉南至德勝橋，爲三參領之十八佐領居址。自鼓樓斜街循銀錠街向西李廣橋至德勝橋大街，爲四參領之十八佐領居址。自松樹街北口至南藥王廟，爲五參領之十八佐領居址。蒙古官兵，自松樹街南口向西至德勝橋轉北至宏善寺西口，爲頭參領之十二佐領居址。自宏善寺衚衕西口至德勝橋，爲二參領之十二佐領居址。漢軍官兵，自護國寺街至棉花衚衕南口羅圈衚衕西口，爲頭參領之十佐領居址。自西口連棉花衚衕、廊房衚衕、草廠衚衕，爲二參領之十佐領居址。自蔣家房東口至西口，爲三參領之十一佐領居址。自新街口向北至四條衚衕東口，爲四參領之十佐領居址。自四條衚衕東口至城根及銅井，爲五參領之九佐領居址。上同

增正紅滿洲、蒙古、漢軍三旗與正黄旗接界之處，係自馬狀元衚衕東口，與鑲紅旗接界

之處，由皇城根向西至大城根。滿洲官兵，自西直門大街曹公觀之東至新街口，轉南至石老娘衚衕東口，爲頭參領之十二佐領居址。自石老娘衚衕東口向南至四牌樓，轉東至馬市東口，爲二參領之十六佐領居址。皇城西邊所有之馬狀元衚衕、太平倉衚衕、毛家灣衚衕、紅羅廠衚衕、拐棒衚衕，此五衚衕爲三參領之十五佐領居址。自四牌樓大街西邊所有之驢肉衚衕、帥府衚衕、報子衚衕、臭皮衚衕、石老娘衚衕，此五衚衕爲四參領之十二佐領居址。四牌樓大街西邊所有之衛衣衚衕、太平侯衚衕、五王侯衚衕、車兒衚衕、石碑衚衕、寶禪寺衚衕、帽兒衚衕、宮衣庫衚衕，此八衚衕爲五參領之十四佐領居址。蒙古官兵，自西直門大街南邊所有之草廠衚衕、柳巷衚衕、觀音寺衚衕、陳線衚衕、大覺寺衚衕，此五衚衕爲頭參領之十一佐領居址。自大覺寺衚衕向南堅廠、翊教寺、祖家街、柵欄衚衕、東觀音寺衚衕、椿樹衚衕、苦水井，此七衚衕爲二參領之十一佐領居址。漢軍官兵，自阜成門循大街至宮門口，爲頭參領之四佐領居址。自宮門口向東至馬石橋，爲二參領之四佐領居址。馬石橋北邊所有之蘇羅卜衚衕、回子營，爲三參領之四佐領居址。自回子營向北至茶葉衚衕、翠花街，爲四參領之四佐領居址。自宮門口向北至葡萄園東口，爲五參領之三佐領居址。同上

【增】鑲紅滿洲、蒙古、漢軍三旗與正紅旗接界之處，係自羊肉衚衕向南至單牌樓。與鑲藍

旗接界之處，由皇城根向西至大城根。滿洲官兵，自與正紅旗接界處之四牌樓大街向南至單牌樓，轉東至長安街牌樓，爲頭參領之十三佐領居址。西安門大街南邊所有之板場衚衕、廊房衚衕、醬房衚衕、小醬房衚衕、東斜街、細米衚衕，此六衚衕爲二參領之十七佐領居址。自細米衚衕向南鐵子衚衕、狗尾巴衚衕、背陰衚衕、太僕寺街、李閣老衚衕，此五衚衕爲三參領之十七佐領居址。自李閣老衚衕向南東夾道、東嶽廟、岱北寺、小東嶽廟、演象所、官磨房，此六衚衕爲四參領之十八佐領居址。鐵子衚衕向南堂子衚衕、石虎衚衕、蜈蚣衞衚衕、油房衚衕、茶葉衚衕、西夾道、正溝衚衕，此七衚衕爲五參領之十七佐領居址。蒙古官兵，以四牌樓大街西邊所有之粉子衚衕、後泥窪、十八半截、豐盛衚衕，此四衚衕爲頭參領之十佐領居址。自豐盛衚衕向北之兵馬司衚衕、燕兒衚衕、甎塔衚衕、羊肉衚衕，此四衚衕爲二參領之十二佐領居址。漢軍官兵，以四牌樓大街西邊所有之白廟衚衕半壁街，此二衚衕爲頭參領之二佐領居址。自白廟衚衕向北車子衚衕、榆錢衚衕、沈篦子衚衕、千張衚衕，此四衚衕爲二參領之六佐領居址。自千張衚衕向南打磨廠、半圈、高井、口袋衚衕，此四衚衕爲三參領之四佐領居址。自口袋衚衕向南施飯寺、皮褲子衚衕、東夾道衚衕，此三衚衕爲四參領之六佐領居址。自東夾道衚衕向南白廟衚衕、刑部街，此二衚衕爲五參領之四佐領居址。上同增鑲藍滿洲、蒙古、漢軍三旗與鑲紅旗接界之處，係自單牌樓至宣武門金水橋向西至大城根。滿洲官兵，自與鑲紅旗接界處之長安街牌樓向東進西長安門至金水橋，爲頭參領之十八佐領居址。自江米巷向北至長安門大街、中府、左府、四眼井周圍，爲二參領之十八佐領居址。自河漕沿向東至石牌衚衕、文昌閣、拴馬樁、馬神廟衚衕，此四衚衕爲三參領之十八佐領居址。自獅子口向東由皮市南口轉北至掃帚衚衕西口，爲四參領之十七佐領居址。自西單牌樓向南，由絨線衚衕轉東至河漕沿、六部口、抽屜衚衕、關帝廟衚衕、牛肉灣，此六衚衕爲五參領之十七佐領居址。蒙古官兵，自宣武門至絨線衚衕西口油房衚衕、南拴馬樁、翠花衚衕、棗樹街，此四衚衕爲頭參領之十三佐領居址。中街、半壁街、前細瓦廠、新簾子衚衕、舊簾子衚衕，此五衚衕爲二參領之十二佐領居址。漢軍官兵，自西單牌樓西邊之抱子街東口至西口，爲頭參領之五個半佐領居址。自手帕衚衕東口至西口，爲二參領之四佐領居址。自鐵匠衚衕東口至西口，爲三參領之四佐領居址。自石駙馬大街東口向西至棕毛衚衕，爲四參領之五佐領居址。自頭髮衚衕東口向西至臭水河，爲五參領之四佐領居址。上同

原南京析津府城，方三十六里，崇三丈，衡廣一丈五尺，敵樓戰櫓具。八門：東曰安東、迎春，南曰開陽、丹鳳，西曰顯西、清普，北曰通天、拱辰。大内在西南隅，坊市

廨舍寺觀，蓋不勝書。其外有居庸、松亭、榆林之關，古北之口，桑乾河、高梁河、石子河、大安山、燕山，中有瑤嶼。遼史 原在宮室門，今移改。

〔臣等謹按〕遼金城池舊址與今四至不同，而實爲都邑迭增之所自。原書有散見宮室門者，今悉移載卷内。

原 度盧溝河六十里至幽州，號燕京，子城就羅郭西南爲之。正南曰啓夏門，内有元和殿，東曰宣和。城中坊閈皆有樓。南門外有裕悦王廨，爲宴集之所。門外永平館，舊名碣石館，清和後易之，南即桑乾河。王文正上遼事 原在宮室門，今移改。

〔朱彝尊原按〕遼史皇族表有裕悦希達、裕悦赫嚕、裕悦斡、裕悦休格、裕悦羅卜科、裕悦果實、裕悦烏珍。國語解，裕悦，貴官，無所職，其位居南北大王上。按：赫嚕，滿洲語車輻也，舊作曷魯。斡，滿洲語氣味也，舊作哇。羅卜科，蒙古語淖泥也，舊作魯不古。果實，滿洲語疼愛也，舊作高十。烏珍，滿洲語重也，舊作屋質。今俱譯改。

〔臣等謹按〕遼史無清和年號，惟聖宗嘗改元統和。王曾封事所云清和，疑即統和之訛也。永平館當在今城南，遺址已不可考。

原 太宗以燕城北有市，百物山偫，命有司治其征。遼史 原在宮室門，今移改。

原 永平館在府南一十里，一名碣石館，遼朝士宴集之所。明一統志 原在城市門，今移改。

增 遼開泰元年，始號爲燕京。海陵貞元元年定都，號爲中都。天德三年，始圖上燕城宮闕制度。三月，命張浩等增廣燕城。城之門制十有二：東曰施仁、宣曜、陽春，南曰景風、豐宜、端禮，西曰麗澤、灝華、彰義，北曰會城、通玄、崇智，改門曰清怡，曰光泰。浩等取真定府潭園材木營造宮室及涼位十六。析津志

補 貞元四年，金主亮率文武百官幸燕，遂以燕爲中都，府曰大興，定京邑焉。都城之門十二，每一面分三門，一正兩偏。其正門兩旁又皆設兩門。正門常不開，惟車駕出入，餘悉由旁兩門焉。其門十二，各有標名：東曰宣曜、曰施仁、曰陽春，西曰灝華、曰麗澤、曰彰義，南曰豐宜、曰景風、曰端禮，北曰通玄、曰會城、曰崇智。内城門左掖、右掖，宣陽又在外焉。外壘書粉地，内則金書朱地，皆故禮部尚書王兢書。金圖經 原在宮室門補遺，今移改。

原 都城門圍凡七十五里，城門十二，每一面分三門，其正門兩旁又設兩門，正東曰宣曜、陽春、施仁，正西曰灝華、麗澤、彰義，正南曰豐宜、景風、端禮，正北曰通玄、會城、崇智，此四城十二門也。大金國志 原在宮室門，今移改。

〔朱彝尊原按〕金史城門十三，北有四門，一曰光泰，當以史爲正。

〔臣等謹按〕大金國志、金圖經皆言京都城門十二，金史獨於北面多光泰一門。析津志亦作十二門，而又別出清怡、光泰二門。考北平圖經，謂奉先坊在舊城通玄門内，

而析津志又謂在南城清怡門内，一名錯見，疑清怡卽通玄之別稱，而光泰或亦會城、崇智之別稱歟！

【增】天德三年，海陵意欲徙都於燕。上書者咸言上京臨潢府僻在一隅，官艱於轉漕，民難於赴愬，不如都燕以應天地之中。言與意合。迺命左右丞相張浩、張通，左丞蔡松年調諸路民夫，築燕京，制度如汴。詔曰：燕本列國之名，今立京師不當稱燕京，改號中都，以析津府爲大興府。元一統志

【增】金朝築燕城，用涿州土，人置一筐，左右手排立定，自涿至燕傳遞，空筐出，實筐入，人止土一畚，不日成之。析津志

【原】燕展築南城，係金海陵天德二年。見蔡無可大覺寺碑。玉堂嘉話

【原】正隆四年二月，修中都城。金史

【原】初，忠獻王尼堪有志都燕，因遼人宮闕，於内城外築四城，每城各三里，前後各一門，樓櫓池塹一如邊城。每城之内立倉廒甲仗庫，各穿複道，與内城通。時陳王烏舍，將軍韓常、洛索皆笑其過計。忠獻曰：百年間當以吾言爲信。及海陵煬王定都，既營宮室，欲撤其城。翟天祺曰：忠獻開國元勳，措置必有説。乃止。金國南遷録

【原】燕山府城周圍二十七里，樓臺高四十尺，樓計九百一十座，池塹三重，城開八

奉使

行程録，以上四條原在世紀門，今移改。

〔臣等謹按〕據此條，燕京舊城周二十七里，至金天德三年展築三里，見析津志所引金蔡珪大覺寺記。合計之，共周三十里。此皆指都城言之。至大金國志所稱周七十五里者，則指外郛而言，猶今外城之制也。

〔又按〕遼金故都在今都城南面，元代尚有遺址，當時多謂之南城，而稱新都爲北城。自明嘉靖間興築外羅城，故蹟遂漸湮廢。其四至已不可辨。今即前人志乘、文集、碑刻所記，準以現在地面，參稽互審，如憫忠寺、昊天寺在今宣武門南，與廣寧門相近，而元人皆稱爲南城古蹟。又今城外白雲觀西南有廣恩寺，即遼金奉福寺，距西便門尚遠，而金泰和中曹謙碑記謂寺在都城内。又金天王寺即今天寧寺，在廣寧門外稍北，而元一統志謂在舊城延慶坊内。又今琉璃廠在正陽門外，而近得遼時墓碑，稱其地爲燕京東門外之海王村。又今黑窰廠在永定門内先農壇西，而其地有遼壽昌中慈智大師石幢，亦稱爲京東。又圖經志書載都土地廟在舊城通玄門内路西，通玄乃金都城北門，而都土地廟今在宣武門外西南土地廟斜街。由是觀之，則遼金故都當在今外城迤西，以至郊外之地。其東北隅約當與今都城西南隅相接。又考元王惲中堂事記載，中統元年赴開平，三月五日發燕京，宿通玄北郭。六日午憩海店，距京城廿里。海店卽今海淀，據惲所言，以道里核計，則金時外郛七十五里之方位不難約畧而知矣。

原南城在今城西南，唐幽州藩鎮城及遼金故都城也。隋之天寧寺舊在城中，今在城外矣。憫忠寺有唐景福元年重藏舍利記，其銘曰：大燕城内地東南隅有憫忠寺，門臨康衢。憫忠寺舊在城中東南，今在城外西南僻境矣。春明夢餘録

〔朱彝尊原按〕隋唐之幽州洪業寺在城内，唐之幽州憫忠寺在城東南隅，遼之南京因之。康熙辛酉西安門内有中官治宅掘地，誤發古墓，中有瓦鑪一，瓦罌一；墓石二方，廣各一尺二寸。一刻卞氏墓誌四字，環列十二辰相，皆獸首人身。一刻誌銘而書作誌，誌題曰：大唐故濮陽卞氏墓誌。誌文曰：貞元十五年，歲次己卯，七月癸卯朔，夫人寢疾，卒於幽州薊縣薊北坊，以其年權窆於幽州幽都東北五里禮賢鄉之平原。是今之西安門去唐幽州城東北五里而遥矣。金拓南城時，妝臺在城之東北。至於元之中都則今德勝、安定、東直三門外皆城中地，而白馬廟、瓊華島、妝臺、太液池、柴市、憫忠寺、大悲閣咸在南城。迨徐寧又改築縮其北五里，廢光熙、肅清二門，規制差隘。永樂中重拓南城，然憫忠寺、大悲閣仍限門外。蓋都城凡數徙，坊市變置代有不同。閲絳雲樓書目，有皇元建都記及蕭洵有故宮遺録二編，惜

燔於火。今博訪未得，金元之遺蹟遂多湮滅而無徵矣。以上二條原在世紀門，今移改。

〔臣等謹按〕朱彝尊原按稱瓊華島、太液池在南城者，乃指金時周七十五里之外城，非金都三十里之内城也。元至元間改建都城，去都東北三里，則指金之内城東北，若外城之瓊島、液池，元人卽於此營建大内，並未嘗全棄其地。析津志及元李洧孫大都賦記載甚明。詳見後條。

〔朱彝尊原按〕元史地理志，至元四年始於中都之東北置今城而遷都焉。世祖本紀，至元二十年六月，發軍修定大都城。而王秋澗詩則云今年戊子冬十月，是至元二十五年矣。與史不合。

原王惲復隍謡 南城壘壘足汙穢，既建神都風土美。燕人重遷杇厥載，睿意作新思有泚。一朝詔徙殊井疆，九陌香生通戚里。煬城密邇不剗去，適足囊奸養狐虺。城復池隍莫歎嗟，一廢一興固常理。今年戊子冬十月，天氣未寒無雨雪。禁軍指顧舊築空，郊遂坦夷無壅隔。寂寞千門草棘荒，他年空有銅駝說。我詩雖小亦王風，庶配商盤歌帝哲。秋澗集 原在世紀門，今移改。

原劉崧燕城雜詩 南城土垣故不塌，西宫渠水自相通。野蘆花似楊花白，藥木葉如楓葉紅。菜根磊磊紅蘿蔔，草子嶄嶄白蒺藜。東薊直通齊化外，南城更在順承西。槎翁集 原在世紀門，今移改。

原入豐宜門，過龍津橋，橋分三道，通用奪玉石扶闌。上琢爲嬰兒，狀極工巧。北轅録

原龍津橋在燕山宣陽門外，以玉石爲之，引西山水灌其下。石湖集

原范成大詩 燕石扶闌玉雪堆，柳塘南北抱城迴。西山剩放龍津水，留待官軍飲馬來。同上

原大定元年十一月，固雲以軍至中都，同知留守璋請至府議事，固雲疑璋有謀，乃陽許諾，排節仗若將往者。遂騎從出施仁門，駐兵通州，見世宗於三河。金史列傳 按：固雲，唐古特語，才能也，舊作斅英。今譯改。原在

宮室門，今移改。

原泰和八年八月，有虎至陽春門外，駕出射獲之。金史本紀

原泰和六年，詔建昭烈武成王廟於闕廷之右，麗澤門內。金史

原郝經義勇武安王廟碑　郡國、州縣、鄉邑、閭井皆有王廟。夏五月十有三日、秋九月十有三日則大爲祈賽，整仗盛儀，旌甲旗鼓，長刀赤驥，儼如王生。千載之下，景嚮若是，況漢季之遺民乎？陵川集

原元好問梁園春詞　雙鳳簫聲隔綵霞，宮鶯催賞玉谿花。誰憐麗澤門邊柳，瘦倚東風望翠華。遺山集

原燕城西南門曰端禮，有大定末劉無黨所撰左丞唐古安禮碑，云尹大興時迎午休吏，燕雀語堂下，人不知有官府。玉堂嘉話　唐古原作唐括，今改正。

原赫舍哩執中分其軍爲三軍，由彰義門入，自將一軍由通玄門入。金史列傳

原大安三年二月，通玄門重關折。九月，蒙古兵至中都，十月，遣泰州刺史珠赫哷果勒齊屯通玄門外。至寧元年五月，起呼沙呼復爲右副元帥，領武衛軍二千人屯通玄門外。八月，呼沙呼自通玄門入，妃嬪皆束裝至通玄門。金史紀　按珠赫哷舊作朮虎，今從八旗姓譜改正。果勒齊，滿洲語中心也，舊作高琪。今俱譯改。以上七條原在宮室門，今移改。

〔臣等謹按〕朱彝尊原書宮室卷内，取史傳之文有涉及金城門名者，廣加採摭，以資博覽。而於建置故蹟無關。謹改附城市總卷内，用備故實。後仿此。

增舊城中西南、西北二隅，坊門之名四十有二：西開陽坊，南開遠坊，北開遠坊，清平坊，美俗坊，廣源坊，廣樂坊，西曲河坊，宜中坊，南永平坊，北永平坊，北揖樓坊，南揖樓坊，西縣西坊，棠陰坊，薊賓坊，永樂坊，西甘泉坊，東甘泉坊，衣錦坊，延慶坊，廣陽坊，顯忠坊，歸厚坊，常寧坊，常清坊，西孝慈坊，東孝慈坊，玉田坊，定功

坊，辛市坊，會仙坊，時和坊，奉先坊，富義坊，來遠坊，通樂坊，親仁坊，招商坊，餘慶坊，郁鄰坊，通和坊。東南、東北二隅舊坊門之名二十：東曲河坊，東開陽坊，咸寧坊，東縣西坊，石幢前坊，銅馬坊，南薊寧坊，北薊寧坊，啄木坊，康樂坊，齊禮坊，爲美坊，南盧龍坊，北盧龍坊，安仁坊，鐵牛坊，敬客坊，南春臺坊，北春臺坊，仙露坊。元一統志

〔臣等謹按〕此條乃具録金時都城内各坊之名，其方位界至，歲久已就湮没。今以析津志、元一統志、五城坊巷衚衕集所載寺院基址現存者參互考之，則歸義廢寺在今彰義門大街北，當爲時和坊。都土地廟在今土地廟斜街，當爲奉先坊。天王寺即今天寧寺，在廣寧門外，當爲延慶坊。又宣武門外菜市西，嘗發地得仙露寺舍利石匣，當爲仙露坊。又宣北坊之昊天寺當爲棠陰坊，竹林寺當爲顯忠坊，紫金寺當爲北開遠坊。大約皆在宣武、廣寧二門之間。其餘則多不可考矣。

原 金自天德以後，始有南北郊之制。大定、明昌，其禮寖備。南郊壇在豐宜門外，圓壇三成，成十二陛，壝牆三匝，四面各三門，齋宫東北，府庫在南，壇壝皆以赤土圬之。北郊方丘在通玄門外，方壇三成，四正陛，方壝三周，四面，亦三門。朝日壇曰大明，在施仁門外之東南，門壇之制皆同方丘。夕月壇曰夜明，在彰義門外之西北，掘地圬

之，爲壇其中，常以冬至日合祀昊天上帝、皇地祇於圜丘，夏至日祭皇地祇於方丘，春分朝日，秋分夕月。同上

原明昌五年，爲壇於景風門外東南，歲以立春後丑日祀風師，又爲壇於端禮門外西南，以立夏後申日祀雨師，是日祭雷師於位下。金史禮志

原明昌六年，章宗未有子。尚書省臣奏行高禖之祀。乃築壇於景風門外東南端，地與圜丘東南相望。歲以春分日祀。青帝、伏羲氏、女媧氏位壇上南向西上，姜嫄、簡狄位於壇之第二層，東向北上。前一日布神位，省牲器，陳御弓矢韣於上下神位之右，其齋戒、奠玉幣、進熟，皆如大祀儀。同上

原入宣陽門，由馳道西南入會同館。北轅録

原會同館，燕山客館也，遼已有之。石湖集

原燕賓館，燕山城外館。同上

補使至燕京，寓於來遠驛，泛使則居遠驛焉。建炎以來朝野雜記

補宋淳熙中，范至能使北，孝宗令口奏金主，謂河南乃宋朝陵寢所在，願歸侵地。宰相力以爲未可。至能遂自爲一書，述聖語，至金庭納之袖中。既跪進國書，伏地不起。時金主乃葛王也，性寬慈，傳宣問：使人何故不起？至能徐出袖中書，奏曰：臣來時，大宋

皇帝別有聖旨，難載國書，令臣口奏。臣今謹以書述。書既上，殿中觀者皆失色，至能猶伏地。再傳宣曰：書辭已見，使人可就館。至能再拜而退。金之羣臣或不平，議羈留使人，而金主不可。至能將回，又奏曰：口奏之事乞於國書中明報，仍先宣示，庶使臣不墮欺罔之罪。金主許之，報書云：口奏之事殊駭觀聽。事須詳處，邦乃孚休。既還，上嘉其不辱命，由是超擢至於大用。至能在燕京，會同館守吏微言有羈留之議。乃賦詩曰：萬里孤臣致命秋，此身何止一浮漚！提攜漢節同生死，休問羝羊解乳不。鶴林玉露

補淳熙十五年二月，遣留禮信使顏師魯、高震至燕京，燕賓館宴畢，入來寧館，蓋泛使之館也。思陵録

補宋人與遼金南北通問，各設國信使。使至，俱置客省司，四方館使引進有官，押燕有伴。其後使事不一，於即位、上尊號、生辰、正旦，則遣使賀；於國恤，則遣使告哀弔；國信奠進遺留禮物。又有告慶、諭成、報聘、報謝、報諭、祈請、申請、詳問等目，大半多用詞臣。北有燕賓館，南有班荆館。至燕京則許游憫忠、慶壽諸剎，至臨安則伴使偕往天竺燒香，次冷泉亭、呼猿洞而歸。當時紀行之書存於今者，王曾上契丹事，富弼奉使録，許亢宗奉使行程録，洪皓松漠紀聞，范成大攬轡録，周煇北轅録，僅寥寥數卷而已。其宮闕制度猶可藉以考證。外如路振乘軺録，宋敏求入蕃録，范鎮使北録，劉敞

使北語録，江德藻聘北道里記，沈括使遼圖抄，李罕使遼見聞録，寇瑊奉使録，王曙戴斗奉使録，王晉使範連鵬舉宣和使金録，何鑄奉使雜録，雍堯佐隆興奉使審議録，张棣講和事蹟，韓元吉金國生辰語録，姚憲乾道奉行録，余嶸使燕録，樓鑰北行日録，富軾奉使語録，多軼不傳。又若趙良嗣燕雲奉使録，馬擴茆齋自敘，沈括南歸録，鄭望之靖康奉使録，李若水山西軍前奉使録，傅雱建炎通問録，范仲熊北紀，晁公忞金人敗盟記，雖散見於北盟會編而未必全。至若皇華録，南北歡盟録，南北對鏡圖，南北國信記，議盟記，接伴語録，北朝國信語録，賀正人使例，使北録，靖康要盟録，紹興通和録，講和録，開禧通和特書，通問本末諸書，僅留其目，并作者姓氏皆佚矣。瀛洲過古録

原范成大燕賓館詩　九日朝天種落歡，也將佳節勸盤餐。苦寒不似東籬下，雪滿西山把菊看。以上八條原在宮室門，今移改。

原吴激題燕山驛壁風流子詞　書劍憶游梁。當時事，底處不堪傷！念蘭苕嫩葉，向吴南浦；杏花微雨，窺宋東牆。鳳城外，燕隨金步障，絲惹紫游韁。曲水古今，禁烟前後。暮雲樓閣，春草池塘。回首斷人腸。年芳但如霧，鏡髮已成霜。獨有蟻尊陶寫，蝶夢悠揚。聽出塞琵琶，風沙淅瀝；寄書鴻雁，烟月微茫。不似海門潮信，猶到潯陽。庚谿詩話　原在城市門，今移改。

欽定日下舊聞考卷三十八

京城總紀

增金海陵徙都大興，宣宗奔汴，元世祖改爲燕京路，今舊南城是也。至元四年，始定鼎於中都之北三里，築城圍六十里。九年，改爲大都。洪武北平圖經志書

原京城方六十里，里二百四十步，分十一門。輟耕録　原在宮室門今移改

原城之正南曰麗正，左曰文明，右曰順承，正東曰崇仁，東之南曰齊化，東之北曰光熙，正西曰和義，西之南曰平則，西之北曰肅清，北之西曰健德，北之東曰安貞。禁扁　以上二條原在宮室門，今移改。

增九年二月，改號大都，遷居民以實之，建鐘鼓樓於城中。元一統志

增世祖築城已周，乃於文明門外向東五里立葦場，收葦以蓑城。每歲收百萬，以葦排編，自下砌上，恐致摧塌，累朝因之。至文宗有警，用諫者言，因廢。此葦止供内廚之需，每歲役市民修補。至元間，朱張進言，自備己資以甎石包裹内外城牆，因時宰言乃

廢。至今西城角上亦略用甎而已。至元十八年，奉旨挑掘城濠，添包城門一重。析津志

〔臣等謹按〕據析津志所言，則元時都城乃用土築，蓋至明初改築時始加以甎甓也。

增 崇天門正南出周橋，靈星三門外分三道，中千步廊街出麗正門，門有三，正中惟車駕行幸郊壇則開，西一門亦不開，止東一門以通車馬往來。析津志

〔臣等謹按〕元時都城本廣六十里，明初徐達營建北平，乃減其東西迤北之半。故今德勝門外土城關一帶，高阜聯屬，皆元代北城故址也。至城南一面，史傳不言有所更改，然考元一統志、析津志皆謂至元城京師，有司定基，正直慶壽寺海雲、可庵二師塔勅命遠三十步許環而築之。慶壽寺今爲雙塔寺，二塔屹然尚存，在西長安街之北，距宣武門幾及二里。由是核之，則今都城南面亦與元時舊基不甚相合。蓋明初既縮其北面，故又稍廓其南面耳。

補 至元三年，城大都，張宏畧佐其父柔爲築宮城總管。十三年城成，賜内帑金釦、玳瑁卮。元史本傳 原在世紀門，今移改。

增 世皇建都之時，問於劉太保秉忠，定大内方向。秉忠以麗正門外第三橋南一樹爲向以對，上制可，遂封爲獨樹將軍，賜以金牌。每元會聖節及元宵三夕，於樹身懸掛諸色花燈於上，高低照耀，遠望若火龍。析津志

補 張憲二月八日游皇城回觀走馬歌 春風壓城紫燕飛，繡鞍寶勒生光輝。軟草青青平似鏡，花雨滿巾風滿衣。潛蛟雙綰玉抱肚，朱鬣分光散紅霧。金龍五爪蟠綵袍，滿背真珠撒秋露。生猿俊健雙臂長，左脚撥鐙右蹴韁。銅鐃四扇繞十指，玉聲珠碎金琅璫。黃蛇下飲電掣地，錦鷹打兔起復墜。袖雲突兀鞍面空，銀甕駝囊兩邊縋。西宮綵樓高插天，鳳凰繚繞排神仙。玉皇拍欄誤一笑，不覺四蹄如迸烟。神駒長鳴背凝血，郎君轉面醉眼纈。天恩剪下五色雲，打鼓歸來汗如雪。玉笥生遺稿

補黎崱皇慶初元入都城作 天象分明散曉霞，故令騎馬入京華。雲開閶闔三千丈，霧暗樓臺百萬家。寒盡宮花初著蕊，春深宮柳已藏鴉。太平景物今如此，始信皇圖福未涯。安南志略 以上二條原在宮室門，今移改。

原元張中丞養浩歸田類藁有登憫忠寺閣詩注：北三十里爲大內。虞文靖集作楊襄敏碑云：至元十一年始大城京師於大興故城之北，中爲天子之宮，廟社朝市各以其位，而貴戚功臣悉受分地以爲第宅。然則元之大內在今地壇之右矣。當時檇李顧淵白獻燕都賦，寧海李洧孫有大都賦，惜皆佚不傳也。人海記

〔臣等謹按〕此條引元張養浩登憫忠寺閣詩注謂閣北三十里爲元大內，與析津志、北京志及元李洧孫大都賦所紀皆不合。此三十里當是三里之訛耳。據唐景福中重藏舍利記，燕城東南隅爲憫忠寺。又北京志，至元四年始定鼎於中都之東北三里。夫中都本唐舊城，遼金展拓不過數里，見金蔡珪大覺寺記，當時憫忠寺之在城東南如故也。元都城周六十里，以圍三徑一衡之，城中南北相直應二十里。加以新舊都城相去三里，則憫忠寺距元之安貞門不過二十三里，焉有大內而轉遠隔三十里者乎？且元大內在太液池東，爲金萬寧宮苑地，此外更別無大內。李洧孫賦曰：揭五雲於春路，迓萬寶於秋方。則崇天門外東西坊也。曰山萬歲之嶙峋，冠廣寒之崢嶸，池太液之浩蕩。則指瓊華島也。曰麗正之所包羅，崇仁之所聯絡，和義之所綱維，安貞健德之所囊括。則指都城各門也。合城坊門囿以觀，則元大內卽近液池，益信。而

撰以憫忠閣北三里約略相符矣。李洧孫賦，彝尊未之見，今從永樂大典内録出，已載形勝門，兹不複載。

增左右警巡二院領大都在城坊市。至元二十五年，省部照依大都總管府講究，分定街道坊門，翰林院擬定名號。元一統志

增坊名元五十，以大衍之數成之，名皆切近，乃翰林院侍書學士虞集伯生所立。外有數坊爲大都路教授時所立。析津志

增福田坊，坊有梵刹，取福田之義以名。阜財坊，坊近庫藏，取虞舜南風歌阜民財之義以名。金城坊，取聖人有金城，金城有堅固久安之義以名。玉鉉坊，按周易鼎玉鉉大吉，以坊近中書省，取此義以名。保大坊，按傳曰：武有七德，保大定功。以坊近樞密院，取此義以名。靈椿坊，取燕山竇十郎靈椿一株老之詩以名。丹桂坊，取燕山竇十郎教子故事，丹桂五枝芳之義以名。明時坊，地近太史院，取周易革卦君子治歷明時之義以名。鳳池坊，地近海子，在舊省前，取鳳凰池之義以名。安富坊，取孟子安富尊榮之義以名。懷遠坊，取左傳懷遠以德之義以名。太平坊，取天下太平之義以名。大同坊，取四方會同之義以名。文德坊，按尚書誕敷文德，取此義以名。金臺坊，按燕昭王築黄金臺以禮賢士，取此義以名。穆清坊，地近太廟，取毛詩於穆清廟之義以名。五福坊，

坊在中地，取洪範五福之義以名。泰亨坊，地在東北寅方，取泰卦吉亨之義以名。八政坊，地近萬斯倉八作司，取洪範八政食貨爲先之義以名。時雍坊，取尚書黎民於變時雍之義以名。乾寧坊，地在西北乾位，取周易乾卦萬國咸寧之義以名。咸寧坊，取尚書野無遺賢、萬國咸寧之義以名。同樂坊，取孟子與民同樂之義以名。壽域坊，取杜詩八荒開壽域之義以名。宜民坊，取毛詩宜民宜人之義以名。析津坊，燕地分野，上應析木之津，地近海子，故取析津爲名。康衢坊，取堯時老人擊壤康衢之義以名。進賢坊，取賢才並進之義以名。嘉會坊，坊在南方，南方屬禮，取周易嘉會之義以名。平在坊，坊在北方，取尚書平在朔易之義以名。和寧坊，取周易保合太和萬國咸寧之義以名。智樂坊，地近流水，取智者樂水之義以名。鄰德坊，取論語德不孤必有鄰之義以名。有慶坊，按尚書：一人有慶兆民賴之。取其義以名。清遠坊，地在西北隅，取遠方清寧之義以名。日中坊，地當市中，取日中爲市之義以名。寅賓坊在正東，取尚書寅賓出日之義以名。西成坊在正西，取尚書平秩西成之義以名。由義坊，西方屬義故，居仁坊地在東市，東屬仁，取孟子居仁由義之言，分爲東西坊名。睦親坊，地近諸王府，取尚書以親九族、九族既睦之義以名。仁壽坊，地近御藥院，取仁者壽之義以名。萬寶坊，大内前右千步廊，坊門在西屬秋，取萬寶秋成之義以名。豫順坊，按周易豫卦，豫順以動，利建侯行師，取此義以名。甘棠坊，按燕地乃周召公所封，詩人美召公之政，有甘棠篇，取此義以名。五雲坊，大內前左千步廊，坊門在東，與萬寶對立，取唐詩五雲多處是三台之義。湛露坊，按毛詩湛露，爲錫宴羣臣霑恩如湛露，坊近官酒庫，取此義以名。樂善坊，地近諸王府，取漢東平王爲善最樂之義以名。澄清坊，地近御史臺，取澄清天下之義以名。元一統志

增福田坊在西白塔寺，阜財坊在順承門內金玉局巷口，金城坊在平則門內，玉鉉坊在中書省前相近，保大坊在樞府北，靈椿坊在都府北，丹桂坊在靈椿北，明時坊在太史院東，鳳池坊在斜街北，安富坊在順承門羊角市，懷遠坊地在西北隅，太平坊大同坊。析津志

增里仁坊在鐘樓西北。發祥坊在永錫坊西；發祥坊西北大街甎斗拱扁溥光最爲年遠。三相公寺前善利坊、樂道坊、好德坊，招賢坊在翰林院西北。善俗坊在健德門。昭回坊都府南。居賢坊國學東，監官多居之。鳴玉坊在羊市之北。展親坊、惠文坊，草市橋西。請茶坊，海子橋北。訓禮坊、咸宜坊，順承門裏倒鈔庫北。思誠坊、東皇華坊、明照坊，與上相對。蓬萊坊，天師宮前。南薰坊，光禄寺東。甘棠坊、遷善坊、可封坊，在健德門。豐儲坊在西倉西。同上

〔臣等謹按〕析津志所載里仁坊以下諸名，不列虞集五十坊名之內，其名或起元末，

未可知也。

增市三：斜街市在日中坊，羊角市在鳴玉坊、咸宜坊、舊樞密院，角市在南薰、明照二坊。圖經志書

增街制：自南以至於北謂之經，自東至西謂之緯。大街二十四步闊，小街十二步闊，三百八十四火巷，二十九衖通。衖通二字本方言。析津志

增長街：千步廊街、丁字街、十字街、鐘樓街、半邊街、棋盤街，五門街、三叉街，此二街在南城。同上

增米市、麵市，鐘樓前十字街西南角，羊市、馬市、牛市、駱駝市、驢騾市，已上七處市俱在羊角市一帶，其雜貨并在十市口。北有柴草市，此地若集市，近年俱於此街西爲貿易所。段子市在鐘樓街西南，皮帽市同上。菜市，麗正門三橋、哈達門丁字街。菜市，和義門外。帽子市，鐘樓。窮漢市，一在鐘樓後爲最，一在文明門外市橋，一在順承門城南街邊，一在麗正門西，一在順承門裏草塔兒。鵓鴿市在喜雲樓下。鵝鴨市在鐘樓西。珠子市，鐘樓前街西第一巷。省東市在檢校司門前牆下。文籍市在省前東街。紙箚市，省前。靴市在翰林院東，就賣底皮、西甸皮、諸靴材都出在一處。車市，齊化門十字街東。拱木市，城西。猪市，文明門外一里。魚市，文明門外橋南一里。草市，門

門有之。舒嚕市，一巷皆賣金銀珍珠寶貝，在鐘樓前。柴炭市集市，一順承門外，一鐘樓，一千斯倉，一樞密院。人市在羊角市，至今樓子尚存；此是至元間後有司禁約，姑存此以爲鑒戒。煤市修文坊前，南城市、窮漢市在大悲閣東南巷内。蒸餅市，大悲閣後。臙粉市，披雲樓南。果市，和義門外、順承門外、安貞門外。鐵器市，鐘樓後。析津志　按：舒嚕，滿洲語珊瑚也，舊作沙剌。今譯改。

〔臣等謹按〕元時都城坊巷街市見於析津志、北平圖經者頗詳，皆朱彝尊所未採。然舊規雖在，而遺蹟多湮，今以其尚可考證者散入五城各條之下。取其名之彙列者備録於此，以爲參稽之助焉。

原至元五年十月，勅二分、二至及聖誕節日祭星於司天臺。元史世祖紀

原先農之祀，始自至元九年。武宗至大三年從大司農請，建農、蠶二壇。元史祭祀志

原至元七年，大司農請於立春後丑日祭風師於東北郊，立夏後申日祭雷雨師於西南郊。延祐五年，乃即二郊定立壇壝之制。同上　以上三條原在宮室門，今移改。

原順帝鄂勒哲胡土克皇后。京城大饑，后出金銀粟帛，命資政院使朴布哈於京都十一門置冢，葬死者遺骼十餘萬。元史后妃傳　按：鄂勒哲義見前。胡土克，唐古特語再來人也，舊作完者忽都。今譯改。

增舊土城一座，周圍六十里，克復後以城圍太廣，乃減其東西迤北之半，創包甎甓，周圍四十里。其東南西三面各高三丈有餘，上闊二丈；北面高四丈有奇，闊五丈。濠池各深闊不等，深至一丈有奇，闊至十八丈有奇。城爲門九：南三門，正南曰麗正，左曰文

明，右曰順承；北二門，左曰安定，右曰德勝；東二門，東南曰齊化，東北曰崇仁；西二門，西南曰平則，西北曰和義。各門仍建月城外門十座。洪武北平圖經志書

原洪武初，改大都路爲北平府，縮其城之北五里，廢東西之北光熙、肅清二門，其九門俱仍舊。寰宇通志

原大將軍徐達命指揮華雲龍經理故元都，新築城垣，南北取徑直，東西長一千八百九十丈。又令指揮張煥計度故元皇城，周圍一千二百六丈，又令指揮葉國珍計度南城，周圍凡五千三百二十八丈，南城故金時舊基也。明太祖實録 以上二條原在世紀門，今移改。

增坊三十三：五雲坊、保大坊、南薰坊、澄清坊、皇華坊、賢良坊、明時坊、仁壽坊、思誠坊、明照坊、蓬萊坊、湛露坊、昭回坊、靖恭坊、金臺坊、靈椿坊、教忠居賢坊、寅賓坊、崇教坊，已上二十坊屬大興縣。萬寶坊、時雍坊、阜財坊、金城坊、咸宜坊、安富坊、鳴玉坊、太平坊、豐儲坊、發祥坊、日中坊、西城坊，已上十三坊屬宛平縣。

〔臣等謹按〕此明初未建都以前北平府時所設規制也。

增永樂四年閏七月，建北京宫殿，修城垣。十九年正月告成。城周四十五里。門九：正南曰麗正，正統初改曰正陽；南之左曰文明，後曰崇文；南之右曰順承，後曰宣武；東之南曰齊化，後曰朝陽；東之北曰東直；西之南曰平則，後曰阜成；西之北曰彰儀，後

曰西直；北之東曰安定；北之西曰德勝。嘉靖三十二年築重城，包京城之南，長二十八里，門七。明史地理志

補永樂中定都北京，建築京城，周圍四十里。爲九門：南曰麗正、文明、順承，東曰齊化、東直，西曰平則、西直，北曰安定、德勝。正統初，更名麗正爲正陽，文明爲崇文，順承爲宣武，齊化爲朝陽，平則爲阜成，餘四門仍舊。城南一面長一千二百九十五丈九尺三寸，北二千二百三十二丈四尺五寸，東一千七百八十六丈九尺三寸，西一千五百六十四丈五尺二寸，高三丈五尺五寸，垜口五尺八寸，基厚六丈二尺，頂收五丈。嘉靖二十三年，築重城包京城南一面，轉抱東西角樓止，長二十八里。爲七門：南曰永定、左安、右安，東曰廣渠、東便，西曰廣寧、西便。城南一面長二千四百五十四丈四尺七寸，東一千八十五丈一尺，西一千九十三丈二尺，各高二丈，垜口四尺，基厚二丈，頂收一丈四尺。四十二年，增修各門甕城。工部志 原在世紀門，今移改。

〔臣等謹按〕國朝都城之制，一因明舊，其各門名亦俱仍之，誠以皇極用建，九寓會歸，永固金湯，無事名稱之更易爾。

原永樂十七年十一月，拓北京南城，計二千七百餘丈。明成祖實録

原宣德九年七月，命都督僉事王彧以五軍神機營官軍及民夫修北京城垣。明宣宗實録 原在世紀門，今移改。

原正統元年十月，命太監阮安、都督同知沈清、少保工部尚書吳中率軍夫數萬人修建京師九門城樓。初，京城因元之舊，永樂中雖略加改葺，然月城樓鋪之制多未備，至是始命修之。明英宗實録

原命下之初，工部侍郎蔡信颺言於衆曰：役大非徵十八萬人不可，材木諸費稱是。上遂命太監阮安董其役。取京師聚操之卒萬餘，停操而用之，厚其餼廩，均其勞逸，材木工費一出公府之所有，有司不預，百姓不知，而歲中告成。東里集

原阮安，交趾人，一名阿留，刻有營建記。春明夢餘録

原四年四月，修造京師門樓城濠橋牐完。正陽門正樓一，月城中左右樓各一，崇文、宣武、朝陽、阜成、東直、西直、安定、德勝八門各正樓一，月城樓一。各門外立牌樓，城四隅立角樓。又深其濠，兩崖悉甃以甎石。九門舊有木橋，今悉撤之，易以石。兩橋之間各有水牐，濠水自城西北隅環城而東，歷九橋九牐，從城東南隅流出大通橋而去。自正統二年正月興工，至是始畢。焕然金湯鞏固，足以聳萬年之瞻矣。明英宗實録

原京師城垣，其外舊固以甎石，内惟土築，遇雨輒頽。正統十年六月，命太監阮安、成國公朱勇、修武伯沈榮、尚書王卺、侍郎王祐督工甓之。同上

原岳正天眷六章，美營建也。天眷皇明，誕命高祖。俯監萬方，定都江滸。如龍斯蟠，如虎斯踞。以朝以會，以享以祀。逖矣厥謨，欽於世世。天眷皇明，亦啓文祖。爲厥孫謀，聿又胥宇。碣石之西，太行之東。有嚴厥宫，四海

是同。惟帝卽阼，夙夜顧諟。神既受職，民亦茂祉。乃繼乃述，乃經乃營。戢此土功，爲萬國宗。乃召大臣，出任予重。曰若爾總，曰若爾董。役夫總總，工師縱縱。鼛鼓躍躍，人心悀悀。有赫朝堂，有翼廟廷。瑣瑣公府，欻忽偕興。士方耕矣，女方箴矣。曾不驚矣，奏功成矣。匪臣之功，匪民之力。
匪民之力，維帝之德。帝曰匪予，文祖之志。天相文祖，爛其營室。類博稿

原 陳政正統癸亥管建紀成詩　昭代承平日，車書萬國同。邇遐歌至德，民物囿淳風。土宇今何廣，京師昔所崇。龍飛乘大運，鳩聚役羣工。郢也操斤斧，垂哉主斲礱。經營來子庶，奄忽見神功。日月光三殿，乾坤闢兩宮。巍峩齊景亳，煇赫過岐豐。帝業垂無極，人心仰建中。賦詩紀成績，三祝効呼嵩。東井集

原 成化十二年八月，定西侯蔣琬上言：太祖皇帝肇基南京，京城之外復築土城，以護居民，誠萬世不拔之基也。今北京止有內城而無外城，正統己巳之變，額森長驅直入城下，衆庶奔竄，內無所容，前事可鑒也。且承平日久，聚衆益繁，思爲憂患之防，須及豐亨之日。況西北一帶，前代舊址猶存，若行勸募之令，加以工罰之徒，計其成功，不日可待。廷議謂築城之役宜俟軍民息肩之日舉行。報可。明憲宗實録　以上九條原在世紀門，今移改。

原 嘉靖二十一年，掌都察院毛伯温等言宜築外城。二十九年，命築正陽、崇文、宣武三關廂外城，既而停止。三十二年，給事中朱伯辰言：城外居民繁夥，不宜無以圉之。臣嘗履行四郊，咸有土城故址，環繞如規，周可百二十餘里。若仍其舊貫，增卑補薄，培缺續斷，可事半而功倍。乃命相度興工。明典彙

〔臣等謹按〕金都外郛在今城西南，凡七十五里，元徙而東北，凡六十里，共應周一百三十五里。今考明朱伯辰僅云百二十餘里，則所縮者約十五里。準以圍三徑一，

南北相直，約縮五里，此五里即金元城界交會互入之處。金之外城包入元城内者約有五里，從可推也。

原閏月丙辰，兵部尚書聶豹等言：相度京城外四面宜築外城，約七十餘里。得旨允行。乙丑，建京師外城興工，勅諭陳圭、陸炳、許論提督工程。四月，上又慮工費重大，成功不易，以問嚴嵩等。嵩等乃自詣工所視之，還言宜先築南面，俟財力裕時再因地計度以成四面之制。於是嵩、會、圭等議覆：前此度地畫圖原爲四周之制，所以南面横闊凡二十里，今既止築一面，第用十二三里便當收結，庶不虚費財力。今擬將見築正南一面城基東折轉北，接城東南角，西折轉北，接城西南角，可以剋期完報。報允。明世宗實録

原張四維京師新建外城記 上臨御之三十二年，廷臣有請築京師外城者，參之僉論，靡有異同。天子乃命重臣相視原隰，量度廣袤，計工定賦，較程刻日。於是京兆授徒，司徒計賦，司馬獻旅，司空鳩役。總以勳臣，察以臺諫，與夫庶司百職，罔不祗嚴。乃遂畫地分工，授規作則。制緣舊址，上取沃壤。寮藩輪鏹以贊工，庶民子來而趨事。曾未閲歲，而大功告成。崇庳有度，瘠厚有級。繚以深隍，覆以甎植。門垣矗立，櫓樓相望。巍乎焕矣，帝居之壯觀也。夫易垂設險，守國之文，詩有未雨桑土之訓。帝王城郭之制，豈以勞民？所以固圉宅師，以隆王者居重之威，以奠下民安土之業，以絶奸究覬覦之念，此固聖人因時之政，不得不然者爾。條麓堂集 原在世紀門，今移改。

原嘉靖四十一年，尚書雷禮請永定等七門添築甕城，東西便門堞口濠池當崇甃深濬。上善其言。明世宗實録

補天啓元年十月，給事中魏大中報京城濬濠工竣。東便門迤北，員外郎何玉成監濬一百四十丈，張時俊監濬一百五十三丈，主事劉鱗長監濬一百六十一丈，主事張杰監濬一百

五十五丈，主事張泰階監濬一百四十五丈；朝陽門迤北，主事吴時亮監濬五百九十四丈；東直門迤北轉西，主事陸之祺監濬五百九十六丈；安定門，主事曾櫻監濬門東四百三十丈，門西一百十六丈；安定門迤西，主事劉鱗長監濬二百六十丈，主事韋國賢監濬一百七十丈，員外郎陸化熙監濬二百三十九丈；德勝門迤西，主事劉存慧監濬六百十九丈；西北角樓迤南，員外郎趙贊化監濬一百七十七丈；西直門迤南，主事張時俊監濬一百九十三丈，主事楊師孔監濬四百六丈八尺；阜成門迤南，主事張杰監濬三百丈，主事張泰階監濬二百八十丈，員外郎趙贊化監濬二百五十三丈；西便門至正陽門，主事李養德監濬一千一百二十丈八尺一寸；正陽門至崇文門，郎中吴叔度監濬四百九十五丈；崇文門至東便門，郎中吴叔度監濬四百九十二丈；重城，員外郎林宲監濬五千一百五十丈。藏密齋集

原天啓元年十月，濬京城九門及重城濠成。監工科道魏大中等因言濠之源出玉泉山，經高梁橋，抵都城西北而派爲二：一循城之左而東而南，一循城之右而南而東。宜按舊牐爲地形高下次第布之，未可以丈尺概也。德勝門外之水南入關，周行大内，出玉河近，且北淤南壅，而嘉靖所築重城地勢既高，有掘未及泉而止者。宜清其源，審其勢，疏其脈，達其支，以總會於大通橋。又須理葺諸閘，節宣蓄洩，以壯金湯之固。疏下工部。明熹宗實録　以上二條原在世紀門，今移改。

原京師雖設順天府兩縣，而地方分屬五城，每城有坊。中城曰南薰坊、澄清坊、仁壽坊、明照坊、保泰坊、大時雍坊、小時雍坊、安福坊、積慶坊。東城曰明時坊、黄華坊、思誠坊、居賢坊、朝陽坊。南城曰正東坊、正西坊、正南坊、宣南坊、宣北坊、崇南坊、崇北坊。西城曰阜財坊、金城坊、鳴玉坊、朝天坊、河漕西坊、關外坊。北城曰崇教坊、昭回坊、靖恭坊、靈椿坊、發祥坊、金臺坊、教忠坊、日中坊、關外坊。每城設御史巡視。所轄有兵馬指揮使司，設都指揮、副都指揮、知事。後改兵馬指揮使，設指揮、副指揮，革知事，增吏目。昔宋以四廂都指揮巡警京城，神宗置勾當左右廂公事，民間謂之都廂。元設巡警院，分領坊市民事，即今巡城察院也。春明夢餘録

原嘉靖中，生員李時颺、監生張岑各疏請舉郊禖之祀。張璁以爲言。乃設臺於永安門北震方，以夏言充祈祠醮壇監禮使。上同

原郊禖壇設於震方，皇城東永安門之北。臺用木，正位昊天上帝，配位皇考獻皇帝，西向，高禖設於壇下，西向，上位於壇下，北向，后妃位七於壇南數十丈外，北向。用帷弓韣弓矢如后妃嬪之數。質明，上祭服，后禮服，妃嬪各服其服，至壇上就位。后以下，帷中就位。上行禮畢，分獻，太常官俱退，女官導皇后以下至高禖神位前跪，女官取弓矢以次授皇后以下，受訖，納於弓韣。嘉靖祀典 以上二條原在宮室門，今移改。

欽定日下舊聞考卷三十九

皇城

〔臣等謹按〕皇城之内，前明悉爲禁地，民間不得出入。我朝建極宅中，四聰悉達，東安、西安、地安三門以内，紫禁城以外，牽車列闠，集止齊民。稽之古昔，前朝後市，規制允符。今謹編爲皇城四卷。又朱彝尊原本綜列各條，未分衢路先後，考孫承澤春明夢餘録，自地安門内分東西兩路編次，較爲明晰。兹仿其體例，將朱彝尊原書及補增各條均按地核實，分路敘次，以資考訂云。

增皇城在京城中，周十八里有奇，繚牆袤三千三百四丈有奇。正南曰大清門，少北曰長安左門，曰長安右門，東曰東安門，西曰西安門，正北曰地安門。大清門之内曰天安門，天安門之内曰端門，端門之内，左曰闕左門，右曰闕右門。大清一統志。

〔臣等謹按〕國家定鼎燕京，宫殿之外，環以紫禁城。紫禁城外，重以皇城，甃以甎，朱塗之，上覆黄琉璃瓦。城四門，正南門於順治元年上大清門牌額。天安門爲皇城正門，明曰承天門。順治八年重修工成，改定今名。地安門明曰北安門，亦順治九年改定。

增皇城廣袤三千六百五十六丈五尺，高一丈八尺，下廣六尺，上廣五尺二寸。大清會典

原舊制，皇城外紅鋪七十二座，鋪設官軍十人，夜巡銅鈴七十有八，貯長安右門。初更，遣軍人一一摇振，環城巡警，歷西安、北安、東安三門，俱會長安左門而止。每十鈴以兵部火牌一面，後復造木牌五十六面，付五門驗發鈴、收鈴之數。明武宗實録

原東西長安門通五府各部總門，京師市井人謂之孔聖門，有識者曰拱宸，然亦非也，本名公生門。菽園雜記

原正統元年六月，作公生門於長安左右門外之南。明英宗實録

原成化二年六月，疏通東西公生門至大明門溝渠，各二百一十五丈，東安門至南牆角溝渠二百二十五丈。明憲宗實録

原唐宋禁中亦許乘馬，今制，自兩長安門、東西華門外，過者皆下馬，雖相臣亦然。震澤長語 以上五條原在城市門，今移改。

原自北安門裏街東曰黄瓦東門，門之東街南曰尚衣監街，北曰司設監，再東曰酒醋麪局，曰内織染局，有外廠在朝陽門外，又有藍靛廠在都城西，皆本局之外署也。曰皮房紙房，曰針工局，曰巾帽局，其後臨河有梓潼廟，曰火藥局，即兵仗局之軍器庫也。蕪史

原尚衣監製造皇帝、皇太子、親王衮冕袍服。司設監成造各宫箴簟、蒲席、棕薦及各宫進用龍牀頂架、帳幔、轎椅鋪陳、衣包蓋袱、花毯、地氊、圍幕、油袱、雨繖等物，鋪設宫殿龍簾、走索、席梯。水部備考

原初，永樂間北征，獲羊萬餘，令順天府所屬州縣分牧，歲辦羊毛價銀，輸司設監供用，謂之長生羊毛。弘治間，府尹黄傑言，歲久羊已無存，民猶輸納甚苦。已得旨除豁。司設監尋復以前令爲言。上曰：羊亡毛存，是無名之征

也，其悉除之。明孝宗實録　以上三條原在宮室門，今移改。

【增】司設監掌印太監一員，裏外監把總二員，典簿掌司寫字無定員，掌鹵簿儀仗幃幙諸事。尚衣監掌印太監一員，管理僉書、掌司監工無定員，掌御用冠冕袍服及履舄靴韈之事。明史職官志

【增】酒醋麪局掌印太監一員，管理僉書、掌司監工無定員，掌宮內食用酒、醋、糖、醬、麪、豆諸物，與御酒房不相統轄。同上

【原】織染局於朝陽門外種藍，打造靛青，煉染大紅紵絲紗羅經緯，合用礦子石灰，於馬鞍山廠燒造。水部備考　原在宮室門，今移改。

【增】內織染局掌印太監一員，管理僉書、掌司監工無定員，掌染造御用及宮內應用緞疋。城西藍靛廠爲此局外署。明史職官志

【原】內官監巾帽局掌造內府冠帽，設大使一人，副使二人。針工局掌造內府衣服，設大使一人，副使一人。織染局掌織染緞疋，設大使一人，副使一人。顏料局掌燒造銀硃等項顏料，設大使一人。春明夢餘録

【原】針工局縫製王府册封賞賜等項衣服，內官、內史、長隨、小火者三年一次給與冬衣，六年一次給與鋪蓋。水部備考

【原】泰昌元年十二月，工部題給針工局年例冬衣，計兩京中使長隨共九千口一十五名，折冬衣八萬一千五百九十四兩。明熹宗實録　以上三條原在宮室門，今移改。

【增】針工局掌印太監一員，管理僉書、掌司監工無定員，掌造宮中衣服。明史職官志

【增】巾帽局掌印太監一員，管理僉書、掌司監工無定員，掌宮內使帽靴、駙馬冠靴及藩王之國諸旗尉帽靴。同上

〔臣等謹按〕黄瓦門之名見於大佛堂碑刻，今俗呼爲東西黄華門，蓋字音之訛也。尚衣監、司設監今廢。考東黄瓦門之東迤南有玉皇廟，即尚衣監舊廨，廟中有本朝雍正三年重修碑記。迤北曰慈慧殿，以慈慧寺得名也。寺中有碑二，一模糊不可讀，惟篆額司設監三字尚可辨。一我朝康熙間重修碑記。碑文止言明宮監以梵宇爲私廨，而不著司設之名。稍東南爲簾子庫，有真武廟，稍東爲織染局，有華嚴寺，寺

碑皆有司設監名。蕪史謂司設監在黄瓦門街北，信矣。酒醋、織染等局今俱廢，而各衙衕仍存其名。酒醋局衙衕内興隆寺有鑪一，上鑄酒醋麪局佛堂供奉字。内織染局衙衕内有華嚴寺，寺内有弘治、嘉靖二次重修織染局佛道堂碑記。針工局、巾帽局兩衙衕與内織染局毗連，皆在玉河南。火藥局在玉河北，臨河，有伽藍寺。前殿祀關帝，後殿祀毘盧佛。有鐘一，上鑄火藥局字。又西爲火神廟，而無梓潼廟。皮房、紙房今俱無可考。藍靛廠詳郊坰門。

原 北安門内街東曰安樂堂，内官有疾者徙此。蕪史 原在宮室門，今移改。

〔臣等謹按〕春明夢餘録云，安樂堂在地安門内街東，蕪史作街西誤。今堂額雖存，並非内監養病之所。又按羊房夾道亦有安樂堂，乃明孝宗誕生之地，明史謂之西内。詳本條下。

原 再東稍南曰内府供用庫。蕪史

原 供用庫歲辦木柴、木炭、檾麻、荆條、猫竹、白麻、榆槐松柏木版，運送石灰城甎。水部備考 以上二條原在宮室門，今移改。

增 内府供用庫掌印太監一員，總理、管理、掌司、寫字、監工無定員，掌宮内及山陵等處内官食米及御用黄蠟、白蠟、沉香等香，凡油蠟等庫俱屬之。舊制各庫設官同八局。明史職官志

增 供用庫，凡浙江、湖廣、四川，福建、江西、廣東、山東、河南等布政司，直隸蘇、松、常、鎮、寧、太、安慶、廬、鳳、淮、揚等府歲解黄白蠟，芽葉茶，并蘇、松、常三府解到白熟糙粳糯米，俱送本庫收。明會典

〔臣等謹按〕今酒醋局南蠟庫衙衕五聖祠内有磬一，上鑄内府供用庫五聖祠供奉等

字，稍南地仍名内府庫，即燕史所稱内府供用庫無疑。

原番經廠内官，遇萬壽、元旦等節，於英華殿作佛事。卒事之日，一人扮韋駝，抱杵面北立，餘披瓔珞，鳴鑼鼓吹海螺諸樂器，贊唱經呪。至夜，五方設佛會，立五色繖，數十人魚貫行其間。有所謂九連環者，其行逾疾，至九連環變則體迅若飛鳥，觀者目眩矣。天啓辛酉後，奉旨以宫人爲之。天啓宫詞注

原宫中各長街設有路燈，以石爲座，銅爲樓，銅絲爲門壁。每日晚，内府庫監灌油然燈，以便巡行。曰番經廠，念習西方梵唄經。凡有佛事，本廠内官易番僧帽，衣红袍，黄領，黄護腰，一日或三晝夜。燕史

原漢經廠念習釋家諸品經，僧伽帽，袈裟，緇色衣，與僧人同，惟不剃髮耳。佛事畢仍易内臣服色。同上　以上三條原在宫室門，今移改。

〔臣等謹按〕明番經廠、漢經廠今爲嵩祝、法淵、智珠三寺。考嵩祝寺東廊下有銅鐘一，鑄番經廠字。西廊下有銅雲板一，鑄漢經廠字。又法淵寺有張居正撰番經廠碑記云，番經廠與漢經廠並列，是可據也。

增嵩祝寺在三眼井之東。城册

〔臣等謹按〕嵩祝寺大殿額曰妙明宗鏡，後樓額曰慧燈普照。聯曰：碧砌瑶階春色麗；琪花芝草日華鮮。西側聯曰：夜梵聞三界；朝香徹九天。皆皇上御書。

增法淵寺在嵩祝寺東，寺有銅鼎一，高六尺有咫。城册

增智珠寺在嵩祝寺西。同上

〔臣等謹按〕智珠寺前殿額曰寶網光音。聯曰：香雲遍覆真如界；皓月常明自在天。後殿額曰現清淨身。聯曰：金粟神光照妙應；香林淨域證虚明。皆皇上御書。

增張居正番經廠記 番經來自烏思藏，卽今喇嘛教，達摩目爲旁支曲竇者也。成祖文皇帝貽書西天大寶法王廷致法尊尚師等，取其經繕寫以傳。雖貝文梵字不與華同，而其義在戒貪惡殺，宏忍廣濟，則所謂海潮一音，醍醐同味者也。廠在禁內東偏，與漢經並列，歲久亦漸圮矣。穆宗莊皇帝嘗出帑金，命司禮監修葺。今上登大寶，復以慈聖皇太后之命，命終其事。經始隆慶壬申，至八月而告成事，因爲文鑱於石，垂諸久遠焉。萬曆元年四月八日，建極殿大學士張居正撰。

〔臣等謹按〕朱彝尊原本凡引碑文，注云吉金貞石志，非實有其書也。今新增各條，事歸核實，採諸書者注某書，碑板則書某人某碑，我朝鼎建者，謹就本事直書，不從彝尊之例。後倣此。

原司苑局進用蔬菜，俱有竹籃筐盒裝盛合用物料。水部備考 原在宮室門，今移改。

增司苑局掌印太監一員，管理僉書、掌司監工無定員，掌蔬菜瓜果。明史職官志

原鐘鼓司陳御前雜戲，削木爲傀儡，高二尺餘，肖蠻王軍士男女之像，有臀無足，下安卯栒，用竹板承之，注水方木池，以錫爲箱，支以木凳，用紗圍其下，取魚蝦萍藻踐浮水面，中官隱紗圍中，將人物用竹片托浮水上，謂之水嬉。其以雜劇故事及癡兒騃女市井鬬會之狀，約有百回，每四十餘人，各以兩旗引之登場，謂之過錦。皆鐘鼓司承應。蕪史

原內官諸署指鐘鼓司爲東衙門，賤而不居。穀城山房筆麈 以上二條原在宮室門，今移改。

增鐘鼓司掌印太監一員，僉書、司房、學藝官無定員，掌管出朝鐘鼓及內樂傳奇、過錦、打稻諸雜戲。明史職官志

〔臣等謹按〕司苑局今已無可考矣，鐘鼓司廢。現今嵩祝寺東北有鐘鼓司衚衕，內有鐘鼓寺，當卽其地。

原再南曰新房，曰都知監，曰司禮監，門之內稍南有松樹者，內書堂也。蕪史 原在宮室門，今移改。

【原】都知監掌印太監一員，僉書、掌司、長隨、奉御無定員，舊掌各監行移、關知、勘合之事，後惟隨駕前導警蹕。明史職官志

【原】司禮監每年成造上用兔、香狸、山羊毛、鼠尾筆，徽墨、雜墨，印造上用經書、制勅、雲龍等箋，灑金、粉蠟等紙，精微勘合、文簿、經書畫匣、屏風、畫軸、栖杆、紙扇，及成造龍牀應用猫竹、松木、螺甸、青碌、川漆、嚴漆、金箔、圓藤、木柴等料，糊飾宮殿屏風、窗格綾紗紙劄。水部備考

【補】司禮監每年成造上用並進宮兔毛筆共二萬九千九百餘枝。工部志

【補】朝廷用筆，每月十四、三十日兩次進御，各二十管。冬用綾裹管，裹襯以綿；春用紫羅；至夏秋用象牙、水晶、玳瑁等，皆内府臨時發出製造。弘治中，吴興筆工造筆進御，有細刻小標記云：筆匠施阿牛。孝宗鄙其名，易名曰施文用，至今猶然。戒菴漫筆

以上四條原在宫室門，今移改。

【增】司禮監提督太監一員，掌印太監一員，秉筆太監、隨堂太監、書籍名畫等庫掌司、内書堂掌司、六科廊掌司，典簿無定員。提督掌督理皇城内一應儀禮刑名及鈐束長隨當差聽事各役、關防門禁、催督供應等事。掌印掌理内外章奏及御前勘合。秉筆、隨堂掌章奏文書照閣票批硃。掌司各掌所司典簿典記奏章諸出納號簿。明史職官志

〔臣等謹按〕都知監今無考，司禮監今爲吉安所。

【原】大學士陳山離間趙邸，上疏薄之，命解内閣機務，教内侍，開席於文華殿東廡。至景泰中，選小内侍七人，俾中允倪謙、吕原教之，亦於文華殿東廡。天順後於内府書堂，專命翰林官往教，遂爲定制。雙槐歲抄

【原】翰林官内府供職，日給光禄黄封内膳，有常制。承命内館教書者則兩給之。瑣綴録

【原】凡教内書堂，用史官四員。赴書堂日，諸生約四十餘人，於承天門外迎接。師於西版房易吉服，肅而入。故事，新任者設飯於端門内相所，飯訖，自左由會極門轉東河邊到内書堂北書堂祀孔子，師入，四拜，書堂南亦祀孔子，師入，只揖不拜。新舊師東西序立，舊者居東。交拜訖，諸生拜於堂下，到内書堂列坐設宴，宴畢由厚載門出。詞林典故

【原】内書堂教授讀書，自學士陳山始，以後詞臣任之。奉旨收入官人選年十歲上下者二三百人，撥内書堂讀書。本監提督總其綱，掌司分其勞。擇日拜孔子，請詞林諸公從長安右門入，北安門出，後則由北安門出入，每學生一名，各具白蠟、手帕、龍掛香以爲束脩。蕪史

原內書堂西向，約十餘間，其南一室奉先聖，其北一室亦奉先聖，於南則拜，於北則揖，不知何義。玉堂薈記

原正德八年十二月，重造司禮監書堂，以燬於火也。明武宗實録

補翰林教小內官，在書堂中，有四五百人。學士五人輪五日一轉。至日背書批倣。責罰常二百餘人，輕者留衣而杖，重者褫衣露體，則發他處責之，或十人，或十五人一行跪，以次受責。戒庵漫筆　以上七條原在宮室門，今移改。

〔臣等謹按〕明自宣宗始設內書堂，選詞臣課讀小內監，使通文墨，掌章奏，得與外廷往來，致啓閹豎干政之漸。貽謀不善，遂釀成一代厲階。我朝宮府肅清，內監不得干預政事，正本澄源，超邁前古。向惟萬善殿派漢教習一員，課讀年幼內監十餘人。乾隆三十四年，復奉上諭，以內監之設，止備使令，無取深通文義，派內務府筆帖式一員教令粗識文字，將漢教習永遠停止。法禁明而防制密，洵足爲萬世不易之良法矣。

原諸司最貴重者曰司禮監，次內官、御用、司設、御馬諸監。惜薪司曰近侍牌子，曰掌刑。於外職最雄者曰提督東西廠，西廠成化正德間暫設，俄革。曰提督十二團營五軍營，曰南京守備，曰兩廣總鎮及各處鎮守。鳳洲筆記　原在宮室門，今移改。

增御前近侍曰乾清宮管事，督理御用諸事，曰打卯牌子，掌隨朝捧劍，俱位居司禮、東廠、提督、守備之次。曰御前牌子，曰暖殿，曰管櫃子，曰贊禮，曰答應。長隨曰富差，聽事曰拏馬。尚冠、尚衣、尚履，皆近侍也。明史職官志

原又南曰尚膳監、御馬監，向東者曰北花房，曰印綬監，曰中書房，曰蹴圓亭。蕪史

原新房之北則司禮監也，新房之南則御馬監也。同上 以上二條原在宮室門，今移改。

〔臣等謹按〕新房今無考，司禮監之南、御馬監之北有高房衚衕，或卽其地。

原御馬監合造晾馬繩索、馬槽、馬椿、桶杓、繩刷。水部備考

原朱寧本雲南玀玀，成化間太監錢能守雲南時，見寧狡黠，以爲奴。能死，遂竄名騰驤衛爲勇士，執役御馬監。武宗常至監試馬，因寧應對敏給，執控閑習，遂獲進用。不三四年寵極位盛，迄至殺身云。宙載

原萬曆時，有進無角二黑牛者，養之御馬監内。嬴隱集 以上三條原在宮室門，今移改。

增御馬監掌印、監督、提督太監各一員。騰驤四衛營各設監官、掌司、典簿、寫字、拏馬等員。象房有掌司等員。明史職官志

增宣德間令御馬監象馬牛羊草分派兩直隸、山東、河南、山西、陝西諸府州地畝内徵納。明會典

增馬神廟在馬神廟街。城冊

〔臣等謹按〕馬神廟卽明御馬監，馬神舊祠也。廟基舊在街之稍北。乾隆二十年移建。今廟有碑，廟殿舊額曰明霞館，聖祖仁皇帝御書。廟内大鐘一，上有正德十年鑄御馬監馬神廟供奉十三字。小鐘一，上有勅建馬王廟康熙四十二年造十二字。殿前大鑪一，上有康熙四十六年造御馬監馬神廟供獻十五字。殿内小鑪十五，皆有康熙丁亥造御馬監馬神廟供奉字。迤南爲御馬圈，其地蓋仍明舊也。

原御馬監廳事之南曰裹草欄，草場監之南向西者曰杆子房，曰北膳房，曰暖閣廠，曰南膳房，曰明器廠，曰混堂司，曰内東廠。永樂十八年，始置提督太監一員，關防一顆，

文曰欽差總督東廠官校辦事太監關防。天啓四年，避御諱，改鑄，官校曰官旗。萬曆初，馮保奏建扁曰朝廷腹心。有欽給密封牙章一枚，應封奏者以此鈐封。蕪史 原在宮室門，今移改。

〔臣等謹按〕今御馬圈南地名銀閘，有真武廟，卽明御馬監裏草欄舊址也。廟內有天啓三年碑記可考。又南爲騎河樓廟兒衚衕，舊名暖閣廠，內有關帝廟。廟有鐘二，一鑄暖閣廠關帝廟字，一鑄暖閣廠關帝廟康熙四十九年孟秋虔造字。至南北膳房，考春明夢餘録，萬曆二十八年拆去蓋造觀心殿、修補乾運殿。其杆子房、明器廠、混堂司今無考。

原東廠置自永樂十八年，其衙門無設官，主之者司禮監秉筆太監一人，司屬隸役悉取給於錦衣衛，故各員役陞轉皆在衛，而太監乃司禮監堂上官，秩最尊，有去留而無陞轉。其衙曰欽差總督東廠官旗辦事司禮監秉筆太監。凡掌司禮監者號曰宗主，督東廠者號曰督主，或宗與督合一人領之。有掌刑千户一員，以錦衣衛千户充之，有加指揮至都督者。又理刑百户一員，或曰貼刑，二人共坐理事。熹宗時嘗賜東廠刑官過肩獅子服，有加宮保府臣者矣。其爪牙，司文移者曰掌班，寫字房、管事房、辦事房，以十二支分十二夥，頭目一人曰擋頭，外人稱之曰夥長，專司緝察。各夥分數人，動刑曰刑上，每夥擋頭下有番子數人，名曰幹事的，專持人陰事。或縉紳私札交際禮，或言語可質證者，密白於擋頭。得一事，擋頭先捐金予之。事曰起數，予之金曰買起數。擋頭隨同番役，於所犯之家左右寺廟空所，名曰打樁。擋頭設座，番子直入所犯之家執犯者，非刑拷掠。一曰乾醡酒，一曰搬罾兒。或以細竹鞭筋，其酷十倍官刑。每月旦分遣辦事人於各衙門及各城門守定，名曰坐記。以衙門所行事必小幅紙開報，名曰打事件。事件到東華門，雖深夜，司門者從門隙中傳入，頃刻到掌廠，卽時達至尊矣。客窗偶談

原掌廠內直房有欽賜牙印一方。凡打進事件奏聞者，用此印鈐，直至御前。蓋得比輔臣之文淵閣印，亦僭紊極矣。野獲編

原唐末，兩樞密使及左右中尉柄事禁中，與宰相表裏。號爲中貴，亦稱內大臣。樞密卽今司禮，中尉卽今東廠也。穀城山房筆塵

原隆慶中，刑科給事中舒化疏：朝廷設立廠衛，原以捕盗防奸細，非以察百官也。駕馭百官，乃天子之權，而奏核諸司責在臺諫，朝廷自有公論。今以暗訪之權歸諸廠衛，萬一人非正直，事出寃誣，是非顛倒，殃及善良，非盛世

所宜有也。上命付司知之。春明夢餘録

原崇禎十五年正月，上諭東廠太監王德化曰：朝廷設東廠緝事，期於摘發大奸。若糾剔細微，文綱苛察，非所以安全之也。今後非謀反、逆倫、權豪捍法者勿問。綏寇紀畧

補京師東廠者，掌巡邏兵校之地也。弘治癸丑五月，忽風大作，地陷約深二三丈，廣亦如之。菽園雜記 以上六條原在宮室門，今移改。

增提督東廠掌印太監一員。掌班、領班、司房，無定員。貼刑二員，掌刺緝刑獄之事。舊選各監中一人提督，後專用司禮秉筆第二人或第三人爲之。其貼刑官則用錦衣衛千百户爲之。凡内官司禮監掌印，權如外庭元輔，掌東廠權如總憲，秉筆隨堂視衆輔，各設私臣掌家、掌班、司房等員。明史職官志

〔臣等謹按〕内東廠爲明季弊藪。我朝定鼎，廓清禁掖，東廠地名久就廢没。以蕪史、春明夢餘録敍次考之，當與暖閣廠衚衕、騎河樓相近。

原景泰六年四月，增建御花房。明景帝實録

原天啓中有龍見北花房之小河，長尺許，色黄碧，有爪無鱗。其地近宋緡直房，緡護以紅錦，盛金合中奏進，奉旨送赴黑龍潭。天啓宮詞註 以上二條原在宮室門，今移改。

〔臣等謹按〕北花房，春明夢餘録作百花房。印綬監、中書房、蹴圓亭今俱無考。

增宣仁廟在紫禁城外東北隅，暖閣廠西北池子。大清一統志

〔臣等謹按〕宣仁廟，雍正六年勅建，以祀風神。有世宗憲皇帝御書協和昭泰額。

增凝和廟在宣仁廟南。大清一統志

〔臣等謹按〕凝和廟，雍正八年勅建，以祀雲神。有世宗憲皇帝御書興澤昭彩額。

原内承運庫在東下馬門，其職掌庫藏，在宮内者曰東裕庫，曰寶藏庫，皆謂之裏庫。其

會極門、寶善門迤東一帶及南城磁器等庫則俱謂之外庫。過外馬房餘宅數區，所謂河邊者也。蕪史

【增】內承運庫掌應用荷葉、錫鑼、錫銚、茶瓶、汁瓶、礶鐺等物。水部備考

【原】內承運庫以藏銀絹，除歲用外，其餘皆入內女官庫。病逸漫記 以上三條原在宮室門，今移改。

【增】內承運庫掌印太監一員，近侍、僉書太監十員，掌司、寫字、監工無定員，掌大內庫藏，凡金銀及諸寶貨總隸之。明史職官志

【增】承運庫，凡浙江、江西、湖廣、山西、四川等布政司，直隸、蘇、松、常、鎮、廬、鳳、淮、揚、徽、寧、池、太、安慶等府，滁、徐、廣德等州，歲解絹疋并闊生絹翠毛皮，俱送本庫收。明會典

【增】正統二年，令各處解到秋糧折銀赴部，出給長單關填勘合，送內府承運庫收貯。同上

【原】熹宗在位七年，帑藏懸罄，嘗將累朝所鑄銀甕、銀盌、尊鼎重器輸銀作局傾銷充餉。故餉銀多有銀作局三字者，此人所共見也。甲申春，廷臣請動內帑。夫內帑，惟承運庫耳。錢糧解承運庫者二，一曰金花，一曰輕齎。金花銀所以供后妃金花及宦官宮妾賞賚；輕齎銀以爲勳戚及京衛武臣俸禄，隨進隨出，非如唐德宗私庫聚而不散者比。野史乃謂城破大內尚有積金十餘庫，不知十餘庫何名。承運庫外有甲乙等十庫，貯方物者也。天財庫，貯錢者也，古今通集庫，貯書畫、符券、誥命者也，東裕庫，貯珍寶者也，外東庫，亦貯方物，無金銀也，庫盡此矣。城破，惟東裕庫珍寶存耳，安有所謂十餘庫積金，而紛紛謂上不輕發內帑，豈不寃哉！明崇禎遺録 原在宮室門，今改移。

〔臣等謹按〕春明夢餘録，內承運庫、外馬房在御馬監南，俱無考。惟河邊今有騾圈，或即其地。

欽定日下舊聞考卷四十

皇城

原過東上北門東中門曰彈子房，曰學醫讀書處，曰光禄寺，曰篦頭房，曰東安裏門，過橋則東安門也。蕪史 原在宫室門，今移改。

〔臣等謹按〕光禄寺在今東安門内街北，尚仍舊制。詳官署門。東安裏門今存，餘俱無考。

原内市在禁城之左，過光禄寺入内門，自御馬監以至西海子一帶，皆是。每月初四、十四、二十四三日，俱設場貿易。聞之内使云，此三日例令内中賤役輦糞穢出宫棄之，以故各門俱啓，因之陳列器物，借以博易焉。野獲編 原在宫室門，今移改。

〔臣等謹按〕内市今無考。

原光禄卿趙健以攜僧入東安門，被糾奪俸三月。神廟末年，禁網疏闊，游人得直窮西苑矣。國史唯疑

【補】北京皇城四面巡更諸舖，周流傳警，每夜内發大鈴。從東華門出至厚載門收，一一交遞，盡七十二枚天明矣。戒庵漫筆 原在宮室門，今移改。

【補】内皇城周圍共四十舖，每舖旗軍十名，晝夜看守。銅鈴二十有八，每夜起更時分從右闕門第一舖發鈴，軍提一鈴摇至第二舖，相續傳遞，至左闕門第一舖止。次日將鈴仍送右闕門第一舖收貯。外皇城周圍七十二舖，每舖守衛旗軍亦十名，晝夜看守。舊有銅鈴七十八個，弘治十年失其二，止存七十有六。每夜從西長安門第一舖發鈴，相續傳遞，至東長安門第一舖止。又内皇城四門每夜派走更官，午門左右闕門二員，東華、玄武門各二員，司禮監置簿，兵部用印，起更時各賫原領令牌及簿，如左闕門官赴東華門，東華門官赴右闕門，每更各於簿上交互用印，以備查核。兵例 原在世紀門，今移改。

【原】中官初入選，進東華門，門内有橋曰皇恩橋，謂從此卽受皇恩也。俗呼曰忘恩橋，以中官既富貴，必讐其所生，蓋恥之也。客窗偶談

【原】天啓元年正月，詔選淨身男子三千人。時民間求選者至二萬餘人，以兵科給事中尹同皋奏，再收一千五百人。明熹宗實録

【原】張世則詩 宦寺多怙勢，天朝建置明。諸曹分監局，衆職有規程。上級無三品，中涓僅百名。北軍權不與，君側惡常清。貂璫史鑑

【原】區大相詩 聞道貂璫設，由來爲掃除。先朝停鎮守，近日典方輿。貢採山川竭，徵求井邑虚。明明皇祖訓，宮府義何如。海目集

【原】永樂十一年五月癸未，端午節，車駕幸東苑，觀擊毬射柳，聽文武羣臣、四夷朝使及在京耆老聚觀。分擊毬官爲兩朋，駙馬都尉廣平侯袁容領左朋，寧陽侯陳懋領右朋，自皇太孫而下諸王大臣以次擊射。皇太孫擊射連發皆中，上喜，命儒臣賦詩，賜羣臣宴及鈔帛有差。大政記

【原】永樂十四年端午節，上御東苑觀擊毬射柳。明典彙

【原】王直端午憶去年從幸東苑擊毬射柳賜詩賜宴詩 千門晴日散祥烟，東苑宸游憶去年。玉輦乍移雙闕外，彩毬低度百花前。雲開山色浮仙仗，風送鶯聲繞御筵。今日獨醒還北望，何時重詠柏梁篇。王文端集

【原】宣德三年七月，召尚書蹇義、夏原吉、楊士奇、楊榮同游東苑。夾路皆嘉樹，前至一

殿，金碧焜燿。其後瑶臺玉砌，奇石森聳，環植花卉。引泉爲方池，池上玉龍盈丈，噴水下注。殿後亦有石龍，吐水相應。池南臺高數尺，殿前有二石，左如龍翔，右若鳳舞，奇巧天成。上御殿中，語義等曰：此旁有草舍一區，乃朕致齋之所，卿等盍往徧觀。於是中官引至一小殿，梁棟椽桷皆以山木爲之，不加斲削，覆之以草，四面闌楯亦然。少西有路，紆迴入荆扉，則有河石甃之。河南有小橋，覆以草亭。左右復有草亭，東西相望。枕橋而渡，其下皆水，游魚牣躍。中爲小殿，有東西齋，有軒，以爲彈琴讀書之所，悉以草覆之。四圍編竹籬，籬下皆蔬茹匏瓜之類。觀畢，上臨河，命舉網，得魚數尾，命中官具酒饌賜魚羹。既而召至前，賜以金帛、縧環、玉鈎等物，又賜宴於東廡，被旨令各盡醉而歸。翰林記 以上八條原在宫室門，今移改。

〔臣等謹按〕東苑久廢，考其地當在今東華門外之東南。景泰間英宗居之，稱曰小南城，蓋東苑中之一區耳。復辟後又增置三路宫殿，因統謂之南城云。

原 東上南門之東曰重華宫，猶乾清宫之制，有兩長街。西則有宜春等宫。重華宫之東曰洪慶宫，供番佛之所也。又東則内承運庫，再東則崇質宫，俗云黑瓦殿是也，景泰間英廟所居。再南則皇史宬，藏太祖以來御筆實録。每年六月六日，奏知曬晾。司禮太監董其事。左右小門曰䶬音龍曆左門，䶬曆右門，再東則追先閣、欽天閣，勒世廟欽天頌於碑，再南則御作也。（燕史 原在宮室門，今移改。）

〔臣等謹按〕明英宗北還，居崇質宮，謂之小南城。考今緞疋庫庫神廟有本朝雍正九年重修廟碑云，緞疋庫爲户部分司，建在内東華門外小南城，名裏新庫，則裏新庫亦小南城地也。東南爲國初所建普勝寺，寺前沿河尚有城牆舊址。西南爲皇史宬，去菖蒲河牛郎橋不遠。臨河有地名大院子，應卽御作也。庫北爲今普度寺，卽南城舊宮遺址。廟東地名瓷器庫，巷口石獅二，臨河，巷有南北兩汊。内有黑琉璃瓦房，蓋卽庫房未毁者。又按燕史，内承運庫在東下馬門，其職掌庫藏，在宮内者謂之裏庫，其會極門、寶善門迤東一帶及南城瓷器等庫謂之外庫。明史職官志止載内承運庫，而不列外庫名，似瓷器等外庫均隷内承運庫，故明史但以承運庫該之耳。

[原]南内在禁垣内之巽隅，亦有首門、二門以及兩掖門，卽景泰時錮英宗處，所稱小南城者是也。二門内亦有前後兩殿，具體而微，旁有兩廡，所以奉太上者止此矣。其他離宮以及圓殿石橋，皆復辟後天順間所增飾者，非初制也。（野獲編）

[增]景泰八年，景帝不豫，石亨、張軏等謀迎上皇，夜至有貞家。聞之，大喜曰：須令南城知此意。軏曰：陰達之矣。辛巳夜，諸人復會有貞所。時有邊警，有貞令軏詭言備非常，勒兵入大内。亨掌門鑰，夜四更開長安門納之。時天色晦冥，亨、軏皆惶惑，有貞大

言事必濟。既薄南城，門錮，毁牆以入。上皇燈下獨出，問故。有貞等俯伏請登位，乃呼進輿。兵士惶懼不能舉，有貞率諸人助挽以行。星月忽開朗。上皇各問諸人姓名。至東華門，門者拒弗内。上皇曰：朕太上皇帝也。遂反走，升奉天門。景帝明當視朝，羣臣待漏闕下，忽聞殿中呼噪聲，方驚愕，俄諸門畢啓，有貞出號於衆曰：太上皇帝復位矣，趣入賀。明史徐有貞傳

補奪門兵士薄南宫門，鐵錮牢密，扣不應，徐公有貞命取巨木架懸之，數十人舉以擊門。又令勇士踰垣入，與外合兵毁墉，墉壞門啓，入見太上，合聲稱陛下登位。上遲疑，公疾呼兵士舉輿。兵士驚顫不能舉，公自挽以前，掖上登輿，公又自挽之。上顧問公卿爲誰。公對曰：都御史臣徐有貞。上命公前導，密邇屬車。既升奉天殿，公猶在車前失退，武士擊公一椎，上叱止。黼座在殿隅，公往推之至中。上升座，天寖明。上又顧公曰：此事卿爲之耶？朕失遇卿矣。蘇村小纂

補英宗在南城，一日飢甚，索酒食，光禄官弗與。潞縣人張澤以吏辦事光禄寺，曰：晉懷、愍，宋徽、欽，天所棄也，上北狩而還，天有意乎！若復立而誅無禮，光禄其首矣。乃潛以酒食進，英宗識之。後復位，光禄官皆得罪，即日拜澤爲光禄卿。潞縣志

原南城在大内東南，英宗北狩還，居之。其中翔鳳等殿石闌干，景皇帝方建隆福寺，内

官悉取去，又伐四圍樹木，英皇甚不樂。既復辟，下内官陳謹等於獄。尋增置各殿爲離宮者五，大門西向，中門及殿南向，每宮殿後一小池跨以橋。池之前後爲石壇者四，植以栝松。最後一殿供佛甚奇古。左右迴廊與後殿相接，蓋仿大内式爲之。湧幢小品

原 南城中路曰永聚門，曰觀心殿，曰昭祥門，曰端拱之門，曰昭德門，曰重華門，曰廣愛門，曰咸熙門，曰重華殿，曰中圓殿，曰肅雍門，曰康和門，曰後殿，曰麗春門，曰清和閣，曰迎春館，曰圓殿。其東長街曰廣順門，曰中和門，曰景華門，曰宣明門，曰景明門，曰洪慶門，曰洪慶殿，曰後殿，曰膳房，曰庫，曰景和門。其西長街曰興善門，曰麗景門，曰長春門，曰清華門，曰寧福宮，曰延福宮，曰嘉福宮，曰高明門，曰明德宮，曰永春宮，曰永寧宮，曰宜春宮，曰延嘉宮，曰延春宮，曰御前作。河東有崇德殿，即回龍觀。有翫芳亭，有集祥門，有桂香館，有翠玉館，有浮金館，有擷秀亭，有聚景亭，有吕梁洪，有左右漾金亭，有含和殿，有澄輝閣，萬曆中更名曰湧福閣。有秋香館。明宮殿額名以上七條原在宮室門，今移改。

〔臣等謹按〕朱彝尊原書所引宮殿額名與春明夢餘録俱同，惟永聚門，春明夢餘録作永泰爲小異耳。今門、閣、宮、殿、亭、館俱無存；其曰庫者，即今磁器庫地。

原 初，上在南内，悦其幽静，既復位，數幸焉。因增置殿宇，其正殿曰龍德，左右曰崇

仁，曰廣智。其門南曰丹鳳，東曰蒼龍，正殿之後，鑿石爲橋。橋南北表以牌樓，曰飛虹，曰戴鰲。左右有亭，曰天光，曰雲影。其後壘石爲山，曰秀巖，山上平中爲圓殿曰乾運。其東西有亭曰凌雲，曰御風。其後殿曰永明，門曰佳麗。又其後爲圓殿一，引水環之，曰環碧。其門曰静芳，曰瑞光。別有館曰嘉樂，曰昭融，有閣跨河曰澄輝，皆極華麗。天順三年十一月工成，雜植四方所貢奇花異木于其中。每春暖花開，命中貴陪内閣儒臣賞宴。明英宗實録

原天順三年己卯七月，賜游南城，中有宫殿樓閣十餘所。是秋新作行殿，東爲蒼龍門，南爲丹鳳門，中爲龍德殿，左右曰崇仁、廣智。殿之北有橋，橋皆白石，雕水族於其上，南北有飛虹、戴鰲二牌坊，東西有天光、雲影二亭。又北疊石爲山曰秀巖，山上有圓殿曰乾運。其東西二亭曰凌雲、御風。山後爲佳麗門，又後爲永明殿，最後爲圓亭，引流水繞之，曰環碧。移植花木，青翠蔚然，如夙藝者。工既畢，遂命同學士李賢、吕原往觀焉。可齋筆記

原吴伯與内南城紀略　自東華門進至麗春門，凡里餘，經宏慶殿，歷皇史宬門，至龍德殿，隙地皆種瓜蔬，注水負甕，宛若村舍。過此則飛虹橋，石刻羆虎禽鳥狀，傳爲西洋僧載而來。橋之南北柱石題曰戴鰲，曰飛虹。有洞嵌石壁，壁上刻秀巖二字，石磴數十級，有方邱焉。最上爲乾運殿，古松大柏覆之。燕都游覽志

補正德中，南城金魚日食燕餅白麪二十斤。紫桃軒雜綴

【原】嘉靖十二年夏四月乙酉，帝御南城環碧殿閲馬，馬有玉麟飛、白玉驄、照夜璧、銀河練、瑶池駿、飛白，凡七。召輔臣張孚敬、李時、方獻夫、翟鑾俟重華殿。已而召入環碧，賜茗飲，共閲馬。又命至嘉樂館觀花木。帝乘玉麟飛青蓋。至重華殿，進孚敬等於左室，賜酒食、蟒龍飛魚服。帝製古樂府七言律各二章示孚敬等，命各和以獻。嘉隆聞見紀 以上五條原在宮室門，今移改。

〔臣等謹按〕玉麟飛以下共六馬，原書作七，似有脱漏，或七字爲傳寫之訛。

【補】嘉靖辛卯，上游幸南城演馬，召諸輔臣環碧殿賜宴，親灑宸翰，特命賡歌。又剪紅芍藥勅簪於首，又賜寶扇宮錦，徘徊於翠芬亭、寶月亭間。自醉學士歌而後，君臣同游未有如此之盛者。眉公見聞録

【原】朱維京度飛虹僑詩 鯨海遥涵一水長，清波深處石爲梁。平鋪碧甃連馳道，倒瀉銀河入苑牆。晴緑乍添垂柳色，春流時泛落花香。微茫迴隔蓬萊島，不放飛塵入建章。燕都游覽志

【原】陶從政詩 中官三寶下西洋，載得仙橋白玉梁。甲翼迎風渾欲動，晴珠觸日更生光。長安客話

【原】龔用卿乾運殿詩 團團小殿古陰斜，石檻玲瓏映水花。翠輦不來金鎖合，緑楊深處有啼鴉。瓊河集

【補】廖道南南内翔鳳樓詩 南内依鰲極，中天起鳳臺。錦屏霞外出，碣石海東來。嘉樹晴相映，名花晝自開。宣皇會覽眺，玉几五雲迴。元素子集

【補】又澄暉閣詩 層臺凌碧落，盤石躡丹梯。卷幔西山入，憑欄北斗齊。朝霞浮藻栱，夕景掛璇題。獨立高寒處，微茫思欲迷。同上

【補】又紫芝軒詩 后皇游息處，尚有紫芝軒。珍果垂枝熟，琪花接葉繁。晴雲團翠蓋，麗景照彤垣。翻憶東方朔，揮毫金馬門。同上 以上七條原在宮室門，今移改。

〔臣等謹按〕龍德殿諸處在今南池子西南，舊蹟俱廢。其地猶有名飛龍橋者，蓋卽飛虹橋遺址，龍、虹音近而沿訛耳。

【原】嘉靖十三年秋七月，命建皇史宬於重華殿西，欲置金匱石室其中也。勅閣館諸臣重書九廟寶訓實録藏之。復於欽天閣建石鐫欽天記頌，追先閣建石紀祖德詩，已而宴儒臣於謹身殿。大政記 原在宮室門，今移改。

〔臣等謹按〕欽天閣、追先閣久廢，詩頌石刻亦無考。

原 皇史宬，藏寶訓實録處也。按宬與盛同義，莊子以匡宬矢。説文曰：宬，屋所容受也。然殿宇命名，於斯僅見耳。燕都游覽志

增 皇史宬在重華殿西，建於嘉靖十三年。門額以史爲㕜，以成爲宬。左右小門曰[illegible]歷，以龍爲[illegible]，皆上自製字而手書也。中貯列朝實録及寶訓，每一帝開局，纂修告成，正本貯此。實録中諸可傳誦宣布者曰寶訓。宬中四周上下俱用石甃，中具二十臺，永陵、定陵各占二臺。春明夢餘録

〔臣等謹按〕史宬二字，燕都游覽志作史宬，謂宬與盛同義。春明夢餘録謂以史爲㕜，以成爲宬，嘉靖自製字也，今作史宬。[illegible]歷門額今無攷。

增 永樂中，命解縉纂集類書爲文獻大成，嫌其未備，乃命姚廣孝重修。永樂五年十一月告成，凡二萬二千二百一十一卷，各以韻爲類，賜名永樂大典，副本貯皇史宬。春明夢餘録

〔臣等謹按〕嘉靖十三年始建皇史宬，永樂大典成於永樂五年，云副本貯皇史宬者，就其後存貯之地而言也。

原 王立道皇史宬頌　惟古有史，君舉必書。左言右動，載筆罔虛。赫赫管彤，螭坳侍立。東馬南狐，各專其職。惟我有明，肇自太祖。太宗仁宣，英憲孝武。煌煌帝業，洋洋聖謨。超墳襲典，溢於翰觚。網羅散失，廣記備搜。郡國所上，太史所修。芸籤縹帙，金匱咸收。簡册既繁，先后靡一。於惟我皇，覽於前籍。因而出之，爰正爰輯。繕録靡忒，校讐孔精。諸臣咸勤，用觀厥成。迺審厥藏，倣古石室。司空載營，石室有翼。匪棟匪楹，不節不棁。斵之襲

之，有賁其飾。瑰階玉礦，廓其靚深。疏以瓊户，啟以朱扃。昔藏名山，京師留副。制崇蘭臺，嚴先四庫。其在於今，乃知其陋。百千萬年，與國永壽。具茨集　原在宮室門，今移改。

〔臣等謹按〕皇史宬仍明舊制，在南城南，尊藏本朝實録、玉牒。内有碑二，一恭刊御製恭瞻皇史宬詩，一恭刊御製恭送實録至盛京詩。其舊存明實録，移貯内閣書籍庫。

增 乾隆十五年御製恭瞻皇史宬詩　五代神謨秘典垂，崇宬扃鑰壯鴻規。蘭臺令史無慚筆，綸閣元臣有職司。内閣所掌。百世聽聽欽寶訓，萬年永茂衍宗枝。玉牒並藏於此。瑶函金匱前朝制，殷鑒兢兢念在兹。

〔臣等謹按〕皇史宬御製詩，恭載首見之篇，餘不備録。

原 皇史宬之西，過觀心殿射箭處，稍南則嘉樂館也。其北曰丹鳳門，門列金獅二。内有正殿曰龍德，左右亦有配殿，正殿之後則飛虹橋也。橋以石爲之，鑿龍魚水族於石，傳自西域得之。蕪史

原 橋南北有坊二曰飛虹、戴鰲，姜立綱所書也。橋北有山，山下有洞，額曰秀巖，以磴道分而上之。其高高在上者乾運殿也。左右亭各一，曰凌雲、御風，界以小石、藤蘿、花卉，若牆壁焉。同上

原 嘉靖四年五月，禮部尚書席書等上言：皇考既爲天子之父，當祭以天子之禮。但觀德殿在禁嚴之地，各官不得陪祀，太常不得行禮，當於太廟之東，南城之北或東，别立一

廟。得旨：禮、工二部會同司禮監，内閣領欽天監官相度。太廟右邊地狹，不堪建造，隨於廟東切近處所，南城稍北環碧殿地方，自御前作後牆起，至永明殿静芳門裏，南北深五十丈，東西闊二十丈，與午門甚近，太廟後隔一溝。合於本址建造新廟。六月，詔興工。大禮集議

原 嘉靖四十四年六月，作玉芝宮，名宮門曰芝祥，前門曰寶慶，後寢曰大德殿。明典彙

原 初，世宗之建世廟也，先名世室，以奉皇考獻皇之祀。既以世字礙後世稱宗，改建獻皇帝廟。既而獻皇祔廟稱宗，遂閉世廟不復祀。至嘉靖四十四年，舊廟柱産芝，上大悦，更名玉芝宮。欽定祀儀，日供膳如内殿，四時歲暮，大小節辰，牲帛諸品如廟祀。穆宗卽位，禮臣以獻皇已同列聖臨享，則玉芝之祀可罷。况宗廟常禮如四孟大祫，止行於太廟，節辰忌辰止行於内殿，國有大事止告太廟或内殿，未有并祭并告者。今無所不祭告，則列聖先帝將何以處之？至於日供之膳，宜倣南京奉先殿太祖例如舊奉設，以存有舉莫廢之義。上命如所擬，而議者猶以日膳爲瀆云。野獲編　以上五條原在宮室門，今移改。

〔臣等謹按〕玉芝宮久廢，以大禮集議所記地界考之，當在南池子西北，今之門神庫或卽其地歟？

增 普度寺在裏新庫北。城冊

〔臣等謹按〕普度寺舊名瑪哈噶喇廟，康熙三十三年建，乾隆四十年修，四十一年，賜名曰普度寺。大殿額曰慈濟殿，殿内額曰覺海慈航，皆皇上御書。寺内殿基高敞，去地丈餘。國初爲睿親王府，相傳卽南城舊宮，後改今寺。左爲黑護法佛殿，内藏鎧甲弓矢，皆睿親王舊物也。

增普勝寺在裏新庫東南。城册

〔臣等謹按〕國初建三大寺，普勝其一也。寺地爲明南城舊址，順治八年勅建。東有内翰林國史院大學士甯完我撰碑，西有乾隆九年工部侍郎勵宗萬撰重修碑。四十一年復修。

原自皇史宬東南有門通河，河上有湧福閣，俗所謂騎馬河是也。迤東沿河稍北，則吕梁洪東安橋，再北有亭居橋上曰涵碧。又北則迴龍觀址焉，其殿曰崇德者，是也。是河也，從北安門外文昌宮迤東步糧橋入，經皮房、内織染局、巾帽局、御馬監東、東安門橋下，至長安左門外迤東之玉河橋出焉。燕史

原迴龍觀舊多海棠，旁有六角亭，每歲花發時，上臨幸焉。燕都游覽志 以上二條原在宫室門，今移改。

增崇德殿卽迴龍觀。萬曆二十八年六月拆去，蓋造觀心殿，修補乾運殿。春明夢餘録

原陳悰詩 河流細繞禁牆邊，疏鑿清流勝昔年。好是南風吹薄暮，藕花香冷白鷗眠。天啓宫詞 原在宫室門，今移改。

〔臣等謹按〕湧福閣諸處今俱廢，以河與橋證之，則普勝寺東北有馬鞍橋，當卽騎馬河舊址。河東今爲南箭亭，北有平橋，在東安橋南，當卽吕梁洪漾金亭舊址。東安橋北又有橋，橋上遺石礎二，相傳有樓騎河，今橋西街尚名騎河樓，則燕史所云有亭居橋上曰涵碧者也。又北今爲北箭亭，崇德殿舊基應在其地云。